#시험대비
#핵심정복

7일 끝
중간고사
기말고사

**Chunjae
Makes
Chunjae**

▼

개발총괄	김덕유
편집개발	중등 사회팀
제작	황성진, 조규영

발행일	2021년 3월 15일 초판 2021년 3월 15일 1쇄
발행인	(주)천재교육
주소	서울시 금천구 가산로9길 54
신고번호	제2001-000018호
고객센터	1577-0902
교재 내용문의	(02)3282-1780

7일 끝으로 끝내자!

중학 사회 ②

BOOK 1

구성과 활용

시험 공부 시작

생각 열기

공부할 내용을 만화로 가볍게 살펴보며 학습을 준비해 보세요.

❶ 생각 열기 만화 내용을 가볍게 보고 퀴즈를 풀면서 학습 목표를 떠올려 보세요.

❷ 공부할 내용을 살피며 핵심 학습 요소를 확인해 보세요.

본격 공부 중

교과서 핵심 정리 + 기초 확인 문제

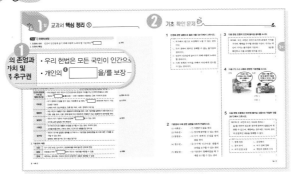

꼭 알아야 할 교과서 핵심 내용을 익히고 기초 확인 문제를 풀며 제대로 이해했는지 확인해 보세요.

❶ 빈칸 문제를 채우며 교과서 핵심 내용을 다시 한 번 체크해 보세요.

❷ 교과서 핵심과 관련된 기초 확인 문제를 풀며 공부한 내용을 확인해 보세요.

내신 기출 베스트

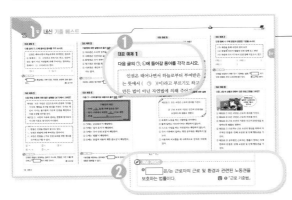

다양한 유형의 문제를 풀어 보며 공부한 내용을 점검해 보세요.

❶ 대표 예제 문제를 풀며 시험에 잘 나오는 문제를 확인해 보세요.

❷ 개념 가이드를 보며 시험에 잘 나오는 용어나 개념을 익히거나 문제 해결의 힌트를 얻어 보세요.

시험 공부 마무리

누구나 100점 테스트
앞에서 공부한 내용을 바탕으로 기초 이해력을 점검해 보세요.

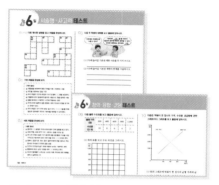

서술형·사고력 **테스트**
/ 창의·융합·코딩 **테스트**
서술형 문제를 집중적으로 풀며 서술형 문제 적응력을 높여 보세요.
참신하고 다양한 자료들을 활용한 문제를 풀면서 사고력을 길러 보세요.

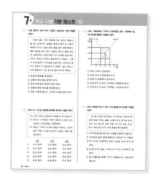

학교 시험 기본 테스트
시험 문제에 가까운 예상 문제를 풀며 실전에 대비해 보세요.

틈틈이·짬짬이 공부하기

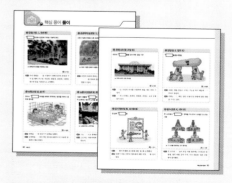

단원별 필수 개념어와 어휘를 담은 핵심 용어 풀이를 보며 어휘력을 길러 보세요.

핵심 정리 총집합 카드를 휴대하며 이동하는 중이나 시험 직전에 활용해 보세요.

7일 끝 중학 사회 ❷

차례

1일 인권의 보장 ~노동권 침해와 구제

생각 열기

• 인권 보장과 기본권

> 인간으로 태어났으니 인간답게 살 권리를 부여하노라.

> 우리가 인간이니까 당연히 누리는 권리예요.

천부 인권 = 자연권

인간의 존엄과 가치 및 행복 추구권

자유권 평등권 참정권 사회권 청구권

Quiz

인간의 존엄과 가치 및 행복 추구권은 모든 ❶ [   ]이/가 지향하는 근본 가치이다.

답 ❶ 기본권

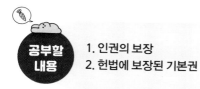

공부할 내용

1. 인권의 보장
2. 헌법에 보장된 기본권

3. 인권 침해와 구제
4. 노동권 침해와 구제

• 인권 보호 기관과 노동권

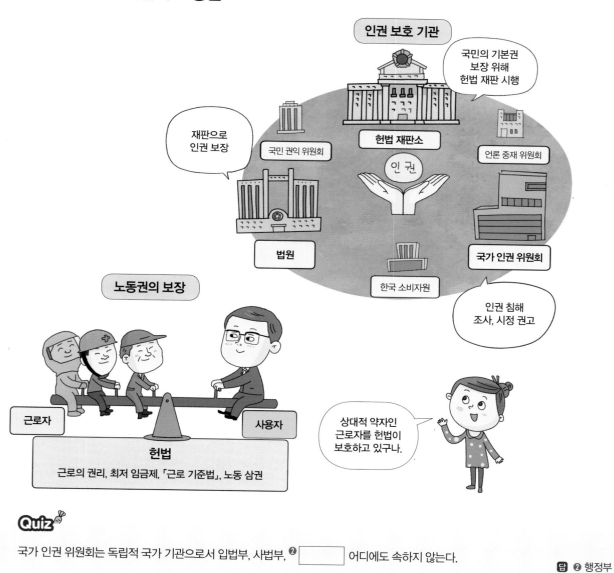

인권 보호 기관

국민의 기본권 보장 위해 헌법 재판 시행

재판으로 인권 보장

국민 권익 위원회

헌법 재판소

인 권

언론 중재 위원회

법원

한국 소비자원

국가 인권 위원회

인권 침해 조사, 시정 권고

노동권의 보장

근로자

사용자

헌법

근로의 권리, 최저 임금제, 「근로 기준법」, 노동 삼권

상대적 약자인 근로자를 헌법이 보호하고 있구나.

Quiz

국가 인권 위원회는 독립적 국가 기관으로서 입법부, 사법부, ❷ [   ] 어디에도 속하지 않는다.

답 ❷ 행정부

개념 1 인권의 보장

1. 인권의 의미 인간이 인간답게 살기 위해 마땅히 누려야 할 기본적인 ❶[   ]

❶ 권리

2. 인권의 특징

천부 인권	인간이 태어나면서부터 가지는 것으로, 하늘이 준 권리
자연권	국가의 법으로 정하기 전에 이미 자연적으로 주어진 권리
보편적 권리	성별, 나이, 피부색, 장애 유무 등에 관계없이 모든 사람이 동등하게 갖는 권리
불가침의 권리	다른 사람이나 국가 기관이 함부로 침해할 수 없는 권리

3. 인권 보장의 중요성 인권이 보장될 때 인간의 ❷[   ]을/를 지키고 행복하게 살 수 있음

❷ 존엄성

[예] 인권은 하늘이 모든 인간에게 준 권리로, 다른 사람에게 양도하거나 포기할 수 없다.

개념 2 헌법에 보장된 기본권

1. 인권과 헌법의 관계 기본권은 헌법이 보장하는 기본적 ❸[   ](으)로서, 헌법에 기본권을 규정한 이유는 <u>국민의 자유와 권리를 국가의 부당한 간섭이나 침해로부터 지키기 위함</u>

❸ 인권

└ 헌법은 추상적인 인권의 내용을 구체적으로 규정하여 국민의 인권을 실질적으로 보장할 수 있게 함

2. 헌법에서 보장하는 기본권

인간의 존엄과 가치 및 행복 추구권	• 우리 헌법은 모든 국민이 인간으로서의 존엄과 가치를 지닌 인격적 존재라고 규정 • 개인의 ❹[ ]을/를 보장 → 모든 기본권이 지향하는 근본 가치이자 토대
자유권	• 국가 권력의 간섭을 받지 않고 자유롭게 살 권리, ❺[ ] 권리이며 역사가 가장 오래된 기본권 • 신체의 자유, 정신적(종교, 언론 등) 자유, 사회·경제적 자유 등
평등권	• 모든 국민이 차별받지 않고 동등하게 대우받을 권리, 다른 기본권을 실현하기 위한 전제 조건 • 인종, 성별, 종교, 신분, 장애 등에 따라 부당하게 차별받지 않고 동등하게 대우받을 권리
참정권	• 국민이 국가 기관의 구성과 운영에 ❻[ ]할 수 있는 권리 • 선거권, 공무 담임권, 국민 투표권
사회권	• 국가에 인간다운 생활의 보장을 요구할 수 있는 권리, 적극적 권리 • 교육을 받을 권리, 근로의 권리, 인간다운 생활을 할 권리 등
청구권	• 국민이 국가에 일정한 행위를 요구하거나 기본권을 침해당했을 때 이에 대한 구제를 요구할 수 있는 권리 • 청원권, 재판 청구권, 국가 배상 청구권

❹ 행복 추구권

❺ 소극적

❻ 참여

3. 기본권의 제한

사유	국가 안전 보장, 질서 유지, 공공복리를 위해 필요한 경우에 한함
방법	국회에서 만든 ❼[ ]로써 국민의 기본권을 제한할 수 있음
한계	제한하는 경우에도 자유와 권리의 본질적인 내용은 침해할 수 없음

❼ 법률

기초 확인 문제

1 인권에 관한 설명으로 옳은 것을 〈보기〉에서 고르시오.

┌─ 보기 ┐
ㄱ. 국가에서 법으로 보장해야 누릴 수 있는 권리
　이다.
ㄴ. 국가 권력이 함부로 침해할 수 없는 불가침의
　권리이다.
ㄷ. 인간이 인간답게 살아가기 위해 마땅히 누려야
　할 권리이다.
ㄹ. 사회 전체의 이익을 위해서 타인에게 양도할
　수 있는 권리이다.

(　　　　　)

2 기본권과 이에 관한 설명을 바르게 연결하시오.

(1) 사회권 •　　　　• ㉠ 차별받지 않을 권리

(2) 자유권 •　　　　• ㉡ 정치에 참여할 수 있는 권리

(3) 참정권 •　　　　• ㉢ 국가 권력의 간섭을 받지
　　　　　　　　　 않을 권리

(4) 청구권 •　　　　• ㉣ 국가에 인간다운 생활의
　　　　　　　　　 보장을 요구할 수 있는 권리

(5) 평등권 •　　　　• ㉤ 기본권이 침해되었을 때 구
　　　　　　　　　 제를 요구할 수 있는 권리

3 다음 헌법 조항의 빈칸에 들어갈 용어를 쓰시오.

제10조　모든 국민은 인간으로서의 존엄과 가치를
가지며, 행복을 추구할 권리를 가진다. 국가는 개
인이 가지는 불가침의 기본적 (　　　　　)을/를
확인하고 이를 보장할 의무를 진다.

(　　　　　)

4 다음 (가), (나) 사례와 관련된 기본권을 쓰시오.

(가): (　　　　　)
(나): (　　　　　)

5 다음 헌법 조항에서 빈칸에 들어갈 내용으로 적절한 것을
〈보기〉에서 고르시오.

제37조 ②　국민의 모든 자유와 권리는 (　　　　　)
을/를 위하여 필요한 경우에 한하여 법률로써 제
한할 수 있으며, 제한하는 경우에도 자유와 권리
의 본질적인 내용을 침해할 수 없다.

┌─ 보기 ┐
ㄱ. 경제 성장　　　　　ㄴ. 공공복리
ㄷ. 질서 유지　　　　　ㄹ. 국가 권력 강화
ㅁ. 국가 안전 보장　　　ㅂ. 개인의 경제적 이익

(　　　　　)

개념 3 인권 침해와 구제

1. **인권 침해** 국가 기관 또는 다른 사람에 의해 인권의 내용이 훼손되는 것
2. **인권 보장을 위한 국가 기관** ─ 국민 권익 위원회, 언론 중재 위원회, 한국 소비자원 등도 해당됨

법원	• 사법권을 행사하여 인권을 보장하는 대표적인 기관 • 재판을 통해 침해된 권리를 구제받도록 하거나, 인권을 침해한 행위를 **❶**⬚ 함 으로써 인권을 보장함	❶ 처벌
헌법 재판소	• 국민의 기본권 보장과 헌법 질서 유지를 위해 헌법 재판을 하는 기관 • 위헌 법률 심판: 국회에서 만든 법률이 **❷**⬚ 에 위배되는지를 심판함 ─ 법원이 제청함 • 헌법 소원 심판: 국가의 공권력이 국민의 **❸**⬚ 을/를 침해했는지를 심판함 ┌국민이 청구함	❷ 헌법 ❸ 기본권
국가 인권 위원회	• 인권 침해와 차별 행위를 개선하기 위해 설립된 **❹**⬚ 국가 기관 • 국민이 국가 인권 위원회에 진정을 하면, 조사를 통해 필요한 사항을 권고하여 인권을 구제함	❹ 독립적

예 법원, 헌법 재판소, 국가 인권 위원회는 인권을 보장하기 위한 국가 기관이다.

개념 4 노동권 침해와 구제

1. **근로자의 권리**

근로자의 의미	임금을 받기 위해 사용자에게 **❺**⬚ 을/를 제공하는 사람 → 사용자보다 경제·사회 적으로 약자의 지위에 있기 때문에 보호가 필요함	❺ 노동
헌법에 보장된 근로자의 권리 └노동권	• 근로의 권리: 일할 의사와 능력을 가진 사람이 일할 기회와 인간다운 생활의 보장을 요구 할 권리 • **❻**⬚ : 임금의 최저 수준을 법률로 정하여 근로자를 보호함 • 「근로 기준법」: 근로자를 보호하기 위해 근로 조건의 기준을 정한 법률 • 노동 삼권: 근로자가 사용자와 대등한 위치에서 근로 조건을 협의·결정하도록 보장하는것	❻ 최저 임금제

┌ 노동조합을 결성할 수 있는 '단결권', 노동조합이 근로 조건에 관해 사용자와 협상할 수 있는 '단체 교섭권',
교섭이 원만하게 이루어지지 않을 때 쟁의 행위를 할 수 있는 '단체 행동권'

2. **노동권 침해와 구제**

노동권 침해 사례	• 부당 해고: 정당한 이유 없이 해고하는 것 ┌ 부당 노동 행위는 노동 삼권을 침해하는 행위임 • 부당 노동 행위: 정당한 **❼**⬚ 활동을 방해하는 것(근로자가 노동조합에 가 입했다는 이유로 불이익을 주거나 노동조합과의 단체 교섭을 거부하는 것 등) • 최저 임금보다 적은 임금 지급, 근로자에게 제때 임금을 주지 않는 것, 근로 계약서 미작성, 근로 계약에서 정한 시간 이상으로 초과 근무 지시 등	❼ 노동조합
침해된 노동권의 구제 방법	• 부당 해고 및 부당 노동 행위: **❽**⬚ 에 구제 신청, 법원에 소송 제기 등 • 임금을 제때 받지 못한 경우: 고용노동부에 진정, 법원에 민사 소송 제기	❽ 노동 위원회

기초 확인 문제

6 다음 그림과 같이 헌법 소원 심판을 하는 국가 기관을 쓰시오.

( )

7 국가 인권 위원회의 역할로 옳은 것을 〈보기〉에서 <u>모두</u> 고르시오.

┌ 보기 ┐

ㄱ. 위헌 법률 심판을 통해 인권을 보호한다.

ㄴ. 행정부에 소속되어 인권과 헌법을 보호한다.

ㄷ. 인권 침해 행위와 관련해 시정해야 할 사항을 해당 기관에 권고한다.

ㄹ. 국민이 진정을 하면 인권 침해 행위를 직접 조사하고 시정해야 할 사항을 찾아 낸다.

( )

8 국가 기관과 그 기관에 인권 구제를 요청하는 방법을 바르게 연결하시오.

(1) 법원 • • ㉠ 진정

(2) 헌법 재판소 • • ㉡ 민사 소송 제기

(3) 국가 인권 위원회 • • ㉢ 헌법 소원 심판 청구

9 다음 뉴스와 관련된 근로자의 권리로 옳은 것을 〈보기〉에서 고르시오.

┌ 보기 ┐

ㄱ. 단결권 ㄴ. 참정권

ㄷ. 단체 교섭권 ㄹ. 단체 행동권

ㅁ. 최저 임금 요구권

( )

10 괄호 안의 내용 중 알맞은 말을 골라 ○표 하시오.

(1) (법률 , 조례)을/를 통해 최저 임금을 보장하고 있다.

(2) 근로 조건의 기준을 (노동 삼권 , 「근로 기준법」)으로 정하고 있다.

(3) 헌법에 모든 (국민 , 남자)이/가 근로의 권리를 가진다고 명시하고 있다.

(4) (정부 , 근로자)와 사용자가 근로 조건에 관해 계약서를 쓰도록 하고 있다.

(5) 노동 삼권인 단결권, 단체 교섭권, 단체 행동권을 (법률이 권장 , 헌법이 보장)하고 있다.

대표 예제 1

다음 글의 ㉠, ㉡에 들어갈 용어를 각각 쓰시오.

> 인권은 태어나면서 하늘로부터 부여받은 권리라는 뜻에서 (㉠)(이)라고 부르기도 하고, 인간이 만든 법이 아닌 자연법에 의해 주어지는 권리라는 뜻에서 (㉡)(이)라고도 한다.

㉠: (   ) ㉡: (   )

개념 가이드

❶ [   ]의 특징에는 천부 인권, 자연권, 보편적 권리 등이 있다.
답 ❶ 인권

대표 예제 2

다음 헌법 조항에 대한 옳은 설명을 〈보기〉에서 고르면?

> 제10조 모든 국민은 인간으로서의 존엄과 가치를 가지며, 행복을 추구할 권리를 가진다. 국가는 개인이 가지는 불가침의 기본적 인권을 확인하고 이를 보장할 의무를 진다.
>
> 제37조 ① 국민의 자유와 권리는 헌법에 열거되지 아니한 이유로 경시되지 아니한다.

┌ 보기 ┐
ㄱ. 헌법은 인권을 만들어 낼 수도 있다.
ㄴ. 인권은 헌법에 의해 부여되는 권리이다.
ㄷ. 국민은 헌법을 근거로 인권 보호를 위한 제도를 국가에 요구할 수 있다.

① ㄱ   ② ㄴ   ③ ㄷ
④ ㄱ, ㄷ   ⑤ ㄴ, ㄷ

개념 가이드

인권은 헌법이 부여하는 권리가 아니며, 헌법은 다만 이를 확인하고 ❷ [   ]하기 위한 것이다.
답 ❷ 보장

대표 예제 3

기본권에 대한 설명으로 옳지 <u>않은</u> 것은?

① 자유권은 소극적 성격을 띤다.
② 사회권은 인간다운 삶을 보장한다.
③ 참정권은 국가 권력에서 벗어날 수 있는 권리이다.
④ 청구권은 권리를 회복할 수 있는 수단을 보장한다.
⑤ 기본권은 개인의 자유를 위해 무제한으로 행사할 수는 없다.

개념 가이드

자유권, 사회권, 청구권은 ❸ [   ]이다.
답 ❸ 기본권

대표 예제 4

다음 ㉠~㉢에 들어갈 내용으로 옳지 <u>않은</u> 것은?

> 〈기본권의 제한〉
> • 목적: ___㉠___ 을/를 위해 필요한 경우
> • 형식: 국회에서 제정한 ___㉡___ (으)로 제한
> • 한계: _____㉢_____

① ㉠에는 '공공복리'가 해당한다.
② ㉠에는 '질서 유지'가 해당한다.
③ ㉠에는 '국가 안전 보장'이 해당한다.
④ ㉡에는 '법률'이 해당한다.
⑤ ㉢에는 '본질적 내용의 제한 필요성'이 해당한다.

개념 가이드

기본권을 제한하는 경우에도 ❹ [   ]와/과 권리의 본질적 내용은 침해할 수 없다.
답 ❹ 자유

대표 예제 **5**

침해된 인권의 구제 방법으로 옳은 것은?

① 국가 인권 위원회가 재판을 실시한다.

② 헌법 재판소가 민사 재판을 실시한다.

③ 법원에서는 재판을 통해 분쟁 해결을 돕는다.

④ 소비자의 피해는 언론 중재 위원회가 구제한다.

⑤ 헌법에 비추어 법률이 인권을 침해한다고 판단하면 국민 권익 위원회가 위헌 결정을 내린다.

개념 가이드

법원의 기본적인 역할은 **❺** ☐☐☐(으)로 침해된 권리를 구제하고 분쟁 해결을 돕는 것이다.　　**답** **❺** 재판

대표 예제 **6**

제시된 헌법 조항에 의해 보호받고 있는 사람에 대한 설명으로 옳은 것은?

> 제32조 ① 모든 국민은 근로의 권리를 가진다.
> ······.
> ③ 근로 조건의 기준은 인간의 존엄성을 보장하도록 법률로 정한다.

① 육체적 노동을 하는 사람만을 의미한다.

② 짧게 일하는 아르바이트는 해당하지 않는다.

③ 스스로 사업을 하는 자영업자는 해당하지 않는다.

④ 국가 기관에서 일하는 행정 공무원은 해당하지 않는다.

⑤ 사용자와 비교했을 때 사회적으로 강자의 지위에 있다.

개념 가이드

우리나라는 **❻** ☐☐☐의 권리를 보호하기 위해 노동 삼권 등을 보장한다.　　**답** **❻** 근로자

대표 예제 **7**

인권 침해 시 구제 방법과 관련된 기관을 쓰시오.

> (가) 재판을 통해 국민의 권리 보호
> (나) 헌법에 비추어 법률의 인권 침해 요소 판단
> (다) 독립적 국가 기구로서 인권 침해 직접 조사, 권고

(가): (　　　　　) 　(나): (　　　　　　)

(다): (　　　　　)

개념 가이드

인권을 보장하기 위한 국가 기관에는 법원, **❼** ☐☐☐, 국가 인권 위원회, 한국 소비자원 등이 있다.　　**답** **❼** 헌법 재판소

대표 예제 **8**

다음 그림 속 상황과 관련이 깊은 헌법 조항을 고르면?

> 하루에 8시간 일하면 1시간은 휴식 시간을 가질 수 있구나!

① 제32조 ① 모든 국민은 근로의 권리를 가진다.

② 제32조 ② 모든 국민은 근로의 의무를 진다.

③ 제32조 ③ 근로 조건의 기준은 인간의 존엄성을 보장하도록 법률로 정한다.

④ 제33조 ① 근로자는 근로 조건의 향상을 위하여 자주적인 단결권·단체 교섭권 및 단체 행동권을 가진다.

⑤ 제33조 ② 공무원인 근로자는 법률이 정하는 자에 한하여 단결권·단체 교섭권 및 단체 행동권을 가진다.

개념 가이드

❽ ☐☐☐은/는 근로자의 근로 및 환경과 관련된 노동권을 보호하는 법률이다.　　**답** **❽**「근로 기준법」

2일 국회의 위상과 조직 ~법원과 헌법 재판소

• 국회와 행정부

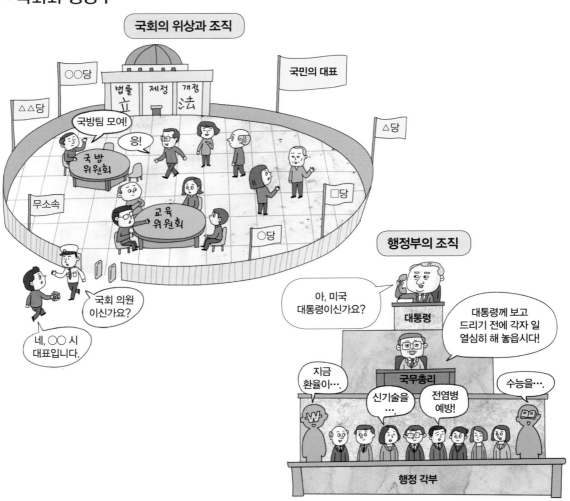

Quiz

우리나라의 대통령은 국가를 대표하는 국가 원수이자, ❶ [   ]의 수반이다.

답 ❶ 행정부

• 법원, 헌법 재판소와 삼권 분립

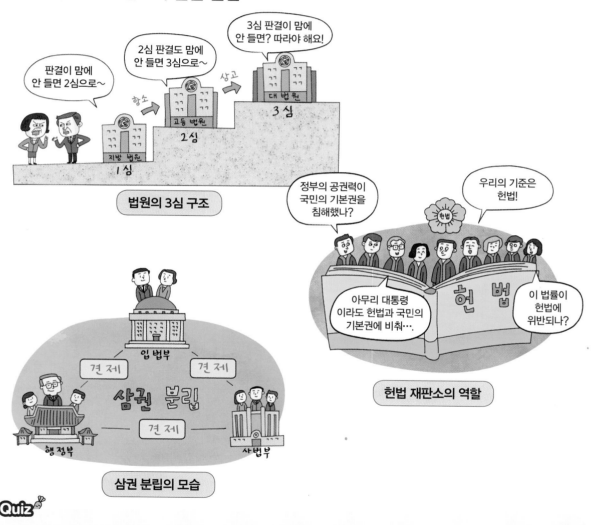

판결이 맘에 안 들면 2심으로~

2심 판결도 맘에 안 들면 3심으로~

3심 판결이 맘에 안 들면? 따라야 해요!

항소

상고

지방 법원 1심

고등 법원 2심

대법원 3심

법원의 3심 구조

정부의 공권력이 국민의 기본권을 침해했나?

우리의 기준은 헌법!

헌법

아무리 대통령 이라도 헌법과 국민의 기본권에 비춰…

이 법률이 헌법에 위반되나?

헌법 재판소의 역할

입법부

견제

견제

삼권 분립

견제

행정부

사법부

삼권 분립의 모습

Quiz

우리나라는 국가 기관을 입법부, 행정부, ❷ ☐☐☐☐ (으)로 나누고 특정 기관의 권력이 커지는 것을 막기 위해 서로 견제하는 고유의 권한을 각 기관에 부여한다.

답 ❷ 사법부

2일 교과서 핵심 정리 ①

─ 입법부

개념 1 국회의 위상과 조직

1. 국회의 위상
─ 입법부

국민의 대표	국민이 직접 선출한 대표들로 구성됨 → ❶ [　　　] 민주제 실시
입법 기관	국민의 의사를 반영하여 ❷ [　　　]을/를 제정하거나 개정함
국가 권력의 견제 기관	행정부, 사법부를 비롯한 국가 기관들을 감시하고 견제 → 국가 권력 남용을 방지 (국민의 자유와 권리를 보장하기 위함)

❶ 간접

❷ 법률

2. 국회의 구성과 조직

국회 의원	지역구 국회 의원과 비례 대표 국회 의원으로 구성 ┌ 국민이 선거구별 후보자에게 직접 투표하여 선출(253명) ┐ 선거에서 정당이 얻은 득표율에 비례하여 선출(47명)
위원회	효율적인 의사 진행을 위해 ❸ [　　　]에 앞서 안건을 미리 심의하는 기관 • ❹ [　　　]: 국방, 외교, 복지 등의 전문 분야를 전담하기 위해 활동하는 위원회 • 특별 위원회: 특별한 안건을 처리하기 위해 일시적으로 활동하는 위원회
의장단	국회 의장 1명과 부의장 2명을 선출
교섭 단체	일정한 수 이상의 국회 의원으로 구성, 국회 의원의 의사를 사전에 조정
본회의	국회의 최종적인 의사를 결정함, ❺ [　　　]와/과 임시회로 구성

❸ 본회의

❹ 상임 위원회

❺ 정기회

예 국민이 직접 선출한 대표들로 구성된 국회는 입법 기관이자 국가 권력을 견제하는 기관이다.

개념 2 국회의 권한

1. 입법에 관한 권한

법률의 제정, 개정	국가 작용의 근거가 되는 법률을 만들고 고침 → ❻ [　　　]의 가장 대표적이고 중요한 역할 └ 정부가 외국과 체결한 조약도 최종적으로 국회가 동의해야 함
헌법 개정안 제안, 의결	국가 최고 법인 ❼ [　　　]의 개정안을 제안하고 의결함

❻ 국회

❼ 헌법

2. 재정에 관한 권한

예산안 심의·확정권	정부가 편성한 국가의 예산안을 심의하고 확정함
결산 심사권	정부가 1년 동안 세금을 제대로 사용했는지 심사함

3. 일반 국정에 관한 권한(국정 견제 권한)

국정 감사 및 국정 조사권	• ❽ [　　　]: 매년 정기적으로 행정부의 국정 전반을 감사 • 국정 조사: 특정한 사안이 발생했을 때 그에 대해 조사
기타	• 고위 공직자 임명 동의권, 탄핵 소추권(법률이 정한 대통령, 장관 등의 공무원이 헌법이나 법률을 위반했을 때 ❾ [　　　] 소추를 의결함) └ 대통령이 공직자 임명 시 인사 청문회를 실시하여 행사함

❽ 국정 감사

❾ 탄핵

기초 확인 문제

정답과 해설 **65쪽**

1 괄호 안의 내용 중 알맞은 말을 골라 ○표 하시오.

(1) (국회 , 정부)는 국민의 대표 기관이다.

(2) 국회는 (규칙 , 법률 , 헌법)을 제정한다.

(3) 국회는 (국민 , 정치인)의 다양한 의사를 반영해야 한다.

2 국회에 대해 바르게 말한 학생을 〈보기〉에서 고르시오.

┌─ 보기 ─┐

한서: 국민이 직접 선출한 대표들로 구성돼.

은수: 국회 의원 수는 400명 이상이어야 해.

시원: 국회가 구성되면 국회 의장 1명과 부의장 1명을 선출해.

이안: 의사 결정이 효율적으로 진행될 수 있도록 위원회를 두고 있어.

(   )

3 다음 설명이 국회의 권한 중 입법에 관한 것이면 '입', 재정에 관한 것이면 '재', 일반 국정에 관한 것이면 '일'이라고 쓰시오.

(1) 정부가 짠 국가 예산안을 심의하고 확정한다.

(   )

(2) 새로운 법을 제정하거나 기존의 법을 개정한다.

(   )

(3) 대통령이 고위 공직자를 임명하는 것에 대한 동의권을 갖는다. (   )

4 다음 신문 기사에 드러난 국회의 권한을 쓰시오.

┌─────────────────┐

○○신문

2016년 예산안, 국회 본회의 통과

최근 국회는 386조 3,997억 원 규모의 2016년도 예산안을 의결했다. 이는 정부 제출안보다 3,062억 원을 줄인 규모이다.

└─────────────────┘

(   )

5 다음 그림은 법률이 만들어지는 과정을 나타낸 것이다. 이에 대한 설명으로 옳은 것을 〈보기〉에서 고르시오.

┌─ 보기 ─┐

ㄱ. 본회의에서 최종적인 의사를 결정한다.

ㄴ. 법률의 제정과 개정은 사법부에서 담당한다.

ㄷ. 법률안은 국회 의원만 발의하거나 제출할 수 있다.

ㄹ. 대통령은 거부권을 행사할 수 없으며, 법률안은 국회의 의결 즉시 공포하여야 한다.

(   )

개념 3 대통령과 행정부

		정부 ┐	
대통령	지위	국가를 대표하는 국가 원수이자, ❶ ☐의 수반	❶ 행정부
	선출 및 임기	국민이 직접 선거로 선출함, 임기는 ❷ ☐년이며 중임할 수 없음	❷ 5
	권한	• 국가 원수(국가 대표)로서의 권한: 외교에 관한 권한, 헌법 기관 구성 권한, 국민 투표 제안, 긴급 명령 및 계엄 선포 권한 • 행정부 수반(최고 책임자)으로서의 권한: 행정부 지휘·감독, 고위 공무원 임면권, 국무 회의 의장, 대통령령 제정, 법률안 거부권	
국무총리		대통령을 보좌하며, 대통령의 명을 받아 행정 각부를 지휘·조정함	
행정 각부		구체적인 행정 사무를 처리하며, 각부 ❸ ☐의 지휘를 받음 ── 교육부, 기획재정부 등이 포함됨	❸ 장관
국무 회의		• 대통령(의장), 국무총리(부의장), 행정 각부의 장관 등 ❹ ☐(으)로 구성됨 • 정부의 중요 정책을 심의하는 행정부의 최고 심의 기관	❹ 국무 위원
감사원		• 대통령 소속의 행정부 최고 감사 기관으로 독립적인 지위를 가짐 • 국가의 수입·지출 검사, 행정 기관과 공무원에 대한 직무 감찰	

개념 4 법원과 헌법 재판소

1. 법원의 조직과 기능

┌─ 사법권은 분쟁 해결 과정에서 추상적인 법을 해석하고 판단하여 구체적인 사건에
│ 적용하는 권한으로, 우리 헌법은 법원과 헌법 재판소에 사법권을 부여함
└ 사법부

조직	• 대법원: 사법부 최고 기관, 2심 판결에 불복하여 상고한 사건의 ❺ ☐ 재판 담당 • 고등 법원: 1심 판결에 불복하여 항소한 사건의 재판(2심 판결) 담당 • 지방 법원: 법적 분쟁을 해결하기 위한 1심 판결 담당 • 특허 법원: 특허 업무와 관련된 사건 담당 • 가정 법원: 이혼, 양자, 상속 등 가사 사건과 소년 보호 사건 담당 • 행정 법원: 국가 기관의 잘못된 행정 작용에 대한 사건 담당	❺ 최종(3심)
기능	• 재판: 재판을 통해 법률을 적용·해석함으로써 분쟁을 해결 • 위헌 법률 심판 제청권: ❻ ☐에 위헌 법률 심판을 제청(신청)할 수 있음 • 명령·규칙·처분 심사권: 국가 기관에서 만든 명령·규칙이나, 국가의 행정 처분을 심사	❻ 헌법 재판소

2. 헌법 재판소의 위상과 역할

위상	지위	국회에서 만든 법률이나 공권력의 행사가 국민의 기본권을 침해하는지 등을 판단함 → ❼ ☐을/를 수호하고 국민의 기본권을 보장하는 독립된 국가 기관	❼ 헌법
	구성	법관의 자격을 가진 9명의 재판관으로 구성 → 대통령이 임명하되, 정치적 중립을 보장하기 위해 3명은 국회에서 선출하고 3명은 대법원장이 지명함	
역할		위헌 법률 심판, 헌법 소원 심판, 탄핵 심판, 권한 쟁의 심판, 정당 해산 심판	

6 다음 그림과 같은 권한을 가진 국가를 대표하는 사람을 쓰시오.

▲ 외교 사절 접견

▲ 대법원장 임명

( )

7 다음 우리나라 정부 조직도에서 (가)의 역할로 옳은 것을 〈보기〉에서 고르시오.

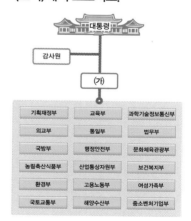

보기
ㄱ. 대통령 보좌   ㄴ. 법무 행정 실행
ㄷ. 국무 회의의 부의장   ㄹ. 행정 각부 지휘·조정

( )

8 행정부의 조직과 그 기능을 바르게 연결하시오.

(1) 감사원 •   • ㉠ 행정부의 수반
(2) 대통령 •   • ㉡ 공무원의 직무를 감찰
(3) 국무총리 •   • ㉢ 행정부 최고 심의 기관
(4) 국무 회의 •   • ㉣ 구체적인 행정 사무 집행
(5) 행정 각부 •   • ㉤ 행정 각부 총괄, 대통령 보좌

2일

9 괄호 안의 내용 중 알맞은 말을 골라 ○표 하시오.

(1) 지방 법원은 주로 (1심 , 3심) 판결을 한다.
(2) 가사 사건은 (가정 , 행정) 법원이 담당한다.
(3) (대법원 , 고등 법원)은 사법부의 최고 기관으로 최종 재판을 담당한다.

10 밑줄 친 ㉠~㉣ 중 옳은 것을 고르시오.

헌법 재판소는 ㉠ 법관의 자격을 가진 5명의 재판관으로 구성된다. ㉡ 재판관은 대법원장이 임명한다. 헌법 재판관의 임기는 6년이며, 연임할 수 있다. 헌법 재판소는 ㉢ 국가 기관이 헌법을 위반하는지 감시하여 헌법을 수호하고, ㉣ 국민의 기본권을 보장한다.

( )

대표 예제 1

우리나라의 국회 의원에 대한 설명으로 옳은 것을 〈보기〉에서 고르면?

┌ 보기 ┐
ㄱ. 국회 의원의 임기는 4년이다.
ㄴ. 현재 우리나라의 국회 의원 의석수는 200석이다.
ㄷ. 국회 의원에 출마하기 위해서는 만 40세 이상이 되어야 한다.
ㄹ. 국회 의원은 선출 방식에 따라 지역구 국회 의원과 비례 대표 국회 의원으로 구분된다.

① ㄱ, ㄴ   ② ㄱ, ㄹ   ③ ㄴ, ㄷ
④ ㄴ, ㄹ   ⑤ ㄷ, ㄹ

개념 가이드

헌법에 정해진 국회 의원 최소 의석수는 200석이며, 실제 의석수는 제21대 국회를 기준으로 ❶ [   ]석이다.   **답** ❶ 300

대표 예제 2

다음 내용에 해당하는 기관을 고르면?

• 국회의 효율적인 회의 진행을 위해 만들어졌다.
• 전문 지식을 가진 의원들이 각 분야를 전담한다.
• 국회에서 심의되는 법률안을 미리 조사·심의한다.

① 본회의   ② 위원회
③ 국회 의원   ④ 국회 의장
⑤ 국정 조사단

개념 가이드

위원회는 ❷ [   ]의 효율적인 회의 진행을 위해 전문적인 지식을 가진 의원들이 각 분야를 전담하는 기관이다.

답 ❷ 국회

대표 예제 3

㉠~㉣이 국회의 어떠한 권한과 관련되는지 각각 구분하여 쓰시오.

국회 신문	○○○○년 ○○월 ○○일

이번 주 국회 사건

㉠ 행정부의 작년도 결산을 승인
㉡ ○○ 로비 사건에 대하여 국정 조사
㉢ 대법원장 후보자 임명 동의안을 처리
㉣ 유해 식품 판매를 금지하는 법안 발의

(1) 입법에 관한 권한: (   )
(2) 재정에 관한 권한: (   )
(3) 일반 국정에 관한 권한: (   )

개념 가이드

국회의 권한에는 ❸ [   ], 재정, 일반 국정(국정 견제)에 관한 권한이 있다.   **답** ❸ 입법

대표 예제 4

다음 글의 국회의 권한과 같은 종류가 아닌 것은?

국회 본회의에서 대법원장 후보자 임명 동의안에 대한 비밀 투표가 시행되었고, 찬성 227명, 반대 18명으로 임명 동의를 결정하였다.

① 국정 감사를 실시한다.
② 국정 조사를 실시한다.
③ 헌법 재판소장 임명에 동의한다.
④ 외국과 체결한 조약을 확인하고 동의한다.
⑤ 대통령이나 국무 총리에 대한 탄핵 소추를 의결한다.

개념 가이드

국회는 대통령이 국무총리, 대법원장 등의 고위 공직자를 임명할 때 ❹ [   ]을/를 실시한다.   **답** ❹ 인사 청문회

대표 예제 5

다음 (가)~(다)에 대한 설명으로 옳지 <u>않은</u> 것은?

> (가) ○ 대통령, A국과의 정상 회담 참석
> (나) ○ 대통령, 신임 장·차관 임명장 수여
> (다) △△ 법안에 거부권을 행사하는 ○ 대통령

① (가)에서 대통령은 우리나라를 대표한다.
② (가)에서 대통령이 조약을 체결할 경우 국회의 동의를 얻어야 국내에서 효력이 발생한다.
③ (나)의 권한에 대해 국회는 인사 청문회를 실시하여 견제할 수 있다.
④ (다)의 권한은 국가 원수로서의 권한이다.
⑤ (다)에서 대통령은 법률안의 일부분에 대해서만 재의결을 요구할 수는 없다.

개념 가이드

대통령의 권한 중에서 법률안 거부권은 ❺ [　　　] 수반으로서의 권한이다.

답 ❺ 행정부

대표 예제 6

행정에 대한 설명으로 옳지 <u>않은</u> 것은?

① 국회에서 만들어진 법을 집행하는 일이다.
② 오늘날 행정부가 하는 일은 단순해지고 있다.
③ 여러 가지 정책을 만들고 실행하는 국가 작용이다.
④ 현대 사회는 과거보다 전문성을 갖춘 행정을 요구한다.
⑤ 현대 복지 국가의 행정은 인간다운 삶의 실현을 목표로 한다.

개념 가이드

행정부가 하는 일은 광범위하고 복잡해지고 있다. 따라서 과거보다 ❻ [　　　] 이/가 요구된다.

답 ❻ 전문성

대표 예제 7

다음은 우리나라의 법원 조직을 나타낸 것이다. (가)에 대한 설명으로 옳은 것은?

① (가)의 수장을 대법관이라고 한다.
② 1심과 2심을 거친 3심 재판을 담당한다.
③ 명령·규칙 심사권으로 입법부를 견제한다.
④ (가)의 판결은 최종적인 효력을 갖지 못한다.
⑤ 위헌 법률 심판 제청권으로 행정부를 견제한다.

개념 가이드

사법부의 최고 기관은 ❼ [　　　] 이며, 그 수장은 대법원장이다.

답 ❼ 대법원

대표 예제 8

법원의 권한에 해당하는 것을 〈보기〉에서 고르면?

> ┌ 보기 ┐
> ㄱ. 탄핵 소추권
> ㄴ. 명령·규칙 심사권
> ㄷ. 위헌 법률 심판 제청권
> ㄹ. 국정 감사 및 국정 조사권
> ㅁ. 법을 해석하고 판단하여 적용하는 사법권

(　　　　　)

개념 가이드

법원은 ❽ [　　　] 을/를 통해 법률을 적용·해석함으로써 분쟁을 해결하는 기능을 가진다.

답 ❽ 재판

3일 경제 활동과 경제 주체 ~시장 가격의 결정

생각 열기

• 경제 활동과 합리적 선택

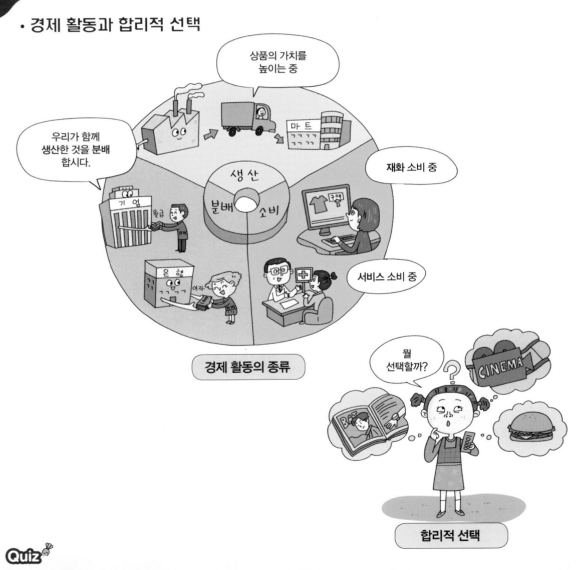

상품의 가치를 높이는 중

우리가 함께 생산한 것을 분배 합시다.

재화 소비 중

서비스 소비 중

경제 활동의 종류

뭘 선택할까?

합리적 선택

Quiz

가장 적은 비용으로 가장 큰 편익을 얻을 수 있는 선택을 ❶ [   ] 선택이라고 한다.

답 ❶ 합리적

• 시장 가격(균형 가격)의 결정

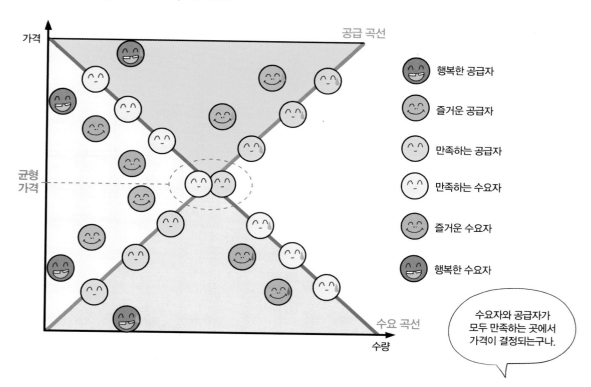

공급 곡선

가격

균형
가격

수요 곡선

수량

😏 행복한 공급자

😊 즐거운 공급자

🙂 만족하는 공급자

🙂 만족하는 수요자

😊 즐거운 수요자

😏 행복한 수요자

수요자와 공급자가
모두 만족하는 곳에서
가격이 결정되는구나.

Quiz

수요량과 공급량이 일치하는 곳에서 ❷ [   ] 가격이 형성된다.

답 ❷ 시장(균형)

개념 1 경제 활동과 경제 주체

1. 경제 활동 인간의 욕구를 충족하려 ❶ [   ](이)나 서비스를 생산, 분배, 소비하는 활동

❶ 재화

대상	• 재화: 인간의 욕구를 충족해 주는 형태가 있는 물건 • 서비스: 인간의 욕구를 충족해 주는 가치 있는 행위
종류	• 생산: 생활에 필요한 재화와 서비스를 만들거나 그 가치를 높이는 활동 • 분배: 생산 과정에 참여한 대가를 나누어 가지는 것 _{임금, 이자, 지대 등} • 소비: 생활에 필요한 재화나 서비스를 구입하여 사용하는 활동

2. 경제 주체

가계	재화와 서비스를 ❷ [ ]하는 주체 → 기업에 노동, 자본, 토지 등을 제공하고 소득을 얻음
기업	재화와 서비스를 ❸ [ ]하는 주체 → 적은 비용으로 상품을 생산해 최대의 이윤을 얻으려 함
정부	경제 전체를 관리하는 주체 → 세금을 바탕으로 공공재 등을 생산하여 공급함

❷ 소비

❸ 생산

모든 사람이 공동으로 이용하는 것으로
도로, 항만, 다리, 공원 등

개념 2 희소성과 합리적 선택

1. 희소성 인간의 욕구는 무한한 데 비해 이를 충족해 줄 수 있는 재화와 서비스가 한정되어 있는 것

희소성의 상대성	• 재화와 서비스의 절대적인 양에 따라 결정되는 것이 아니라 인간의 필요에 따라 달라짐 • 같은 재화와 서비스라도 시대와 장소에 따라 ❹ [ ]이/가 달라짐

❹ 희소성

2. 합리적 선택 _{희소성 때문에 선택의 문제가 발생함}

❺ [ ]	• 뜻: 어떤 것을 선택함으로써 포기하는 것들 중 가장 가치가 큰 것 • 특징: 사람마다 선택에 따른 만족이 다르기 때문에 기회비용은 개인마다 다를 수 있음
합리적 선택	**뜻과 방법**

❺ 기회비용

합리적 선택	뜻과 방법	가장 적은 비용으로 가장 큰 편익을 얻을 수 있는 선택 • 비용이 같은 경우: 가장 큰 편익을 제공하는 것을 선택함 _{선택하여 얻게 되는 이익이나 만족감} • 편익이 같은 경우: 비용이 가장 적게 드는 것을 선택함

개념 3 자산 관리

1. 자산 관리 자신이 벌어들인 소득으로 소비, 저축, 투자에 대한 계획을 세우고 실천하는 것
_{자산을 합리적으로 관리하기 위해 안전성, 수익성, 유동성 등을 고려해야 함}

2. 금융 상품의 종류와 특징

예금	은행 등의 금융 기관에 돈을 맡기는 것 → 안전성은 높지만, ❻ [ ]이/가 낮음
투자	• 주식·채권: 정부, 공공 기관, 기업 등이 자본을 마련하기 위해 투자자에게 돈을 받고 주는 증서 　→ 예금보다 수익성은 높지만, ❼ [ ]이/가 낮음 • 보험: 매달 일정한 금액을 내면 사고가 났을 때 경제적 도움을 받을 수 있음 • 부동산: 토지, 건물 등 움직일 수 없는 자산 → 유동성이 낮음

❻ 수익성

❼ 안전성

기초 확인 문제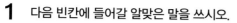

1 다음 빈칸에 들어갈 알맞은 말을 쓰시오.

(1) 인간의 욕구를 충족하기 위해 재화와 서비스를 생산, 소비, 분배하는 활동을 ( )(이)라고 한다.

(2) 경제 활동의 대상 중에서 인간의 욕구를 충족해 주는 형태가 있는 물건은 ( ), 인간의 행위는 ( )(이)라고 한다.

(3) ( )은/는 세금을 바탕으로 공공재를 생산하여 공급한다.

(4) 재화와 서비스를 주로 소비하며 기업에 노동, 자본, 토지 등을 제공하고 소득을 얻는 경제 주체는 ( )이다.

(5) 기업은 적은 비용으로 상품을 생산하여 최대의 ( )을/를 얻으려 한다.

2 다음 (가)~(다)에 해당하는 경제 주체를 쓰시오.

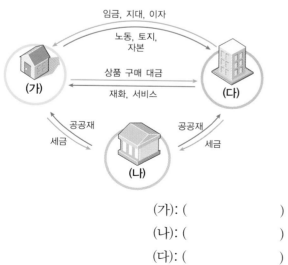

(가): ( )

(나): ( )

(다): ( )

3 희소성에 대한 설명으로 옳은 것을 〈보기〉에서 고르시오.

┌ 보기 ├
ㄱ. 양이 적은 재화는 모두 희소성이 있다.
ㄴ. 희소성 때문에 선택의 문제가 발생한다.
ㄷ. 희소성은 인간의 욕구에 따른 절대적인 개념이다.
ㄹ. 희소성의 유무는 시대와 장소에 따라 달라질 수 있다.

( )

4 괄호 안의 내용 중 알맞은 말을 골라 ○표 하시오.

(1) 합리적 선택을 위해 비용과 (대가 , 편익)을/를 함께 고려해야 한다.

(2) 편익이 같을 때는 비용이 (큰 , 작은) 쪽을 선택하는 것이 합리적이다.

(3) 비용에 비해 편익이 가장 큰 것을 선택하는 것이 (필연적 , 합리적)이다.

5 금융 상품의 종류와 특징을 바르게 연결하시오.

(1) 예금 •　　　• ㉠ 수익성은 높지만 안전성이 낮음

(2) 주식 •　　　• ㉡ 안전성은 높지만 수익성이 낮음

(3) 보험 •　　　• ㉢ 예기치 못한 위험에 대비할 수 있음

3일 교과서 핵심 정리 ②

개념 4 시장의 수요와 공급

1. 시장 상품을 사려는 사람과 상품을 팔려는 사람이 만나 상품의 교환 행위인 ❶ [   ]이/가 이루어지는 곳 └ 수요자   └ 공급자

❶ 거래

종류	거래 형태에 따라	• 눈에 보이는 시장: 농수산물 시장, 재래시장, 백화점 등 • 눈에 보이지 않는 시장: 주식 시장, 노동 시장, 외환 시장, 온라인 쇼핑 시장 등
	거래되는 상품 종류에 따라	• 생산물 시장: 재화나 ❷ [ ]이/가 거래되는 시장 • 생산 요소 시장: 노동, 토지, 자본 등이 거래되는 시장

❷ 서비스

2. 시장 가격의 결정과 관련된 개념

수요 법칙	• 수요량: 어떤 가격에서 수요자가 사려는 상품의 양 • 수요 법칙: 가격이 상승하면 수요량이 감소하고, 가격이 하락하면 수요량이 증가하는 현상 → 상품의 가격과 수요량은 ❸ [ ] 방향으로 움직임

❸ 반대

공급 법칙	• ❹ [ ]: 어떤 가격에서 공급자가 판매하려는 상품의 양 • 공급 법칙: 가격이 상승하면 공급량이 증가하고, 가격이 하락하면 공급량이 감소하는 현상 → 상품의 가격과 공급량은 ❺ [ ] 방향으로 움직임

❹ 공급량

❺ 같은

수요 곡선 · 공급 곡선	▲ 수요 곡선 / ▲ 공급 곡선

① 가격이 하락하면 ② 수요량이 증가함

① 가격이 상승하면 ② 공급량이 증가함

[예] 수요 곡선과 공급 곡선은 각각 수요 법칙과 공급 법칙을 나타낸다.

개념 5 시장 가격의 결정

1. 시장 가격의 결정 수요 곡선과 공급 곡선이 만나는 점에서 ❻ [   ]와/과 시장 가격이 형성

❻ 균형

균형	시장에서 수요량과 공급량이 맞아떨어지는 상태
균형 가격	균형 상태의 가격(=❼ [ ] 가격)
균형 거래량	균형 상태의 거래량
초과 공급	어떤 가격에서 공급량이 수요량보다 많은 상태 → 상품의 가격이 하락하여 초과 공급이 감소함
초과 수요	어떤 가격에서 수요량이 공급량보다 많은 상태 → 상품의 가격이 상승하여 초과 수요가 감소함

❼ 시장

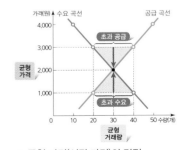

▲ 균형 가격(시장 가격)의 결정

기초 확인 문제

6 제시된 시장과 그 예를 바르게 연결하시오.

(1) 보이는 시장 •

      • ㉠ 백화점

      • ㉡ 재래시장

      • ㉢ 외환 시장

(2) 보이지 않는 시장 •

      • ㉣ 주식 시장

      • ㉤ 대형 할인점

      • ㉥ 온라인 쇼핑 시장

7 다음 그래프를 보고 괄호 안의 내용 중 알맞은 말을 골라 ○표 하시오.

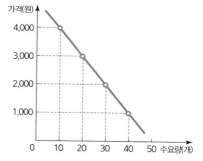

▲ 아이스크림 가격과 수요량

(1) 가격이 상승하면 수요량이 (감소 , 증가)한다.

(2) (생산물 , 생산 요소) 시장의 수요와 관련된다.

(3) 수요자는 아이스크림 가격이 2,000원일 때 30개
(이상 , 이하)을/를 구매하려 한다.

8 다음 ㉠~㉣에 들어갈 알맞은 말을 쓰시오.

구분	가격 상승	가격 하락
수요 법칙	수요량 (㉠)	수요량 (㉡)
공급 법칙	공급량 (㉢)	공급량 (㉣)

㉠: (   )   ㉡: (   )

㉢: (   )   ㉣: (   )

9 괄호 안의 내용 중 알맞은 말을 골라 ○표 하시오.

(1) 상품의 가격과 공급량은 (같은 , 반대) 방향으로
움직인다.

(2) 수요량과 공급량이 (일치 , 불일치)할 때 균형 가
격이 형성된다.

(3) 수요량이 공급량보다 (많으면 , 적으면) 수요자
들 간의 경쟁으로 상품의 가격이 올라간다.

(4) 균형 가격(=시장 가격)에서 거래되는 상품의 수
량을 (수요량 , 균형 거래량)이라 한다.

3일

10 다음 그래프를 보고 옳은 설명을 〈보기〉에서 고르시오.

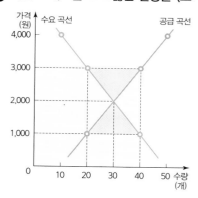

┌─ 보기 ─────────────────────
ㄱ. 균형 가격은 2,000원, 균형 거래량은 30개이다.
ㄴ. 가격이 1,000원일 때 공급자가 물건을 팔기 쉽다.
ㄷ. 가격이 3,000원일 때는 공급량이 수요량보다
    많다.
ㄹ. 가격이 2,000원일 때 수요자와 공급자 모두
    만족하지 못한다.
└────────────────────────────

(   )

대표 예제 **1**

희소성과 합리적 선택에 대한 설명으로 옳은 것은?

① 합리적 선택은 기회비용을 최대로 만든다.

② 큰 비용으로 큰 편익을 얻는 것이 합리적이다.

③ 희소성은 재화의 절대적인 양에 따라 결정된다.

④ 자원의 양이 적더라도 원하는 사람이 적으면 희소하지 않다.

⑤ 하나를 선택함으로써 포기하게 되는 대안의 가치 중 가장 작은 것이 기회비용이다.

개념 가이드

자원의 **❶** [   ] 때문에 합리적 선택을 해야 하고, 기회비용을 잘 따져야 한다.　　　　**답 ❶** 희소성

대표 예제 **2**

다음 ㉠~㉣의 경제 활동을 생산, 분배, 소비로 바르게 구분한 것을 고르면?

> ㉠ 회사에서 월급을 받았다.
> ㉡ 1년간 모은 예금에 5%의 이자가 발생하였다.
> ㉢ 헌법을 배우기 위해 인터넷 강의를 신청하였다.
> ㉣ 5,000원에 산 과자를 포장하여 7,000원에 판매하였다.

	생산	분배	소비
①	㉠	㉡	㉢, ㉣
②	㉡	㉠	㉢, ㉣
③	㉡	㉢, ㉣	㉠
④	㉡, ㉣	㉠	㉢
⑤	㉣	㉠, ㉡	㉢

개념 가이드

❷ [   ] 은/는 생산에 참여한 사람들이 임금, 이자, 지대 등을 나누어 가지는 것이다.　　　　**답 ❷** 분배

대표 예제 **3**

합리적 선택의 기준에 대한 설명으로 옳지 <u>않은</u> 것은?

① 비용과 편익을 고려해야 한다.

② 최소 비용으로 최대 편익을 얻는다.

③ 편익과 기회비용이 최대가 되는 것을 선택한다.

④ 선택에 따른 편익이 비용보다 큰 것을 선택한다.

⑤ 비용이 같은 경우 편익이 최대인 것을 선택한다.

개념 가이드

합리적 선택을 하기 위해서는 가장 적은 **❸** [   ] (으)로 가장 큰 편익을 얻도록 해야 한다.　　　　**답 ❸** 비용

대표 예제 **4**

다음 (가)~(다)에 대한 설명으로 옳은 것은?

(가)	일정한 계약에 따라 은행에 맡기는 돈
(나)	회사가 자본금을 마련하고자 소유권 일부를 투자자에게 넘기면서 발행하는 증서
(다)	위험에 대비하려는 사람들이 매달 일정한 금액을 모아 두는 것

① (가)는 (나)보다 수익성이 높다.

② 부동산은 (나)보다 유동성이 높다.

③ (가)는 예·적금이며 안전성이 낮다.

④ (나)는 수익성이 높지만 안전성이 낮다.

⑤ (다)는 (나)에 비해 수익성이 매우 높다.

개념 가이드

예·적금은 **❹** [   ] 이/가 높고, 주식·채권은 수익성이 높으며, 보험은 예상치 못한 경우에 도움을 받을 수 있다.　　　　**답 ❹** 안전성

대표 예제 **5**

시장의 역할로 옳지 **않은** 것은?

① 상품의 정보를 제공한다.

② 화폐의 가치를 결정한다.

③ 화폐를 활용하는 경우가 대부분이다.

④ 수요와 공급을 연결하여 가격을 결정한다.

⑤ 거래에 들어가는 시간이나 노력을 증가시킨다.

🧭 **개념 가이드**

시장은 수요자와 공급자가 만나 상품의 교환 행위인 **⑤** ☐☐☐ 을/를 하는 곳이다.

🅳 **⑤** 거래

대표 예제 **7**

다음 용어 설명 중 옳은 것을 〈보기〉에서 고르시오.

┌ 보기 ┐

ㄱ. 수요: 일정한 가격에 상품을 팔려는 욕구

ㄴ. 공급자: 일정한 가격에 상품을 팔려는 사람

ㄷ. 특화: 각자 잘하는 일을 맡아 그것에 전념하는 것

ㄹ. 전문화: 생산 과정을 나누어 여러 사람이 분담해 일을 완성하는 형태

(   )

🧭 **개념 가이드**

❼ ☐☐☐ 은/는 일정한 가격에서 재화나 서비스를 사려는 욕구이다.

🅳 **❼** 수요

대표 예제 **6**

밑줄 친 '새로운 형태의 시장'에 해당하는 것을 〈보기〉에서 고르면?

> 사람들은 시장이라고 하면 남대문 시장과 같이 특정한 장소만 떠올리는 경향이 있다. 통신과 인터넷이 발달한 오늘날에는 시간과 공간에 구애받지 않는 <u>새로운 형태의 시장</u>이 생겨나 시장의 종류가 다양해졌다.

┌ 보기 ┐

ㄱ. 홈 쇼핑   ㄴ. 재래시장

ㄷ. 대형 할인점   ㄹ. 온라인 쇼핑 시장

① ㄱ, ㄴ   ② ㄱ, ㄹ   ③ ㄴ, ㄷ

④ ㄴ, ㄹ   ⑤ ㄷ, ㄹ

🧭 **개념 가이드**

시장은 거래 형태나 거래되는 **❻** ☐☐☐ 의 종류에 따라 여러 종류로 나뉜다.

🅳 **❻** 상품

대표 예제 **8**

다음 그래프에 대한 설명으로 옳은 것은?

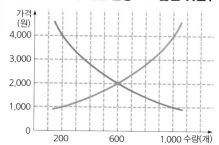

① 균형 거래량은 500개이다.

② 상품이 1,000원일 때 가격이 하락한다.

③ 상품이 2,000원일 때 수요량은 증가하고 공급량은 감소한다.

④ 3,000원에서 시장 가격이 형성된다.

⑤ 4,000원에서는 초과 공급으로 가격이 하락한다.

🧭 **개념 가이드**

❽ ☐☐ 가격보다 높은 가격에서는 초과 공급이 발생한다.

🅳 **❽** 균형

4일 시장 가격의 변동 ~환율과 환율 변동

· 시장 가격의 변동

Quiz

수요가 감소하면 수요 곡선은 ❶ [   ](으)로 이동하고, 균형 가격은 ❷ [   ]한다.

답 ❶ 왼쪽, ❷ 하락

• 인플레이션

Quiz

총수요가 증가하거나 총공급이 감소할 때 ❸ [   ] 이/가 발생할 수 있다.

답 ❸ 인플레이션

4일 교과서 **핵심 정리** ①

개념 1 시장 가격의 변동

1. 수요의 변화에 따른 가격 변동(공급이 일정한 경우)

서로 대신 쓸 수 있는 관계인 재화

구분	수요 증가	수요 감소
변화 요인	소득 증가, 기호 증가, 수요자 수 증가, 대체재 가격 ❶ ◻, 보완재 가격 하락 등	소득 감소, 기호 감소, 수요자 수 감소, 대체재 가격 ❷ ◻, 보완재 가격 상승 등
변동 결과	수요 곡선의 ❸ ◻ 이동 → 균형(시장) 가격 상승	수요 곡선의 왼쪽 이동 → 균형(시장) ❹ ◻ 하락

서로 부족한 것을 보완하여
완전하게 하는 관계인 재화

❶ 상승
❷ 하락

❸ 오른쪽
❹ 가격

2. 공급의 변화에 따른 가격 변동(수요가 일정한 경우)

구분	공급 증가	공급 감소
변화 요인	생산 기술의 발전, 생산 비용의 감소, 공급자 수 증가 등	생산 비용의 증가, 공급자 수 감소, 공급자의 상품 가격 인상 예상 등
변동 결과	공급 곡선의 ❺ ◻ 이동 → 균형(시장) 가격 하락	공급 곡선의 왼쪽 이동 → 균형(시장) 가격 ❻ ◻

❺ 오른쪽
❻ 상승

예) 수요 곡선은 수요가 증가하면 오른쪽으로, 수요가 감소하면 왼쪽으로 이동한다. 공급 곡선도 공급이 증가하면 오른쪽으로, 공급이 감소하면 왼쪽으로 이동한다.

개념 2 국내 총생산(GDP)

의미	한 ❼ ◻ 안에서 일정 기간 생산된 최종 생산물의 가치를 시장 가격으로 계산하여 모두 더한 것
특징	한 나라의 경제 규모를 나타냄 → 국민 개개인의 경제 수준은 ❽ ◻ 국내 총생산으로 파 악할 수 있음
한계	시장에서 거래되는 재화와 서비스의 가치만을 측정, 삶의 질 수준을 파악하기 어려움, 소득 분 배 상태를 파악하기 어려움

❼ 나라

❽ 1인당

기초 확인 문제

정답과 해설 **68쪽**

1 수요 변동의 요인과 그 결과를 바르게 연결하시오.

(1) 대체재 가격 상승 •   • ㉠ 수요 증가

(2) 보완재 가격 상승 •

(3) 상품의 선호도 증가 •   • ㉡ 수요 감소

(4) 미래 가격의 하락 예상 •

2 다음과 같은 경우 수요 곡선이 어떻게 이동하는지 그래프에 점선으로 나타내시오.

• 가계 소득 증가
• 보완재 가격 하락

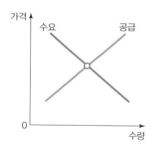

3 괄호 안의 내용 중 알맞은 말을 골라 ○표 하시오.

(1) 생산 기술이 발전하면 공급이 (증가 , 감소)한다.

(2) 공급자 수가 (증가 , 감소)하면 공급이 증가한다.

(3) 앞으로 상품의 가격이 오를 것으로 예상되면 공급이 (증가 , 감소)한다.

(4) 생산 비용이 감소하면 공급 곡선이 (왼쪽 , 오른쪽)으로 이동한다.

(5) 원자재 가격, 임금 등 생산 요소의 가격이 하락하면 공급이 (증가 , 감소)한다.

4 다음은 A국에서 일정 기간 일어난 모든 생산 활동을 나타낸 그림이다. A국의 국내 총생산을 쓰시오.

A국의 국내 총생산은 최종 생산물인 빵의 가치인 ☐ 원이다.

(   )

5 다음 〈보기〉의 경제 활동 중 올해의 국내 총생산에 포함되는 것을 고르시오.

┤ 보기 ├

ㄱ. 외국산 청소기 1대를 구입했다.

ㄴ. 재작년에 출시된 중고차를 구입했다.

ㄷ. 병원에서 교통사고 환자를 치료했다.

ㄹ. 국내 기업이 베트남에 공장을 지어 신발을 생산했다.

ㅁ. 해외 기업이 우리나라에 지은 공장에서 자동차를 생산했다.

ㅂ. 텃밭을 가꿔 수확한 채소로 유명 식당 못지않은 요리를 했다.

(   )

4일

4일 교과서 핵심 정리 ②

개념 3 물가와 인플레이션

1. 인플레이션 물가가 지속적으로 오르는 현상 ┌─ 시장에서 거래되는 개별 상품의 가격을 종합하여 평균한 것

원인	• ❶ [ ] 증가: 가계 소비·정부 지출·기업 투자의 증가, 시중의 통화량 증가 ┌ 인플레이션을 극복하기 위해 정부는 재정 지출을 줄이는 정책을 폄 • 총공급 감소: 임금, 원자재 등 생산 요소 가격의 ❷ [ ]	❶ 총수요 ❷ 상승
영향	• 소득과 부의 불공정한 분배: 화폐 가치가 하락하고 ❸ [ ] 자산의 가치 상승 → 부동산 등 실물 자산 보유자, 채무자, 수입업자가 유리해짐 • 경제 성장에 악영향: 저축 기피 → 투기 등 불건전한 경제 활동 증가, 기업의 투자 자금 확보 곤란 • 국제 거래에 영향: 국내 상품이 외국 상품에 비해 상대적으로 비싸짐 ── 수출 감소, 수입 증가(무역 적자)	❸ 실물

예) 인플레이션이 발생하면 일정 금액의 돈으로 살 수 있는 재화와 서비스의 양이 줄어든다.

개념 4 실업

뜻	일할 능력과 의사는 있으나 일자리가 없는 상태	
관련 개념	• 경제 활동 인구: 노동 가능 인구(❹ [ ]세 이상 인구) 중 일할 능력과 의사가 있는 사람 • 비경제 활동 인구: 노동 가능 인구 중 일할 능력 또는 의사가 없는 사람 예 전업주부, 학생 • 실업률: 경제 활동 인구 중 실업자가 차지하는 비율	❹ 15
영향	• 개인적 측면: 소득의 상실과 그에 따른 경제적 고통, 자아실현의 기회 박탈 등 • 사회적 측면: 인적 자원의 낭비, 빈곤의 확산, 생계형 범죄의 증가, 사회 보장비 지출 증가	
종류와 대책	• 경기적 실업: 경기 침체로 고용이 감소하는 경우 → 공공사업 등 정부 지출 확대로 일자리 창출 • 구조적 실업: 산업 구조의 변화로 기존의 일자리가 사라지는 경우 → 직업 훈련 교육 실시 • 계절적 실업: 농업, 관광업 등 계절 변화에 따라 실업이 나타나는 경우 → 농어촌에 농공단지 조성, 고정 임금 및 보조금 제도 마련 • 마찰적 실업: ❺ [ ]을/를 위해 일시적·자발적으로 현재의 직장을 그만두는 경우 → 다양한 취업 정보 제공, 취업 박람회 개최	❺ 이직

개념 5 환율과 환율 변동

1. 환율 우리나라 화폐와 외국 화폐의 교환 비율

2. 환율 변동의 원인과 영향

원인	• 외화 수요 증가 또는 외화 공급 감소 → 환율 상승 → 원화 가치 ❻ [ ] • 외화 수요 감소 또는 외화 공급 증가 → 환율 하락 → 원화 가치 상승	❻ 하락
영향	• 환율 상승: 수출 ❼ [ ], 수입 감소, 해외여행 감소, 외국인 관광객 증가, 유학 비용 증가, 원자재 가격 상승으로 국내 물가 상승, 외국에 빚진 기업의 채무 상환 부담 증가 • 환율 하락: 수출 감소, 수입 증가, 해외여행 증가, 외국인 관광객 감소, 유학 비용 감소, 원자재 가격 하락으로 국내 물가 안정, 외국에 빚진 기업의 채무 상환 부담 감소	❼ 증가

6 인플레이션이 발생하면 불리한 사람을 〈보기〉에서 모두 고르시오.

┌ 보기 ├
ㄱ. 수입업자　　　　ㄴ. 연금 생활자
ㄷ. 임금 근로자　　　ㄹ. 돈을 빌린 사람
ㅁ. 실물 자산 소유자　ㅂ. 은행 예금 보유자

(　　　　)

7 괄호 안의 내용 중 알맞은 말을 골라 〇표 하시오.

(1) 시중에 통화량이 증가하면 물가가 (상승 , 하락) 한다.

(2) 물가가 상승하면 화폐 가치가 (상승 , 하락)한다.

(3) 인플레이션을 극복하기 위해 정부는 재정 지출을 (늘리는 , 줄이는) 정책을 편다.

(4) 인플레이션이 발생하면 화폐 가치가 떨어지므로 가계는 저축을 (기피 , 선호)하게 된다.

8 인플레이션의 원인을 〈보기〉에서 두 가지 고르시오.

┌ 보기 ├
ㄱ. 시중에 통화량이 감소하였다.
ㄴ. 원자재 가격, 임금 등이 상승하였다.
ㄷ. 경기 침체로 기업의 생산이 감소하였다.
ㄹ. 가계의 소비, 기업의 투자 등이 증가하였다.

(　　　　)

9 다음 도표의 (가)에 포함되는 사람을 〈보기〉에서 고르시오.

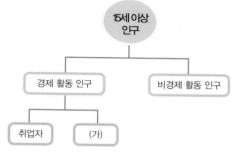

┌ 보기 ├
ㄱ. 전업주부로 가사와 육아에 힘쓰고 있는 ◇◇ 씨
ㄴ. 취업이 되지 않아 대학교를 계속 다니고 있는 ○○ 씨
ㄷ. 은퇴 후 몸이 아파 병원에서 치료를 받고 있는 △△ 씨
ㄹ. 취업 준비를 하다가 의욕을 잃고 취업을 포기한 □□ 씨
ㅁ. 첫 직장이 적성에 맞지 않아 퇴사하고 새로운 직장을 구하고 있는 ☆☆ 씨

(　　　　)

10 실업의 유형에 따른 정부 대책을 바르게 연결하시오.

(1) 경기 침체로 일자리 ·　　　　· ㉠ 직업 훈련
　　상실

(2) 사양 산업의 직원이 ·　　　　· ㉡ 일자리 정보
　　실직함　　　　　　　　　　　제공

(3) 더 나은 일자리를 ·　　　　· ㉢ 경기 활성화
　　구하려고 퇴사함　　　　　　　정책

대표 예제 1

다음 글에 나타난 우유 수요 변화의 요인으로 옳은 것은?

> 우유가 청소년의 건강에 긍정적인 영향을 미칠 뿐만 아니라 청소년 성장에도 효과가 있다는 연구 결과가 방송되자 우유 판매량이 급증하였다.

① 소득 증가 　② 기호 상승
③ 인구 증가 　④ 신기술 개발
⑤ 대체재 가격 상승

개념 가이드

수요 **❶ [　　　]** 의 요인에는 소득 증가, 기호 증가, 수요자 수 증가 등이 있다.　　　**답 ❶ 증가**

대표 예제 2

다음 그래프에 나타난 변화에 대한 설명으로 옳은 것은?

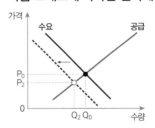

① 공급 증가로 가격이 상승하였다.
② 수요 감소로 가격이 하락하였다.
③ 가격이 하락하여 공급이 감소하였다.
④ 가격이 하락하여 수요가 증가하였다.
⑤ 가격 상승이 예상될 때 나타나는 변화이다.

개념 가이드

수요가 **❷ [　　　]** 하거나 공급이 증가하면 가격이 하락한다.　　　**답 ❷ 감소**

대표 예제 3

다음과 같은 변화의 원인으로 옳은 것은?

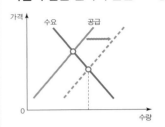

① 소득 감소 　② 공급자 수 감소
③ 생산 비용 증가 　④ 대체재 가격 상승
⑤ 생산 기술의 발전

개념 가이드

수요가 증가하면 수요 곡선이 **❸ [　　　]** 쪽으로 이동하고, 공급이 증가하면 공급 곡선이 오른쪽으로 이동한다.　　　**답 ❸ 오른**

대표 예제 4

한국의 국내 총생산에 포함되는 것으로 옳은 것은?

① 한국 축구 선수가 독일 축구 클럽에서 활약했다.
② 캐나다에 유학 간 준이 편의점 아르바이트를 했다.
③ 외국 자동차 회사가 한국의 공장에서 자동차를 생산했다.
④ 한류 열풍으로 한국의 가수들이 유럽에서 음원을 판매했다.
⑤ 일본 근로자가 일본에 있는 한국 공장에서 상품을 생산했다.

개념 가이드

❹ [　　　] 은/는 한 나라 안에서 일정 기간 생산된 최종 생산물의 시장 가격을 모두 더한 것이다.　　　**답 ❹ 국내 총생산**

대표 예제 **5**

국내 총생산의 한계를 〈보기〉에서 <u>모두</u> 고르면?

┌ 보기 ┐
ㄱ. 삶의 질 수준을 파악하기 힘들다.
ㄴ. 소득 분배나 빈부 격차를 파악하기 어렵다.
ㄷ. 노동 시간뿐만 아니라 여가에 사용된 시간도 포함된다.
ㄹ. 시장에서 거래되지 않은 지하 경제도 경제 활동에 포함된다.

① ㄱ, ㄴ   ② ㄱ, ㄹ   ③ ㄴ, ㄷ
④ ㄱ, ㄴ, ㄹ   ⑤ ㄴ, ㄷ, ㄹ

개념 가이드

국내 총생산으로는 삶의 ❺[   ](이)나 복지 수준, 행복의 정도 등을 파악하기 어렵다.

답 ❺ 질

대표 예제 **6**

인플레이션의 원인이 될 수 있는 것을 〈보기〉에서 <u>모두</u> 고르면?

┌ 보기 ┐
ㄱ. 경기 침체로 노동자들의 임금이 하락했다.
ㄴ. 정부의 정책으로 시중에 돈이 많이 유통되고 있다.
ㄷ. 재화와 서비스에 대한 경제 전체의 수요가 공급보다 많다.
ㄹ. 중동 산유국들의 공급 증가로 석유 가격이 큰 폭으로 하락했다.

① ㄱ, ㄴ   ② ㄱ, ㄹ   ③ ㄴ, ㄷ
④ ㄱ, ㄷ, ㄹ   ⑤ ㄴ, ㄷ, ㄹ

개념 가이드

총수요의 증가와 총공급의 ❻[   ]이/가 인플레이션의 발생 원인이다.

답 ❻ 감소

대표 예제 **7**

인플레이션이 국내 경제에 미치는 영향으로 가장 적절한 것은?

① 수출이 증가하고 수입이 감소한다.
② 임금 근로자의 실질 구매력이 증가한다.
③ 소득과 부의 재분배로 빈부 격차가 줄어든다.
④ 화폐 가치 하락으로 화폐 보유자의 재산이 감소한다.
⑤ 물가에 대한 예측이 가능하여 장기적 투자가 증가하게 된다.

개념 가이드

인플레이션은 화폐 가치를 하락시키고 ❼[   ] 자산의 가치를 상승시킨다.

답 ❼ 실물

대표 예제 **8**

다음은 환율 상승이 경제에 미치는 영향을 정리한 표이다. ㉠~㉢에 들어갈 말을 바르게 짝지은 것은?

수출	수입	국내 물가	외채 상환 부담
㉠	㉡	㉢	㉣

	㉠	㉡	㉢	㉣
①	증가	감소	상승	증가
②	증가	감소	안정	증가
③	감소	증가	상승	감소
④	감소	증가	안정	감소
⑤	감소	증가	안정	증가

개념 가이드

환율이 하락하면 수출과 외채 상환 부담이 ❽[   ]하고, 국내 물가가 안정된다.

답 ❽ 감소

5일 국제 사회의 의미와 특성 ~우리나라의 국제 관계

생각 열기

- 국제 사회를 바라보는 관점들

Quiz

국제 사회는 힘의 논리가 작용하지만 ❶ [   ]도 일정한 영향력을 행사한다.

답 ❶ 국제기구

1. 국제 사회의 의미와 특성

공부할 내용

1. 국제 사회의 의미와 특성
2. 국제 사회의 행위 주체
3. 국제 사회의 변화
4. 국제 사회의 갈등과 협력
5. 외교와 국제 사회의 공존
6. 우리나라의 국제 관계

• 우리나라의 국제 관계

 Quiz

독도는 경상북도 울릉군에 속한 섬으로, ❷ [   ] 시대부터 우리나라의 영토이다.

답 ❷ 신라

오늘날 세계화에 따라 국제 사회의 각 나라들이 더욱 밀접해짐

개념 1 국제 사회의 의미와 특성

1. 국제 사회의 의미와 바라보는 관점

의미	주권을 지닌 ❶ [ ]들로 이루어진 사회로, <u>여러 나라가 서로 의존하며 공존함</u>
국제 사회를 바라보는 관점	• '약육강식의 정글'로 보는 관점: 국제 사회를 ❷ [ ]의 논리가 작용하는 공간으로 봄 • '가꿀 수 있는 정원'으로 보는 관점: 국제 사회 구성원이 도덕, 규범, 여론 등으로 협력하여 국제기구를 통해 평화를 유지할 수 있다고 봄

❶ 국가

❷ 힘

2. 국제 사회의 특성

주권 국가로 구성	독립적인 주권을 가진 국가들로 구성(각국은 평등한 지위를 인정받음)
힘의 논리 작용	각국은 원칙적으로 평등한 주권을 지녔지만, 실제로는 힘의 논리가 작용함
자국의 이익 추구	각 국가는 자국의 ❸ [ ]을/를 최우선으로 추구
중앙 정부의 부재	개별 국가를 강제할 권위와 힘을 가진 중앙 정부가 존재하지 않음 → 국가 간에 갈등이 일어날 경우 해결이 어려움
국제 사회의 질서 유지	국제법, 국제기구, 세계 여론 등이 국가의 행위에 일정한 제약을 줌

❸ 이익

[예] 여러 나라가 서로 교류하고 의존하면서 함께 살아가는 사회를 국제 사회라고 하며, 오늘날 국제 사회는 각국의 협력이 중요해졌다.

개념 2 국제 사회의 행위 주체

국가		• 국제 사회의 가장 기본적인 행위 주체 → 대외적인 ❹ [ ]와/과 국제 협약 능력 가짐 • 주권 평등의 원칙에 따라 국제법 앞에서 평등한 주체로 인정받음 • 자국의 이익 추구와 자국민 보호를 위한 외교 활동을 수행함
국제 기구	정부 간 국제기구	• 여러 나라가 함께 만든 기구 [예] ❺ [ ](UN), 세계 무역 기구(WTO) • 회원국들이 협상을 통해 자국과 회원국 전체의 이익을 조화시키도록 노력함
	국제 비정부 기구	• 국경을 초월하여 활동하는 민간단체 [예] 그린피스, 국경 없는 의사회 • 정부와 관계없이 자발적으로 조직 → 공익성, 비영리성
기타		• 다국적 기업: 어느 한 나라에 본사를 두고 여러 나라에 진출해 생산·판매를 하는 기업 • 국제적으로 영향력 있는 개인(강대국의 국가 원수, 국제 연합의 사무총장 등), 소수 민족 등

❹ 독립성

❺ 국제 연합

개념 3 국제 사회의 변화

제2차 세계 대전 이후	미국과 구소련을 중심으로 한 이념 대립 → ❻ [ ] 체제 형성
1990년대 이후	• 냉전 체제 종식 후, 자국의 경제적 이익을 중요시 • 정치, 경제, 군사뿐만 아니라 종교, 환경, 자원 등 다양한 분야에서 갈등·경쟁함

❻ 냉전

기초 확인 문제

정답과 해설 **70**쪽

1 다음 성격에 맞는 국제기구를 바르게 연결하시오.

(1) 여러 나라가 · 함께 모여 만든 국제기구

(2) 국경을 넘어 · 활동을 하는 비정부 기구

· ㉠ 옥스팜
· ㉡ 국제 연합
· ㉢ 그린피스
· ㉣ 세계 무역 기구
· ㉤ 세계 식량 계획
· ㉥ 국경 없는 의사회
· ㉦ 국제 사면 위원회

2 다음 글에서 나타난 국제 사회의 특성을 바르게 설명한 말에 ○표 하시오.

한국과 타이완은 우방 국가로 오랫동안 외교 관계를 유지하였다. 그런데 중국의 국제적 영향력이 강화되자 한국은 중국과 1992년 8월 24일 국교를 수립하고, 타이완과는 외교 관계를 중단하였다. 중국은 타이완과 수교하는 국가와는 국교를 수립할 수 없다는 원칙을 내세웠기 때문이다.

(1) 국제 사회는 원칙적으로 (자국 , 타국)의 이익을 우선시한다.

(2) 경제력이나 군사력이 큰 (강대국 , 약소국)이 큰 영향력을 행사한다.

3 다음 ㉠~㉣에 들어갈 알맞은 말을 쓰시오.

국제 사회를 바라보는 관점에는 2가지가 있다. 첫째는 국제 사회를 '약육강식의 정글'로 보는 관점으로, 국제 사회는 (㉠)의 논리가 작용하는 공간이며, (㉡)이/가 약소국을 지배하는 사회라고 보는 것이다. 둘째는 국제 사회를 '가꿀 수 있는 정원'으로 보는 관점으로, 국가 간 약속과 (㉢)의 역할을 통해 세계 (㉣)의 실현이 가능하다고 본다.

㉠: ( )　㉡: ( )
㉢: ( )　㉣: ( )

4 다음 ㉠~㉣ 중 옳은 것을 찾아 기호를 쓰시오.

㉠ 국가는 국제 사회를 구성하는 가장 기본적인 행위 주체이다. 각국은 ㉡ 독립적인 주권을 행사하는 동등한 행위 주체로 인정되지만, ㉢ 영토의 크기에 비례하여 국제 사회에 미치는 영향력이 달라진다. 국가는 자국의 이익과 자국민 보호를 위해 외교 활동을 수행하고, 여러 ㉣ 국제 비정부 기구에 가입하여 활동하기도 한다.

( )

5 괄호 안의 내용 중 알맞은 말을 골라 ○표 하시오.

(1) 오늘날 세계화로 국가 간 교류가 활발해지면서 국가 간 상호 (독립성 , 의존성)이 강화하고 있다.

(2) 1990년대 이후 냉전 체제가 종식됨에 따라 각국은 (경제적 실리 , 정치적 이념)을/를 우선시하게 되었다.

5일

교과서 **핵심 정리** ②

개념 4 국제 사회의 갈등과 협력

갈등	원인	각국이 자국의 이익을 우선시, 국가 간 교류 증가
	양상	• 경제적 이익 추구: 스마트폰 제조사 간 소송, 각종 자원을 둘러싼 갈등 등 • 주권과 영토 문제: 이스라엘과 ❶　　　　　 분쟁, 동중국해 분쟁 등 • 민족과 종교 갈등: 카슈미르 분쟁, 중국 내 소수 민족 독립 주장(티베트 독립 운동) 등
협력	필요성	국제 사회의 문제는 특정 국가의 노력만으로 해결이 ❷
	국제 사회의 협력 모습	지역 경제 협력체를 구성하여 상호 이익 증진, 공동 문제에 대처하기 위한 협력 강화, 공적 개발 원조로 개발 도상국의 경제 성장·복지에 기여 등

❶ 팔레스타인

❷ 불가능

예 국제 사회는 다양한 갈등을 겪고 있지만 서로 협력하여 문제를 해결하고자 한다.

개념 5 외교와 국제 사회의 공존

외교	국제 사회에서 한 국가가 자국의 이익을 평화적으로 실현하기 위해 수행하는 모든 행위
외교의 중요성	국가 간 우호 증진, 자국의 이익 실현, 자국의 대외적 위상 제고
외교의 변화	과거에는 정부 간 활동이 중심 → 최근 스포츠나 문화 등 ❸　　　　　 차원의 외교 확대
우리의 자세	세계의 다양한 문제에 관심을 두고 상호 이해 및 협력 → 세계 ❹　　　　　 의식 공유

❸ 민간

❹ 시민

개념 6 우리나라의 국제 관계

1. 일본과의 갈등

일본의 독도 영유권 주장	독도	경상북도 울릉군의 섬으로, 신라 시대부터 우리나라 영토 → 역사적·지리적·국제 법적으로 명백한 우리 영토
	일본의 영유권 주장	• 발단: 일본이 1905년 시마네현 고시 제40호로 불법 편입한 이후 영유권 주장 • 목적: 독도의 해양 자원을 선점하고, 그 주변 지역을 군사적 거점으로 활용하기 위함 • 전개: 일본 역사 교과서에 독도를 일본 땅으로 기술, 독도를 국제 사회에서 영토 분쟁 지역으로 인식시켜 ❺　　　　　 을/를 통해 '힘의 논리'로 해결하려고 함
기타 문제		역사 교과서 왜곡, 일본군 '위안부' 문제, 일본 정치인들의 야스쿠니 신사 참배, 동해 표기 문제 등

❺ 국제 사법 재판소

야스쿠니 신사는 일본의 전쟁 범죄자들의 위패를 둔 곳으로, 일본 정치인들이 이곳을 참배하는 것은 주변국의 비판을 받고 있음

2. 중국과의 갈등

중국의 동북공정	동북공정의 내용	'현재 중국의 ❻　　　　　 안에 속하는 과거사는 모두 중국사'라고 주장 → 만주 지역의 고조선, 고구려, 발해 역사를 중국사로 포함하여 역사 왜곡
	추진 목적	• 중국 여러 소수 민족의 독립을 막고, 만주 지역에서 영향력 강화 • 한반도 통일 후 우리나라와 발생할 수 있는 영토 분쟁 방지
기타 문제		우리 배타적 경제 수역을 침범한 중국 어선의 불법 조업, 한류 저작권 침해 문제 등

❻ 영토

만주 지역은 역사적으로 우리의 활동 무대였음

기초 확인 문제

정답과 해설 **70쪽**

6 다음에서 설명하는 분쟁을 쓰시오.

카슈미르 지역은 주민의 70%가 이슬람교도이지만 힌두교를 믿는 인도의 영역에 포함되어 있다. 이 때문에 카슈미르를 둘러싸고 인도와 파키스탄 간의 갈등이 끊임없이 발생하고 있다.

(   )

7 괄호 안의 내용 중 알맞은 말을 골라 ○표 하시오.

(1) 외교는 (다양한 , 단일한) 방법으로 이루어진다.

(2) 오늘날에는 외교에서 이념보다 (실리 , 의리)를 추구한다.

(3) 오늘날 개인, 기업, 사회단체를 통한 (민간 , 정부) 외교의 중요성이 커지고 있다.

8 다음 제시된 나라가 우리나라와 겪고 있는 갈등 사례를 바르게 연결하시오.

(1) 중국 •

(2) 일본 •

  • ㉠ 동북공정

  • ㉡ 일본군 '위안부' 문제

  • ㉢ 황해에서의 불법 조업 문제

  • ㉣ 야스쿠니 신사 참배 문제

  • ㉤ 세계 지도에 동해 표기 문제

9 중국 동북공정의 배경으로 옳은 것을 〈보기〉에서 <u>모두</u> 고르시오.

┌ 보기 ┐
ㄱ. 중국 내 소수 민족의 독립을 막겠다는 의도가 있다.

ㄴ. 만주 지역이 국가 안전 보장에 필요한 군사 정보가 많은 지역이기 때문이다.

ㄷ. 과거부터 줄곧 중국의 활동 무대였던 만주 지역 역사를 되찾겠다는 의도가 있다.

ㄹ. 한반도 통일 이후 발생할 수 있는 영토 분쟁을 방지하겠다는 정치적 목적이 담겨 있다.

(   )

5일

10 다음 빈칸에 들어갈 알맞은 말을 쓰시오.

(1) 일본과 우리나라 사이에서 영유권 분쟁의 대상이 되고 있는 (   )은/는 우리나라가 명백히 영토 주권을 행사하고 있다.

(2) 일본은 독도를 영토 분쟁 지역으로 인식되게 하려고 국제 연합의 사법 기구인 (   )을/를 통해 독도 문제를 해결하려고 한다.

(3) (   ) 신사는 일본 전쟁 범죄자의 위패를 둔 곳이므로, 일본 정치인들이 이곳을 참배하는 것은 주변국의 비판을 받고 있다.

(4) 중국의 어선이 우리나라의 배타적 (   ) 수역을 침범하고 불법 조업을 벌여 양국 간에 갈등을 빚고 있다.

(5) 중국이 현재 영토 안의 모든 역사를 중국의 역사로 주장하며, 고조선, 고구려, 발해를 중국사로 편입시키려는 활동을 (   )(이)라고 한다.

대표 예제 1

국제 사회의 특징을 〈보기〉에서 고르면?

┌─ 보기 ─────────────────────────────┐
ㄱ. 자국의 이익을 우선시한다.
ㄴ. 개별 국가를 제재할 중앙 정부가 없다.
ㄷ. 모든 국가는 항상 주권 평등의 원칙을 적용받
    는다.
ㄹ. 국제 문제를 해결하기 위해 모든 나라가 적극
    협력한다.
└────────────────────────────────────┘

① ㄱ, ㄴ   ② ㄴ, ㄷ   ③ ㄷ, ㄹ
④ ㄱ, ㄴ, ㄷ   ⑤ ㄴ, ㄷ, ㄹ

개념 가이드

국제 사회에는 개별 국가의 독단적인 행동을 제재할 수 있는
❶ [　　　　] 이/가 없다.   답 ❶ 중앙 정부

대표 예제 2

다음 ㉠, ㉡에 해당하는 단체를 각각 하나씩 쓰시오.

┌────────────────────────────────────┐
국제 사회의 행위 주체에는 두 나라 이상이 모여
활동하는 ㉠ <u>정부 간 국제기구</u>, 국경을 넘어 활동하
는 개인이나 민간단체들이 모여 조직한 ㉡ <u>국제 비
정부 기구</u> 등이 있다.
└────────────────────────────────────┘

㉠: (　　　　　　　　　　　　　)
㉡: (　　　　　　　　　　　　　)

개념 가이드

정부 간 ❷ [　　　　] 에는 국제 연합, 유럽 연합, 세계 무역 기
구 등이 있다.   답 ❷ 국제기구

대표 예제 3

다음 글을 읽고 내릴 수 있는 결론으로 가장 적절한 것은?

┌────────────────────────────────────┐
미얀마 철도부 부장관은 '외국 기업과 투자가를
끌어들이기 위해 8년간 세금을 면제해 주는 법안
을 검토하고 있다'고 밝히며 해외 기업 유치를 위
한 노력을 본격화했다.
└────────────────────────────────────┘

① 국가는 국제 사회의 기본 구성단위이다.
② 다국적 기업은 국제 사회에 큰 영향을 미친다.
③ 영향력 있는 개인도 국제 사회의 행위 주체이다.
④ 국제기구는 정치, 경제, 사회, 문화 등 다양한 분야
   에서 영향력을 행사한다.
⑤ 힘이 강한 국가가 국제 사회의 규범을 어겼을 때
   현실적으로 강력한 제재가 어렵다.

개념 가이드

다국적 기업은 ❸ [　　　　] 사회에 큰 영향을 미친다.
답 ❸ 국제

대표 예제 4

다음 글에서 밑줄 친 개념을 일컫는 용어를 쓰시오.

┌────────────────────────────────────┐
제2차 세계 대전 이후 국제 사회는 자본주의 진
영과 사회주의 진영으로 나뉘어 서로 대립하였다.
<u>이 시기에는 이념적 차이에 따른 갈등으로 국제 사
회에 긴장감과 불안감이 감돌았다.</u>
└────────────────────────────────────┘

(　　　　　　　　　　　　　)

개념 가이드

제2차 세계 대전 이후 사회주의 진영과 ❹ [　　　　] 진영 간의
잠재적인 권력 투쟁을 냉전이라고 한다.   답 ❹ 자본주의

대표 예제 **5**

최근 국제 사회의 갈등 양상에 대한 설명으로 옳은 것을 〈보기〉에서 고르면?

┌ 보기 ├
ㄱ. 군사력 증강 경쟁과 갈등이 늘어나고 있다.
ㄴ. 종교, 민족 등과 관련한 갈등이 나타나고 있다.
ㄷ. 자국의 경제적 이익을 위한 갈등이 커지고 있다.
ㄹ. 이념적 차이에 따른 갈등으로 국제 사회의 긴장감이 증폭되고 있다.

① ㄱ, ㄴ   ② ㄱ, ㄹ   ③ ㄴ, ㄷ
④ ㄴ, ㄹ   ⑤ ㄷ, ㄹ

개념 가이드

국제 사회의 냉전 체제가 무너지면서 이념적, 군사적 갈등은 약화하고, 자국의 ❺ [   ] 이익을 위한 경쟁이 커지고 있다.

답 ❺ 경제적

대표 예제 **6**

다음과 같은 단체가 주변국과의 갈등을 해결하기 위해 노력하는 활동을 고르면?

사이버외교사절단 **반크**
Voluntary Agency Network of Korea

① 정부의 외교 정책에 반대한다.
② 외국과 협력하여 역사 연구 활동을 지원한다.
③ 국제 분쟁을 해결하기 위해 국민들을 선동한다.
④ 전문적인 학술 연구를 통해 우리 주장에 대한 근거 자료를 마련한다.
⑤ 우리나라 주장의 정당성을 국제 사회에 알리기 위한 홍보 활동에 힘쓴다.

개념 가이드

반크와 같은 ❻ [   ] 단체들은 우리 정부 주장의 정당성을 널리 알리는 홍보 활동에 힘쓰고 있다.

답 ❻ 민간

대표 예제 **7**

일본이 밑줄 친 부분과 같은 노력을 기울이는 이유로 가장 적절한 것은?

일본 국회에서는 독도의 영유권이 우리나라와 일본 중 어디에 있는지 국제 사법 재판소의 심판을 받도록 해야 한다는 주장이 나왔다.

① 독도에 대한 영유권을 포기하기 위해서이다.
② 국제 재판을 받으면 일본이 불리하기 때문이다.
③ 독도를 국제 분쟁 지역으로 만들려는 속셈이다.
④ 국제 사법 재판소의 판단은 정확하기 때문이다.
⑤ 국제법에 의하면 독도가 일본 영토이기 때문이다.

개념 가이드

일본은 독도 문제를 ❼ [   ] 에 가져가려고 계속 시도하고 있다.

답 ❼ 국제 사법 재판소

대표 예제 **8**

다음 설명 중 옳지 **않은** 것은?

① 독도는 신라 시대 이후 우리나라의 영토이다.
② 일본 야스쿠니 신사 참배는 주변국의 비판을 받는다.
③ 일본은 독도 문제를 국제 사법 재판소에서 해결하려 한다.
④ 중국은 동북공정으로 백제, 신라 역사를 중국의 역사로 만들려 한다.
⑤ 역사나 영토 문제에 대처하기 위해 정부뿐만 아니라 민간에서도 노력해야 한다.

개념 가이드

중국은 ❽ [   ] 을/를 통해 고조선, 고구려, 발해의 역사를 자신의 역사로 편입하려 한다.

답 ❽ 동북공정

5일

01 인권에 대한 설명으로 옳지 않은 것은?

① 모든 사람의 인권은 존중받아야 한다.

② 누구나 누릴 수 있는 기본적 권리이다.

③ 모든 사람이 차별 없이 갖는 보편적 권리이다.

④ 인권을 존중하는 것은 인간 존엄성을 실현하는 토대가 된다.

⑤ 성별, 피부색, 종교, 사회적 지위, 재산 등에 따라 다르게 부여된다.

02 다음 〈보기〉와 관련된 기본권을 바르게 연결한 것은?

┌ 보기 ────────────────────┐
ㄱ. 김 씨는 올해 만으로 18세가 되어 국회 의원 선거에 참여하였다.

ㄴ. 임 씨는 집 앞에 파인 도로를 복구해 달라고 국가 기관에 민원을 제기하였다.

ㄷ. 이 씨는 여성이고 아이도 키우고 있지만, 차별받지 않고 회사에서 승진하였다.

ㄹ. 황 씨는 자신의 선택에 따라 웹툰 작가가 되었고, 최근에는 요리사로도 활동한다.

ㅁ. 최 씨는 경제적으로 형편이 어려워 국가에서 운영하는 제도에 따라 의료 서비스를 받았다.
└────────────────────────┘

① ㄱ-청구권   ② ㄴ-참정권   ③ ㄷ-자유권

④ ㄹ-평등권   ⑤ ㅁ-사회권

03 인권 구제를 위한 기관이 아닌 것은?

① 법원   ② 경찰서

③ 국세청   ④ 헌법 재판소

⑤ 국가 인권 위원회

04 근로자에게 다음 헌법 조항에 나타난 권리를 보장하는 이유로 가장 적절한 것은?

> 제33조 ① 근로자는 근로 조건의 향상을 위하여 자주적인 단결권·단체 교섭권 및 단체 행동권을 가진다.

① 근로자의 인권은 사용자의 인권보다 소중하기 때문이다.

② 근로자들의 영향력이 사용자들의 영향력보다 크기 때문이다.

③ 파업이나 직장 폐쇄 등 쟁의 행위가 나타나면 곤란하기 때문이다.

④ 근로자와 사용자 간의 갈등이나 분쟁을 완전히 없애기 위해서이다.

⑤ 경제적·사회적으로 약자인 근로자가 사용자와 대등한 지위를 가지고 근로 조건을 결정할 수 있도록 하기 위해서이다.

05 국회에 대한 설명으로 옳은 것을 〈보기〉에서 고르면?

┌ 보기 ────────────────────┐
ㄱ. 국회 의원의 임기는 5년이다.

ㄴ. 의장 1명과 부의장 2명이 있다.

ㄷ. 국회 의원의 수는 200인 이상이다.

ㄹ. 지역구 국회 의원만으로 구성된다.
└────────────────────────┘

① ㄱ, ㄴ   ② ㄱ, ㄷ   ③ ㄴ, ㄷ

④ ㄴ, ㄹ   ⑤ ㄷ, ㄹ

06 다음은 우리나라 대통령의 지위와 관련된 헌법 조항이다. 이에 대한 설명으로 옳지 <u>않은</u> 것은?

> 제67조 ① 대통령은 국민의 보통·평등·직접·비밀 선거에 의하여 선출한다.
> 제70조 대통령의 임기는 5년으로 하며, 중임할 수 없다.

① 국민이 직접 선거를 통해 선출한다.
② 대통령은 국민이 선출했으므로 정당성을 지닌다.
③ 대통령제를 채택한 나라에서 대통령의 임기는 모두 같다.
④ 대통령의 임기가 보장되어 있어 정책이 안정적으로 수행될 수 있다.
⑤ 대통령의 독재를 막기 위해 한 번만 할 수 있도록 정해 놓은 것이다.

07 다음은 우리나라 법원 조직을 나타낸 것이다. 이에 대한 설명으로 옳지 <u>않은</u> 것은?

① 지방 법원은 민사 사건의 1심 판결을 맡는다.
② 대법원, 고등 법원, 지방 법원은 기본적인 3심 구조를 이룬다.
③ 우리나라 심급 제도에 의하면 대법원의 재판이 마지막 재판이 될 것이다.
④ 형사 사건일지라도 사건의 경중에 따라 대법원에서 1심을 맡는 경우도 있다.
⑤ 고등 법원은 지방 법원, 가정 법원, 행정 법원의 1심 판결에 불복하여 항소한 사건을 재판한다.

08 다음 일기 속 경제 활동에 대한 설명으로 옳지 <u>않은</u> 것은?

> 할머니는 ⊙ 쌀 농사를 지으신다. 올해는 우리 가족이 할머니의 일손을 돕기로 했다. 아버지는 기계를 이용하여 ⓒ 노랗게 익은 벼를 수확하셨고, 나와 누나는 쌀 포대를 일부는 창고로 옮기고, 나머지는 도매상인의 트럭에 실었다. 창고의 쌀은 ⓒ 저장하여 나중에 판다고 한다. 도매상인에게 쌀값을 받은 할머니는 ② 나와 누나에게 용돈을 주셨다. ⑩ 용돈으로 사 먹은 수박은 정말 맛있었다.

① ⊙, ⓒ, ⓒ 모두 생산 활동에 해당한다.
② ⓒ은 가치를 높이는 활동에 해당한다.
③ ②은 생산에 해당한다.
④ ⑩처럼 분배를 통해 얻은 소득으로 소비 활동이 가능하다.
⑤ ⊙, ⓒ에 나타난 경제 활동 대상은 모두 재화이다.

09 자원의 희소성이 갖는 특징으로 적절한 것은?
① 절대적으로 자원이 부족한 상태이다.
② 자원의 희소성과 가격은 아무런 관련이 없다.
③ 시간과 장소에 따라 달라질 수 있는 현상이다.
④ 자원의 양보다 인간의 욕구가 부족한 상태이다.
⑤ 인간의 욕구가 제한적이라는 전제에서 나타나는 현상이다.

10 다음에서 설명하는 용어를 쓰시오.

> 합리적인 자산 관리를 위해 고려해야 할 요소로, 투자한 원금이 손실되지 않고 보장되는 정도를 말한다.

(   )

01 다음 사진에 해당하는 시장의 특징을 〈보기〉에서 고르면?

보기

ㄱ. 생산물 시장이다.

ㄴ. 주로 서비스가 거래된다.

ㄷ. 눈에 보이는 시장에 해당한다.

ㄹ. 가계가 공급자, 기업이 수요자이다.

① ㄱ, ㄴ   ② ㄱ, ㄷ   ③ ㄴ, ㄷ

④ ㄴ, ㄹ   ⑤ ㄷ, ㄹ

02 다음 그래프에 대한 해석으로 옳지 <u>않은</u> 것은?

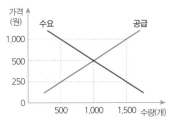

① 균형 가격은 500원에 형성된다.

② 균형 가격에서의 총 판매액은 500,000원이다.

③ 가격이 250원일 때 수요자 간 경쟁이 일어난다.

④ 가격이 500원에서 250원으로 하락하면 공급량은 감소한다.

⑤ 가격이 1,000원이면 1,000개의 초과 수요가 발생하여 가격이 점차 상승할 것이다.

03 다음 그래프처럼 A가 B로 이동하는 경우가 <u>아닌</u> 것은?

① 소득이 증가하였다.

② 인구가 증가하였다.

③ 생산 비용이 하락하였다.

④ 기호(선호도)가 증가하였다.

⑤ 대체재의 가격이 상승하였다.

04 균형 가격에 대한 설명으로 옳지 <u>않은</u> 것은?

① 초과 공급과 초과 수요가 없는 상태이다.

② 균형 가격에서는 균형 거래량만큼 거래된다.

③ 한번 결정된 균형 가격은 절대 변하지 않는다.

④ 시장에서 수요량과 공급량이 일치할 때 형성된다.

⑤ 수요자는 그 가격에서 사고 싶은 양을 살 수 있고, 공급자는 그 가격에서 팔고 싶은 양을 팔 수 있다.

05 ㉠~㉣에 대한 설명으로 옳은 것을 고르면?

국내 총생산(GDP)은 ㉠ 일정 기간 ㉡ 한 나라 안에서 생산된 모든 ㉢ 최종 생산물의 ㉣ 시장 가치의 합이다.

① ㉠: 작년에 생산된 제품을 올해 판매하면 올해 GDP에 포함된다.

② ㉡: A국 국민이 B국에서 얻은 소득은 B국 GDP에 포함된다.

③ ㉡: A국 국민이 B국에서 얻은 소득은 A국 GDP에 포함된다.

④ ㉢: 빵 재료로 쓰인 밀가루 판매액은 GDP에 포함된다.

⑤ ㉣: 집에서 구워 먹은 쿠키는 시장 가치가 있다.

06 실업률 통계에서 실업자로 분류되는 사람을 〈보기〉에서 고르면?

┌ 보기 ┐
ㄱ. 5개월째 일자리를 찾고 있는 갑
ㄴ. ○○ 대학교에서 원하는 공부를 하는 을
ㄷ. 직업을 바꾸기 위해 회사에 사표를 낸 병
ㄹ. 3년째 의학전문대학원 입학시험에만 몰두하는 정

① ㄱ, ㄴ   ② ㄱ, ㄷ   ③ ㄴ, ㄷ
④ ㄴ, ㄹ   ⑤ ㄷ, ㄹ

07 인플레이션이 발생할 경우, 유리한 사람과 불리한 사람을 바르게 분류한 것은?

(가) 친구에게 3,000만 원을 빌린 김 씨
(나) 은행에서 대출받아 아파트를 장만한 조 씨
(다) 최근 회사와 연봉 계약을 마친 근로자 윤 씨
(라) 은행에 예금한 돈에 생기는 이자로 생계를 유지하는 이 씨

	유리한 사람	불리한 사람
①	(가), (나)	(다), (라)
②	(가), (다)	(나), (라)
③	(가), (라)	(나), (다)
④	(나), (다)	(가), (라)
⑤	(다), (라)	(가), (나)

08 다음과 같은 상황이 지속될 경우 우리 경제에 미칠 영향으로 적절한 것은?

서울 외환 시장에서 원/달러 환율이 지난해 7월 이후 최고치인 1,145.7원에 달했다.

① 원화 가치 상승으로 외채 상환 부담 감소
② 수입 부품 및 원자재 가격 상승으로 물가 상승
③ 내국인의 해외여행 경비 감소로 해외여행 증가
④ 수입 상품의 원화 표시 가격 하락으로 수입 증가
⑤ 수출 상품의 외화 표시 가격 상승으로 수출 감소

09 국제 사회의 행위 주체 중 성격이 <u>다른</u> 하나를 고르면?

① 그린피스   ② 세계 무역 기구
③ 국제 사면 위원회   ④ 국경 없는 의사회
⑤ 세이브 더 칠드런

6일

10 중국이 동북공정을 추진하는 의도로 적절한 것을 〈보기〉에서 고르면?

┌ 보기 ┐
ㄱ. 우리나라의 영토를 빼앗으려 한다.
ㄴ. 중국 내 소수 민족의 독립을 막으려고 한다.
ㄷ. 우리 민족의 만주 역사를 중국의 역사로 왜곡하려 한다.
ㄹ. 만주를 분쟁 지역으로 만들어 국제 사법 재판소에 가져가려고 한다.

① ㄱ, ㄴ   ② ㄱ, ㄷ   ③ ㄴ, ㄷ
④ ㄴ, ㄹ   ⑤ ㄷ, ㄹ

[01~02] 다음 제시된 설명을 읽고 퍼즐을 완성하시오.

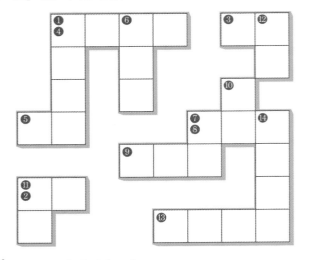

01 가로 퍼즐을 완성해 보자.

〈가로 열쇠〉
❶ 대통령을 보좌하며 행정 각부를 지휘·조정하는 사람
❸ 국민을 대표하는 입법 기관
❺ 우리 헌법은 인간의 존엄과 가치 및 행복 ○○권을 보장한다.
❼ 인플레이션이 발생하면 불리한 사람으로, 돈을 빌려준 사람
❾ 법을 해석하고 구체적인 사건에 적용하는 권한
⓫ 우리나라와 일본의 갈등 중에는 세계 지도에 이것을 표기하는 문제가 있다.
⓭ 우리 헌법은 국가 안전 보장, 질서 유지, ○○○○을/를 위해 필요한 경우에만 국민의 기본권을 제한할 수 있게 했다.

02 세로 퍼즐을 완성해 보자.

〈세로 열쇠〉
❷ 중국의 ○○공정은 우리나라와 중국 간에 갈등을 빚고 있다.
❹ 국제 연합, 세계 무역 기구, 그린피스 등을 이르는 말
❻ 한 나라 안에서 일정 기간 생산된 최종 생산물의 가치를 시장 가격으로 계산하여 모두 더한 것을 국내 ○○○(이)라 한다.
❽ 정부나 공공기관, 회사 등이 일반인에게 돈을 빌리고 주는 증서로 주식보다 안전한 금융 상품
❿ 인간이 인간답게 살기 위해 마땅히 누리는 기본적인 권리
⓬ 행정부의 최고 심의 기관을 국무 ○○(이)라고 한다.
⓮ 자신이 벌어들인 소득으로 소비와 저축, 투자에 대한 계획을 세우고 실천하는 것

03 다음 두 학생의 대화를 보고 물음에 답하시오.

(1) (가)에 들어갈 기본권 제한 사유를 두 가지 쓰시오.

(2) (나)에 들어갈 기본권 제한의 한계를 서술하시오.

04 다음 자료를 보고 물음에 답하시오.

근로자가 근로 조건에 관하여 사용자와 협의할 수 있는 권리이다.

(1) 노동 삼권 중 위에서 설명한 권리를 쓰시오.

(2) 위의 (1)번 답 외의 노동 삼권 두 가지와 그 뜻을 서술하시오.

05 다음은 국회의 입법 절차이다.

법률안 제안 → (㉠)의 심의 → (㉡)의 심의·의결 → 법률안 공포

(1) ㉠, ㉡에 들어갈 기구를 쓰시오.

㉠: (   ), ㉡: (   )

(2) ㉠, ㉡의 순서를 고려하여 ㉠의 기능을 서술하시오.

_____

_____

_____

06 다음 그림을 보고 물음에 답하시오.

◀ 국무 회의 주재

(1) 위 그림의 권한과 관련된 대통령의 자격을 쓰시오.

(2) 위의 (1)번의 권한과 관련된 대통령의 활동을 두 가지 서술하시오.

_____

_____

_____

07 다음 그림과 같은 제도를 실시하는 궁극적인 목적을 〈보기〉의 용어를 이용하여 서술하시오.

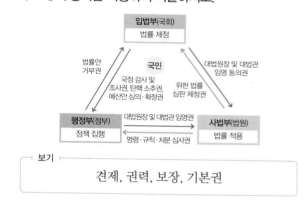

보기

견제, 권력, 보장, 기본권

_____

_____

_____

08 다음 글을 읽고 물음에 답하시오.

무더운 열대 지방에서 에어컨은 누구나 가지고 싶어하는 물건이지만, 추운 극지방에서는 수량이 많지 않아도 원하는 사람이 거의 없다.

(1) 위의 글을 참고하여 다음 경제 용어를 완성하시오.

㉠ □소성: 인간의 욕구는 무한한 데 비해 이를 충족해 줄 수 있는 것은 한정되어 있는 것

㉡ 재□: 인간의 욕구를 충족해 주는 물건

㉢ □대적: 독립적이거나 절대적으로 존재하는 것이 아니라 다른 것에 의해 결정되는 것

(2) 위의 글에서 알 수 있는 내용을 ㉠, ㉡, ㉢의 용어를 이용하여 서술하시오.

_____

_____

6일

09 다음 볼펜 수요표를 보고 물음에 답하시오.

볼펜 가격 (원)	200	400	600	800	1,000
수요량 (만 개)	10	8	6	4	2

(1) 위의 표를 보고 수요 곡선을 그리시오.

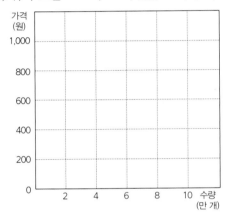

(2) 다음 ㉠~㉽에 들어갈 말을 쓰시오.

> • 볼펜 가격이 400원에서 600원으로 오르면
>   → 수요량이 (㉠   )개에서 (㉡   )
>   개로 (㉢   )
> • 볼펜 가격이 400원에서 200원으로 내리면
>   → 수요량이 (㉣   )개에서 (㉤   )
>   개로 (㉥   )

(3) 위의 (1), (2)번에서 답한 내용을 바탕으로 수요 법칙을 서술하시오.

10 다음은 떡볶이 한 접시의 가격, 수요량, 공급량에 관한 그래프이다. 그래프를 보고 물음에 답하시오.

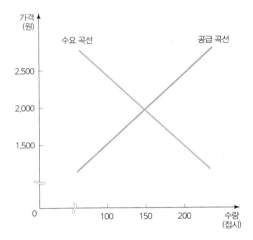

(1) 위의 그래프에 떡볶이 한 접시의 균형 가격과 균형 거래량을 나타내는 균형을 점으로 그리시오.

(2) 만약 떡볶이 한 접시의 가격이 2,500원이라면 수요량과 공급량은 어떻게 변할지 서술하시오.

(3) 위의 (2)번에서 답한 내용을 바탕으로 떡볶이 가격이 균형 가격보다 높아지면 최종적으로 가격이 어떻게 변화하는지 서술하시오.

11 다음 그림을 보고 물음에 답하시오.

(1) 위의 그림을 보고 빈칸에 들어갈 말을 쓰시오.

> 김밥의 (   )인 만두의 가격이 하락하여
> 소비자가 만두를 선택하였다.

(   )

(2) 위의 (1)번에서 답한 내용을 바탕으로, 김밥의 수요 곡선이 어떻게 이동할지 서술하시오.

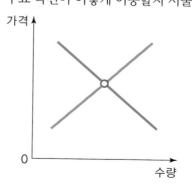

12 다음 그림을 보고 물음에 답하시오.

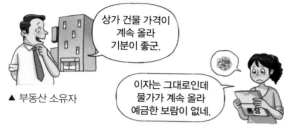

▲ 부동산 소유자

▲ 은행 예금 고객

(1) 위의 그림에서 유리한 사람을 쓰시오.

(   )

(2) 인플레이션이 발생할 때 (1)번과 같이 유리한 사람과 불리한 사람이 나뉘는 까닭을 〈보기〉의 용어를 이용하여 서술하시오.

> 보기
>
> 실물 자산, 화폐 가치

6일

13 다음 자료를 통해 알 수 있는 국제 사회의 특성을 서술하시오.

> 국제 연합(UN) 안전 보장 이사회 15개국 중 5개 상임 이사국은 중요 안건에 대해 거부권이 있다. 따라서 그중 한 나라라도 거부하면 중요 안건이 통과되지 않는다.

01 인권의 특징에 대한 설명으로 적절하지 <u>않은</u> 것은?

① 모든 사람이 동등하게 누리는 권리이다.

② 인간이 태어나면서부터 가지는 권리이다.

③ 국가 권력이 함부로 침해할 수 없는 권리이다.

④ 다른 사람에게 주거나 포기할 수 없는 권리이다.

⑤ 국가가 만들어 주거나 일정한 문서 등에 의해 주어지는 권리이다.

02 다음 헌법 조항과 관련된 헌법의 역할로 옳지 <u>않은</u> 것은?

> 제10조 모든 국민은 인간으로서의 존엄과 가치를 가지며, 행복을 추구할 권리를 가진다. 국가는 개인이 가지는 불가침의 기본적 인권을 확인하고 이를 보장할 의무를 진다.

① 인권의 불가침적 성격을 규정하고 있다.

② 국가 권력으로 국민의 기본권을 제한한다.

③ 인권을 침해당한 국민이 구제받을 수 있도록 한다.

④ 국가 기관이 인권을 침해하지 못하도록 규제하는 역할을 한다.

⑤ 국가의 모든 법이 인권을 보장하는 방향으로 나아갈 수 있도록 한다.

03 국가 인권 위원회에 대한 설명으로 옳은 것은?

① 사법부에 속하는 국가 기관이다.

② 국민의 민원 처리, 행정 심판을 담당한다.

③ 인권을 침해하는 제도의 문제점을 조사한다.

④ 강제력을 가지고 인권 침해 문제의 시정을 요구할 수 있다.

⑤ 법원의 재판으로 해결할 수 없는 경우, 인권을 구제할 수 있는 최후의 수단이 된다.

04 노동권 침해 사례에 해당하지 <u>않는</u> 것은?

① 주문량이 많아 매일 3시간씩 야근을 하래요.

② 노동조합에 가입했다고 승진 시험에서 탈락했어요.

③ 식당에서 일하는데 실수로 컵을 깨뜨렸다고 사장님이 머리를 치면서 화를 냈어요.

④ 근로 계약에 따라 오전 9시부터 오후 6시까지 일하고, 근무 시간 중 1시간을 쉬었어요.

⑤ 회사에 결혼 소식을 알리니 결혼한 여성은 회사를 그만두어야 한다며 사표를 내라네요.

05 다음 글에 나타난 국회의 권한을 고르면?

> 국회는 정부 예산안을 검토한 후 복지 및 교육 분야에 대한 예산을 확충하기로 결정하였다.

① 입법에 관한 권한   ② 재정에 관한 권한

③ 국가 권력 견제 권한   ④ 국가 원수로서의 권한

⑤ 행정부 수반으로서의 권한

06 행정부에 관한 설명으로 옳은 것을 〈보기〉에서 고르면?

> **보기**
> ㄱ. 정책을 실현한다.
> ㄴ. 법을 해석하고 적용하여 사회 질서를 유지한다.
> ㄷ. 국민의 의견을 반영하여 정책의 기준이 되는 법률을 제정한다.
> ㄹ. 공권력을 가지고 국가의 정책을 집행하는 행정 업무를 담당한다.

① ㄱ, ㄴ   ② ㄱ, ㄹ   ③ ㄴ, ㄷ

④ ㄴ, ㄹ   ⑤ ㄷ, ㄹ

07 각급 법원에 대한 설명으로 옳지 <u>않은</u> 것은?

① 가정 법원 – 이혼 등 가사 사건을 담당한다.

② 고등 법원 – 판결이 최종적인 효력을 가진다.

③ 지방 법원 – 형사 사건의 1심 재판을 담당한다.

④ 특허 법원 – 특허 업무와 관련된 재판을 담당한다.

⑤ 행정 법원 – 국가의 잘못된 행정 작용에 대한 소송 사건을 재판한다.

08 다음 ㉠, ㉡에 해당하는 권한을 바르게 연결한 것은?

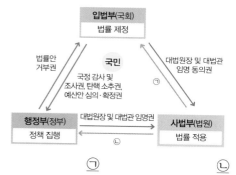

	㉠	㉡
①	헌법 개정권	명령·규칙 심사권
②	명령·규칙 심사권	예산안 심의·확정권
③	명령·규칙 심사권	위헌 법률 심판 제청권
④	위헌 법률 심판 제청권	예산안 심의·확정권
⑤	위헌 법률 심판 제청권	명령·규칙 심사권

09 희소성에 대한 설명으로 옳은 것을 〈보기〉에서 고르면?

> 보기
> ㄱ. 한번 희소한 재화는 영원히 희소하다.
> ㄴ. 수요에 비해 재화의 양이 적을 때 발생한다.
> ㄷ. 희소성을 결정하는 것은 재화의 절대적 양이다.
> ㄹ. 시대나 장소에 따라서 다르게 나타날 수 있다.

① ㄱ, ㄴ   ② ㄱ, ㄷ   ③ ㄴ, ㄷ

④ ㄴ, ㄹ   ⑤ ㄷ, ㄹ

10 다음은 우리나라의 헌법 제119조이다. 이와 관련된 설명으로 옳은 것은?

> ① 대한민국의 경제 질서는 개인과 기업의 경제상의 자유와 창의를 존중함을 기본으로 한다.
> ② 국가는 균형 있는 국민 경제의 성장 및 안정과 적정한 소득의 분배를 유지하고, 시장의 지배와 경제력의 남용을 방지하며, 경제 주체 간의 조화를 통한 경제의 민주화를 위하여 경제에 관한 규제와 조정을 할 수 있다.

① 우리나라는 경제 활동의 자유를 인정하지 않는다.

② 우리나라는 분배보다 경제 성장을 중시한다.

③ 우리나라는 경제 활동의 자유와 정부의 규제를 모두 인정한다.

④ 우리 경제 체제는 계획 경제의 요소를 배제한다.

⑤ 우리 정부는 경제 주체들의 자유로운 경제 활동을 통제할 수 없다.

11 다음 ㉠, ㉡에 들어갈 금융 상품을 바르게 짝지은 것은?

> 한수는 9월에 친구 민규의 권유로 (㉠)을/를 5,000만 원어치 구매했다. 여윳돈 1억 원을 모두 투자하라는 민규의 권유에도 (㉠)에 대한 불안감에 5,000만 원은 안전한 저축성 (㉡) 상품에 가입했다. 그런데 연말이 되자 수익률이 30%를 웃돌게 된 (㉠)와/과 달리 (㉡)은/는 물가 상승 때문에 실제로는 손해를 보게 되었다. 한수는 자신의 선택을 후회했다.

	㉠	㉡			㉠	㉡
①	예금	펀드		②	주식	부동산
③	주식	예금		④	채권	부동산
⑤	채권	펀드				

12 다음 일화가 보여 주는 시장의 기능으로 가장 적절한 것은?

> 시장이 없는 작은 마을에 사는 경수는 쌀농사를 짓는 농부이다. 올해는 풍년이 들어 온 가족이 충분히 먹고도 남을 만큼 쌀을 많이 생산하였다. 밥과 생선을 같이 먹고 싶었던 경수는 쌀을 생선과 교환하려고 바닷가에 가서 어부를 만났지만, 어부는 쌀보다 장작이 필요하다고 하였다. 그래서 산에 올라가 나무꾼을 만났지만, 나무꾼은 쌀보다 과일이 더 필요하다고 하였다. 결국 경수는 너무 힘들어서 그냥 집으로 돌아가기로 하였다.

① 분업의 특화를 촉진한다.
② 상품의 생산성을 증대시킨다.
③ 동네 주민들의 만남의 장이 된다.
④ 상품에 관한 정보를 제공해 준다.
⑤ 상품 거래에 들이는 시간과 노력을 줄여 준다.

13 다음 (가)~(다)와 관련된 법칙을 바르게 나열한 것은?

> (가) 사과 가격이 급등하여 사과를 사 먹지 않는다.
> (나) 민수는 스마트폰 가격이 내리자 그동안 갖고 싶었던 스마트폰을 구입하였다.
> (다) 게임기 가격이 오르면 게임기 회사는 근로자들의 작업 시간을 늘려서 더 많은 게임기를 생산한다.

	(가)	(나)	(다)
①	수요 법칙	수요 법칙	공급 법칙
②	수요 법칙	공급 법칙	수요 법칙
③	공급 법칙	수요 법칙	수요 법칙
④	공급 법칙	수요 법칙	공급 법칙
⑤	공급 법칙	공급 법칙	수요 법칙

14 다음 그래프에서 가격이 3,000원일 경우, 시장에서 일어나게 될 변화로 적절한 것은?

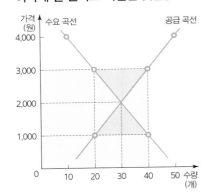

① 점차 가격이 상승한다.
② 초과 수요가 점점 줄어든다.
③ 점점 더 균형에서 멀어진다.
④ 공급자가 더 낮은 가격에도 판매하려 한다.
⑤ 수요자가 더 높은 가격에도 구입하려 한다.

15 다음 사례에서 알 수 있는 국내 총생산의 한계로 적절한 것은?

> 자가용 보급이 증가하는 국가에서는 자동차 생산에 따른 가치는 물론, 교통사고의 증가로 늘어나는 사고 당사자 치료 비용, 차 수리 비용, 도로 복구 비용 등도 모두 국내 총생산에 포함된다.

① 과거에 생산된 물건의 거래를 포함하지 않는다.
② 국민들의 삶의 질에 대해서는 파악하기가 어렵다.
③ 한 국가의 전체적인 생산 수준을 보여 주지 못한다.
④ 눈에 보이지 않는 서비스의 가치는 측정하지 못한다.
⑤ 봉사 활동을 통해 가치가 창출되어도 계산되지 않는다.

16 다음 중 실업자에 해당하는 사람은?

① 은우: 몸이 아파서 일을 하기가 어려워.
② 태형: 다니던 회사가 망해서 할 일이 없어졌어.
③ 민준: 이력서를 내는 것도 이젠 지쳤어. 그만할래.
④ 정민: 좋은 학자가 되기 위해 열심히 공부하고 있어.
⑤ 채우: 아이 키우는 기쁨이 더 커서 회사를 그만 두었어.

17 환율이 하락했을 때 손해를 보는 사람은?

① 해외여행을 계획하고 있는 한국인 은하
② 수입 와인을 판매하고 있는 한국인 세진
③ 미국 대학에서 공부하고 있는 한국인 경환
④ 한국 여행을 계획하고 있는 미국인 마이클
⑤ 미국에 있는 가족에게 생활비를 보내 주고 있는 한국인 정우

18 다음과 같이 국제 사회를 바라보는 관점에서 주장할 내용으로 가장 적절한 것은?

국제 사회는 강한 자가 살아남는 정글과 같이 힘의 논리가 작용하는 공간이다.

① 나라 간 균등한 발전이 중요하다.
② 집단 안보 체제가 국제 평화를 보장한다.
③ 국제 사회에 도덕과 규범, 여론이 작동한다.
④ 국제법이나 국제기구의 역할을 통해 평화가 실현된다.
⑤ 개별 국가는 자국의 안전을 위하여 군사 비용을 늘려야 한다.

19 다음 설명에 해당하는 국제기구로 볼 수 <u>없는</u> 것은?

• 각 나라의 정부를 회원국으로 한다.
• 두 개 이상의 주권 국가가 모여 만든 협력체이다.

① 국제 연합
② 유럽 연합
③ 국제 통화 기금
④ 국제 사면 위원회
⑤ 경제 협력 개발 기구

20 일본이 다음과 같은 노력을 하는 이유로 적절한 것은?

일본, 독도를 국제 분쟁화?

일본 정부가 독도 문제를 국제 사법 재판소에 제소하는 방안을 검토하고 있다. 국제 사법 재판소는 당사국 양쪽의 동의를 받아 재판을 진행하기 때문에 한국이 동의하지 않을 경우 재판이 열리지 않는다. 일본의 이러한 움직임은 독도 문제를 국제 분쟁화하여 자신들에게 유리한 여론을 조성하려는 의도로 보인다.

① 일본의 원래 영토를 회복하기 위해
② 독도에 대한 영유권을 포기하기 위해
③ 우리 역사를 일본의 역사로 편입시키기 위해
④ 독도가 가진 군사적·경제적 이익을 얻기 위해
⑤ 독도 문제를 국제법에 따라 합리적으로 해결하기 위해

7일

01 다음 헌법 조항과 관련된 사례로 가장 적절한 것은?

> 제34조 ① 모든 국민은 인간다운 생활을 할 권리를 가진다.

① 갑: 오늘은 선거일이라 투표하러 왔어.
② 을: 국가가 주는 기초 연금을 받아 생활하고 있어.
③ 병: 과거와 달리 남녀 모두 미용 고등학교에 입학할 수 있어.
④ 정: 맨홀 뚜껑에 걸려 발목을 다쳤어. 법원에 재판을 청구할 거야.
⑤ 무: SNS에서 환경 보전의 중요성을 알릴 거야.

02 기본권 제한에 대한 설명으로 적절하지 <u>않은</u> 것은?

① 필요한 경우에만 법률로써 제한할 수 있다.
② 헌법은 기본권 제한의 요건을 명시해야 한다.
③ 국민은 기본권을 무제한으로 누릴 수 있어야 한다.
④ 개발 제한 구역 설정은 공공복리를 위해 개인의 자유를 제한한 사례이다.
⑤ 기본권을 제한하더라도 자유와 권리의 본질적인 내용을 침해해서는 안 된다.

03 인권 침해의 사례로 적절하지 <u>않은</u> 것은?

① 성별에 따라 채용 시험에서 차별한다.
② 청소년에게 술이나 담배를 판매하지 않는다.
③ 학교 시험의 전교 석차를 교내 게시판에 붙여 놓았다.
④ 간호학과를 나와 병원에서 일하려고 하는데 남자 간호사는 뽑지 않는다.
⑤ 연예인은 그들의 생활을 몰래 사진 찍는 사람들로 인해 일상생활을 하기가 어렵다.

04 다음은 부당 해고와 부당 노동 행위에 대한 구제 절차를 나타낸 것이다. (가), (나)에 들어갈 말을 바르게 짝지은 것은?

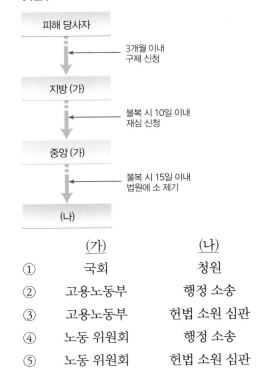

	(가)	(나)
①	국회	청원
②	고용노동부	행정 소송
③	고용노동부	헌법 소원 심판
④	노동 위원회	행정 소송
⑤	노동 위원회	헌법 소원 심판

05 국회가 하는 일을 〈보기〉에서 고르면?

> **보기**
> ㄱ. 국민의 의견을 반영하여 법적 분쟁을 해결한다.
> ㄴ. 새로운 법을 제정하거나 기존의 법을 개정한다.
> ㄷ. 입법 기관으로서 법률을 집행하고 정책을 수립한다.
> ㄹ. 다른 국가 기관을 감시하고 비판하여 권력 남용을 방지함으로써 국가 권력을 견제한다.

① ㄱ, ㄴ ② ㄱ, ㄷ ③ ㄴ, ㄷ
④ ㄴ, ㄹ ⑤ ㄷ, ㄹ

06 정부의 조직과 구성에 대한 설명으로 옳지 <u>않은</u> 것은?

① 국무 회의는 정부의 중요 정책을 심의한다.

② 행정 각부는 구체적인 행정 사무의 집행을 담당한다.

③ 국무총리는 국가의 수입·지출을 검사하는 일을 한다.

④ 감사원은 행정 기관의 사무와 공무원의 직무를 감찰한다.

⑤ 대통령은 행정부의 최고 책임자로 최종적인 권한과 책임을 갖는다.

07 다음 그림과 같이 국가 기관의 권한을 분리한 궁극적인 목적은?

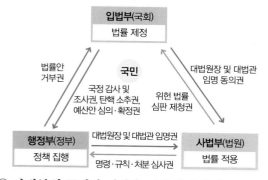

① 사법부의 공정한 재판을 보장하기 위해

② 행정부 정책 집행의 효율성을 강화하기 위해

③ 국가 기관들이 권력을 편리하게 행사하도록 돕기 위해

④ 국민들이 정책 결정과 집행 과정에 적극적으로 참여하게 하기 위해

⑤ 국가 권력의 남용을 방지하여 국민의 자유와 권리를 보장하기 위해

08 다음 사례에 나타난 헌법 재판소의 권한은?

> ○○○ 씨는 국외에 거주하고 있으나 우리나라 국적을 유지하고 있는 사람들에게 선거권을 제한하는 「공직 선거법」이 헌법에 어긋난다고 헌법 재판소에 심판을 청구하였다. 이에 헌법 재판소는 외국에서 생활한다는 이유로 선거에 참여할 수 없게 한 법률을 개정하라고 결정하였다.

① 탄핵 심판 ② 권한 쟁의 심판

③ 위헌 법률 심판 ④ 정당 해산 심판

⑤ 헌법 소원 심판

09 다음에서 설명하는 개념이 나타나지 <u>않은</u> 것은?

> 어떤 것을 선택함으로써 포기하는 것들 중에서 가장 가치가 큰 것을 말한다.

① 회사 일이 바빠 가족 여행에 참석하지 못했다.

② 영화를 보기 위해 미리 영화 입장권을 예매했다.

③ 사회 참고서를 샀더니 피자를 사 먹을 돈이 없었다.

④ 콘서트에 가느라 시험공부를 충분히 하지 못했다.

⑤ 인터넷 쇼핑몰 사업을 하기 위해 대학에 진학하지 않았다.

10 기업의 역할로 볼 수 <u>없는</u> 것은?

① 일자리를 창출한다.

② 경제 정책을 수립한다.

③ 가계에 소득을 제공한다.

④ 재화와 서비스를 생산한다.

⑤ 국가에 각종 세금을 납부한다.

7일

11 시장에 대한 설명으로 옳은 것을 〈보기〉에서 고르면?

> 보기
> ㄱ. 최종적으로 소비되는 재화만 거래된다.
> ㄴ. 상품 정보를 제공하고 거래 비용을 줄여 준다.
> ㄷ. 사람들 사이에 교환이 활발해지면서 자연스럽게 형성되었다.
> ㄹ. 거래하는 대상이나 거래하는 모습을 눈으로 직접 볼 수 있어야 시장이라고 할 수 있다.

① ㄱ, ㄴ　　② ㄱ, ㄷ　　③ ㄴ, ㄷ
④ ㄴ, ㄹ　　⑤ ㄷ, ㄹ

12 다음은 공책 시장의 수요량과 공급량을 나타낸 것이다. 이와 관련된 내용으로 옳은 것을 〈보기〉에서 고르면?

가격(원)	500	600	700	800	900
(㉠)(개)	60	50	40	30	20
(㉡)(개)	20	30	40	50	60

> 보기
> ㄱ. ㉠은 공급량, ㉡은 수요량이다.
> ㄴ. 균형 가격은 700원, 균형 거래량은 40개이다.
> ㄷ. 공책 가격이 700원에서 800원으로 오르면 수요량은 10개 줄어든다.
> ㄹ. 공책 가격이 900원일 때 수요자들끼리의 경쟁으로 가격이 상승할 것이다.

① ㄱ, ㄴ　　② ㄱ, ㄷ　　③ ㄴ, ㄷ
④ ㄴ, ㄹ　　⑤ ㄷ, ㄹ

13 다음 사례에서 각 상품의 관계로 옳은 것은?

> 마트에 간 박 씨는 삼겹살을 먹고 싶어 야채 코너에서 상추를 고르고 정육 코너로 갔다. 삼겹살 가격이 비싸 고민하던 박 씨는 옆의 수산물 코너에서 고등어 가격이 싼 것을 보고, 고등어조림을 해 먹기로 계획을 변경하였다.

	삼겹살과 상추		삼겹살과 고등어
①	대체재	②	자유재
③	보완재	④	보완재
⑤	자유재		

14 두유 시장에 다음과 같은 변화가 나타나게 된 요인으로 적절한 것은?

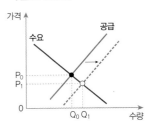

① 우유의 가격이 하락하였다.
② 사람들의 평균 소득이 증가하였다.
③ 두유의 원료인 콩의 가격이 하락하였다.
④ 두유가 건강에 좋다는 내용이 보도되었다.
⑤ 두유의 생산 기술 개발에 어려움을 겪고 있다.

15 반도체 수출이 호황을 누리면서 반도체 회사가 늘어날 때의 변화로 적절한 것은?

① 균형 가격은 상승하고 균형 거래량은 증가한다.
② 균형 가격은 하락하고 균형 거래량은 증가한다.
③ 균형 가격은 상승하고 균형 거래량은 감소한다.
④ 균형 가격은 하락하고 균형 거래량은 감소한다.
⑤ 이전에 비해 별다른 변화가 없다.

16 인플레이션의 원인이 <u>아닌</u> 것은?

① 정부가 세금을 많이 거두어들였다.

② 중앙은행이 많은 양의 화폐를 발행했다.

③ 원자재 가격이 상승하여 기업의 공급이 감소했다.

④ 국민들의 소득이 증가하여 전체적인 소비가 증가했다.

⑤ 정부가 사회 간접 자본 마련을 위해 재정 지출을 늘렸다.

17 인플레이션이 발생할 때 가장 유리한 사람은?

① 부동산을 많이 소유하고 있는 A 씨

② 은행에 많은 예금을 하는 재력가 B 씨

③ 매달 월급을 받아 생활하는 공무원 C 씨

④ 은퇴 후 연금을 받아 생활하고 있는 노인 D 씨

⑤ 친구에게 돈을 빌려주고 1년 후에 돌려받기로 한 E 씨

18 다음 글을 통해 알 수 있는 국제 사회의 특징으로 적절한 것은?

> 온실가스 감축을 위해 세계 120여 개 국가들의 정상들이 모여 회의를 했지만 이렇다 할 성과를 내지 못했다. 개발 도상국은 지구 온난화가 선진국 경제 성장의 결과임을 강조하였고, 선진국은 전 지구적 문제임을 주장하며 개발 도상국의 책임을 주장하였기 때문이다.

① 국제 사회에는 경쟁과 갈등만 존재한다.

② 국가 간 협력 사례는 점점 줄어들고 있다.

③ 국제 사회에는 강력한 중앙 정부가 존재한다.

④ 국제 사회를 구성하는 기본 단위는 개인이다.

⑤ 각국의 이해관계에 관한 문제는 해결이 쉽지 않다.

19 외교에 대한 설명으로 옳지 <u>않은</u> 것은?

① 주로 협상과 설득을 통해 이루어진다.

② 오늘날 외교의 주된 목적은 실리 추구이다.

③ 외교관의 공식적인 대외 활동만을 의미한다.

④ 국가의 대외적인 위상을 높이고 다양한 정치적·경제적 이익을 실현할 수 있다.

⑤ 오늘날에는 정치나 군사적인 문제뿐만 아니라 경제, 사회, 문화 등의 분야로 확대되고 있다.

20 다음 자료에 나타난 우리나라와 중국 간의 갈등을 해결하는 방법으로 적절하지 <u>않은</u> 것은?

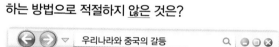

> • 중국은 고조선, 고구려, 발해가 중국 고대 지방 정권의 일부였다며 역사를 왜곡하고 있다.
> • 해양수산부에 따르면 5월 꽃게 어획량이 작년보다 56% 급감한 것으로 집계됐다. 가장 큰 이유는 중국 어선들의 싹쓸이 불법 조업 때문인 것으로 드러났다.

① 중국에 경제적 보복 조치를 한다.

② 중국의 움직임에 지속적인 관심을 기울인다.

③ 중국의 잘못된 인식과 활동이 퍼지지 않도록 대응한다.

④ 대화와 협상을 통해 문제를 해결하려는 외교적 노력을 지속한다.

⑤ 시민 단체나 개인은 갈등을 바로잡고 역사적 사실을 바로 알리는 활동을 한다.

7일

7일 끝

정답과 해설

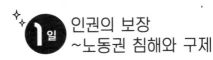

1일 인권의 보장 ~노동권 침해와 구제

기초 확인 문제 | 9, 11쪽

1 ㄴ, ㄷ **2** (1) ㄹ (2) ㄷ (3) ㄴ (4) ㅁ (5) ㄱ **3** 인권
4 (가) 사회권 (나) 자유권 **5** ㄴ, ㄷ, ㅁ **6** 헌법
재판소 **7** ㄷ, ㄹ **8** (1) ㄴ (2) ㄷ (3) ㄱ **9** ㄹ
10 (1) 법률 (2) 「근로 기준법」 (3) 국민 (4) 근로자 (5) 헌법이
보장

5 기본권의 제한 조건

국민의 기본권은 국가 안전 보장, 질서 유지, 공공복리
를 위해 필요한 경우에만 법률로써 제한할 수 있다.

6 헌법 재판소의 역할

헌법 재판소는 국민이 청구 시 헌법 소원 심판을 한다.

더 알아보기 헌법 재판소의 인권 구제 방법	
위헌 법률 심판	• 사전 절차: 법원이 심판을 제청(신청)해야 함 • 구제 방법: 재판에 적용되는 법률이 헌법에 위반되는 지 여부가 문제가 될 때 그 위헌 여부를 판단함
헌법 소원 심판	• 사전 절차: 국민이 심판을 청구해야 함 • 구제 방법: 국가 기관이 국민의 기본권을 침해하는 작용을 했을 때 그 위헌 여부를 판단함

7 국가 인권 위원회의 역할

국가 인권 위원회는 인권 침해 행위를 직접 조사하고 시
정해야 할 사항을 해당 기관에 권고한다.

8 침해된 인권을 구제하는 국가 기관

침해된 인권을 구제받기 위해 법원에 소송 제기, 헌법
재판소에 헌법 소원 심판 청구, 국가 인권 위원회에 진
정, 경찰이나 검찰에 고소 등을 할 수 있다.

10 근로자의 권리를 보장하려는 노력

근로자의 권리를 보장하기 위해 법률로 최저 임금을 보
장하고 있으며, 노동 삼권을 헌법에서 보장하고 있다.

내신 기출 베스트 | 12~13쪽

1 ㉠ 천부 인권 ㉡ 자연권 **2** ③ **3** ③ **4** ⑤
5 ③ **6** ③ **7** (가) 법원 (나) 헌법 재판소 (다) 국가
인권 위원회 **8** ③

1 인권의 특징

천부 인권은 인간이 태어나면서부터 하늘이 준 권리라
는 뜻이며, 자연권이라는 것은 법으로 보장되기 이전에
이미 인간에게 자연적으로 주어진 권리라는 뜻이다.

더 알아보기 인권의 특징	
천부 인권	모든 인간이 태어나면서부터 하늘로부터 부여받은 권리 → 타인에게 양도하거나 포기할 수 없음
자연권	국가의 법으로 정하기 전에 이미 자연적으로 주어진 권리
보편적 권리	성별, 나이, 피부색, 장애 유무 등에 관계없이 모든 사람이 동등하게 갖는 권리
불가침의 권리	다른 사람이나 국가 기관이 함부로 침해할 수 없는 권리

2 인권과 헌법의 관계

인권은 헌법이 부여하는 권리가 아니며, 헌법은 다만 이
를 확인하고 보장하기 위해 존재한다. 또한 인간의 존엄
과 가치를 실현하는 데 필요한 기본적인 권리라면 헌법
에 명시되어 있지 않아도 보장된다.

3 기본권의 특징

참정권은 국민 주권의 원리를 실현할 수 있는 능동적 권
리이다.

4 기본권의 제한 조건과 한계

기본권을 제한하더라도 국민의 자유와 권리의 본질적
내용은 침해할 수 없다.

5 침해된 인권의 구제 방법

법원의 가장 기본적인 역할은 재판으로 침해된 권리를
구제하고 분쟁 해결을 돕는 것이다.

① 국가 인권 위원회가 재판을 실시한다. (×)
→ 재판은 법원의 역할이다.

② 헌법 재판소가 민사 재판을 실시한다. (×)
→ 헌법 재판소는 위헌 법률 심판, 헌법 소원 심판 등을 하며, 민사 재판은 법원이 담당한다.

③ 법원에서는 재판을 통해 분쟁 해결을 돕는다. (○)

④ 소비자의 피해는 언론 중재 위원회가 구제한다. (×)
→ 소비자의 피해는 한국 소비자원이 구제한다.

⑤ 헌법에 비추어 법률이 인권을 침해한다고 판단하면 국민 권익 위원회가 위헌 결정을 내린다. (×)
→ 위헌 법률 심판은 헌법 재판소가 할 수 있다.

---

6 근로자의 의미와 특징

근로자는 임금을 목적으로 사용자에게 노동을 제공하는 사람이므로 자영업자는 근로자가 아니다.

① 육체적 노동을 하는 사람만을 의미한다. (×)
→ 정신적 노동을 하는 사람도 근로자이다.

② 짧게 일하는 아르바이트는 해당하지 않는다. (×)
→ 근로자를 구분할 때 근로 시간의 길고 짧음이나 계약 기간 등은 문제되지 않는다.

③ 스스로 사업을 하는 자영업자는 해당하지 않는다. (○)
→ 근로자는 임금을 받기 위해 사용자에게 노동을 제공하는 사람이므로, 자영업자는 근로자에 포함되지 않는다.

④ 국가 기관에서 일하는 행정 공무원은 이에 해당하지 않는다. (×)
→ 공무원도 근로자에 포함된다.

⑤ 사용자와 비교했을 때 사회적으로 강자의 지위에 있다. (×)
→ 근로자는 사용자와 비교했을 때 경제적·사회적으로 약자의 지위에 있으므로 법으로 특별히 보호할 필요가 있다.

---

7 침해된 인권을 구제하는 국가 기관

인권을 보호하기 위해 법원은 재판, 헌법 재판소는 위헌 법률 심판이나 헌법 소원 심판, 국가 인권 위원회는 조사 및 권고 등의 역할을 수행한다.

---

8 근로자의 권리

근로자의 휴식과 관련된 조항은 근로자의 근로 및 환경과 관련된 노동권을 법률로써 보호한다는 조항이다.

2일 국회의 위상과 조직 ~법원과 헌법 재판소

기초 확인 문제 | 17, 19쪽

1 (1) 국회 (2) 법률 (3) 국민 **2** 한서, 이안 **3** (1) 재
(2) 입 (3) 일 **4** 재정에 관한 권한 **5** ㄱ **6** 대통령
7 ㄱ, ㄷ, ㄹ **8** (1) ㉡ (2) ㉠ (3) ㉢ (4) ㉣ (5) ㉤ **9** (1) 1심
(2) 가정 (3) 대법원 **10** ㉢, ㉣

5 법률의 제정 절차

법률안은 행정부도 제출할 수 있으며, 법률의 제·개정은 입법부인 국회의 담당이고, 대통령은 법률안 거부권을 행사할 수 있다.

10 헌법 재판소의 구성과 역할

헌법 재판소는 법관의 자격을 가진 9명의 재판관으로 구성되며, 헌법 재판관은 대통령이 임명한다.

내신 기출 베스트 | 20~21쪽

1 ② **2** ② **3** (1) ㉣ (2) ㉠ (3) ㉡, ㉢ **4** ④
5 ④ **6** ② **7** ② **8** ㄴ, ㄷ, ㅁ

1 국회 의원의 구성

오답 피하기 ㄷ. 국회 의원이 될 수 있는 피선거권은 만 25세부터 주어진다.

2 국회의 조직

위원회는 국회의 효율적인 회의 진행을 위해 전문적인 지식을 가진 의원들이 각 분야를 전담하는 기관이다.

더 알아보기	상임 위원회와 특별 위원회
상임 위원회	국회에 제출된 법률안을 국회 본회의에 상정하기 전에 미리 심사하기 위하여 상설적으로 운영하는 위원회
특별 위원회	각 상임 위원회의 소관과 관련이 있거나 그 설치가 필요하다고 인정될 때 관련 안건을 처리하기 위하여 일시적으로 설치되는 위원회

3 국회 권한의 종류

정부가 사용한 예산을 승인하고 평가하는 결산 심사는 국회의 재정에 관한 권한이다.

4 국회의 국정 견제 권한

국회는 대통령이 고위 공직자를 임명할 때 인사 청문회를 실시하고, 동의권을 행사하여 대통령의 권한을 견제한다.

5 대통령 권한의 종류

법률안 거부권은 행정부 수반으로서의 권한이다.

> **선택지 바로 보기**
>
> ① (가)에서 대통령은 우리나라를 대표한다. (○)
> → 대통령은 국가 원수로서 정상 회담에 참석할 수 있다.
> ② (가)에서 대통령이 조약을 체결할 경우 국회의 동의를 얻어야 국내에서 효력이 발생한다. (○)
> ③ (나)의 권한에 대해 국회는 인사 청문회를 실시하여 견제할 수 있다. (○)
> → 대통령이 장관·차관을 임명하는 것은 행정부 수반으로서의 역할이며 국회는 인사 청문회를 실시하여 이를 견제할 수 있다.
> ④ (다)의 권한은 국가 원수로서의 권한이다. (×)
> ⑤ (다)에서 대통령은 법률안의 일부분에 대해서만 재의결을 요구할 수는 없다. (○)
> → 대통령의 법률안 거부권은 법률안의 일부분에 대해서만 행사할 수는 없다.

6 행정과 행정부

현대에 행정부가 하는 일은 광범위해지고 있다.

> **선택지 바로 보기**
>
> ① 국회에서 만들어진 법을 집행하는 일이다. (○)
> → 행정은 국회에서 만든 법을 실질적으로 집행하여 국가의 목적이나 공익을 달성하는 국가 작용이다.
> ② 오늘날 행정부가 하는 일은 단순해지고 있다. (×)
> ③ 여러 가지 정책을 만들고 실행하는 국가 작용이다. (○)
> → 행정부는 법에 부합하는 여러 정책을 만들고 실행한다.
> ④ 현대 사회는 과거보다 전문성을 갖춘 행정을 요구한다. (○)
> → 오늘날 행정부가 하는 일은 복잡해지고 있다.
> ⑤ 현대 복지 국가의 행정은 인간다운 삶의 실현을 목표로 한다. (○)
> → 현대의 행정은 인간다운 삶의 실현을 적극적으로 추구한다.

7 법원의 조직과 기능

(가)는 대법원으로, 1심과 2심을 거친 3심 재판을 담당한다.

오답 피하기 ① 대법원의 수장은 대법원장이다.
③ 명령·규칙 심사권은 행정부를 견제하는 수단이다.
⑤ 위헌 법률 심판 제청권은 입법부를 견제하는 수단이다.

> **더 알아보기** 법원의 조직
>
>
>
> 일반 법원인 대법원, 고등 법원, 지방 법원은 기본적인 3심 구조를 이룬다. 특수 법원 중 특허 법원은 고등 법원과 동급인 법원이고, 가정 법원 및 행정 법원은 지방 법원과 동급인 법원이다.

8 법원의 권한

탄핵 소추권과 국정 감사 및 국정 조사권은 국회의 권한이다.

> **더 알아보기** 법원의 권한
>
> | | |
> |---|---|
> | 사법권 | 법을 해석·판단하여 적용하는 것으로 우리나라의 법원과 헌법 재판소가 가지는 권한 |
> | 명령·규칙·처분 심사권 | 국가 기관에서 만든 명령·규칙이나 국가의 행정 처분을 심사하는 권한 |
> | 위헌 법률 심판 제청권 | 재판에 적용되는 어떤 법률이 헌법에 위반되는지 여부가 문제가 될 때 헌법 재판소에 그 법률의 위헌 심판을 신청하는 권한 |

3일 경제 활동과 경제 주체 ~시장 가격의 결정

기초 확인 문제
| 25, 27쪽

1 (1) 경제 활동 (2) 재화, 서비스 (3) 정부 (4) 가계 (5) 이윤
2 (가) 가계 (나) 정부 (다) 기업 **3** ㄴ, ㄹ **4** (1) 편익
(2) 작은 (3) 합리적 **5** (1) ⓒ (2) ⓐ (3) ⓑ **6** (1) ⓐ, ⓑ, ⓒ
(2) ⓒ, ⓓ, ⓔ **7** (1) 감소 (2) 생산물 (3) 이하 **8** ⓐ 감소
ⓑ 증가 ⓒ 증가 ⓓ 감소 **9** (1) 같은 (2) 일치 (3) 많으면
(4) 균형 거래량 **10** ㄱ, ㄴ, ㄷ

2 경제 주체의 종류

(가)는 노동을 제공하고 임금을 받으며, 재화와 서비스
를 구입하므로 가계이고, (다)는 가계에서 노동, 토지,
자본을 제공받아 재화와 서비스를 생산하므로 기업이
며, (나)는 (가)와 (다)에게 세금을 받아 공공재를 제공하
므로 정부이다.

7 수요 법칙을 나타내는 수요 곡선

가격이 상승하면 수요량은 감소하며, 아이스크림은 재
화이므로 생산물이고, 수요자는 수요 곡선 아래쪽의 수
량만큼 구매하려 한다.

8 수요 법칙과 공급 법칙

가격이 상승하면 수요량은 감소하고 공급량은 증가하며,
가격이 하락하면 수요량은 증가하고 공급량은 감소한다.

9 시장 가격의 결정 원리

가격이 오르면 판매자는 더 많은 수익을 올리려 공급량
을 늘리므로, 가격과 공급량은 같은 방향으로 움직인다.
수요량과 공급량이 일치하는 점에서 균형 가격과 균형
거래량이 형성된다.

10 균형, 초과 공급, 초과 수요

수요 곡선과 공급 곡선이 만나는 점의 '2,000원'과 '30
개'가 각각 균형 가격, 균형 거래량이다. 균형 가격 위쪽
에서는 초과 공급이 나타나고, 균형 가격 아래에서는 초
과 수요가 나타난다.

내신 기출 베스트
| 28~29쪽

1 ④ **2** ⑤ **3** ③ **4** ④ **5** ⑤ **6** ②
7 ㄴ, ㄷ **8** ⑤

1 희소성과 합리적 선택

자원을 원하는 사람이 없으면 그 자원은 희소하지 않다.

2 경제 활동의 종류

생산에는 제조, 운반, 판매, 저장 등이 해당한다. 분배는
생산 활동에 참여한 정도에 따라 대가를 나누어 갖는 것
으로 임금, 이자, 지대 등이 관련된다.

> **더 알아보기** 경제 활동의 종류
>
>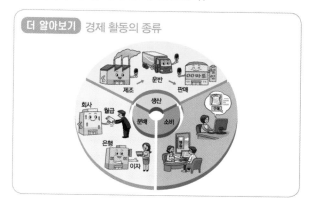

3 합리적 선택의 기준

편익은 최대가 되도록, 기회비용은 최소가 되도록 하는
것이 합리적인 선택이다.

4 금융 상품의 종류

(가)는 예·적금이며 안전성이 높고, (나)는 주식이다.
(다)는 보험이며 수익성이 장점은 아니다.

> **더 알아보기** 금융 상품의 종류와 특징
>
> | 예·적금 | 은행 등 금융 기관에 돈을 맡기고 정해진 이자를 받는 상품으로, 안전성은 높지만 수익성은 낮음 |
> |---|---|
> | 주식 | 기업이 자금 조달을 위하여 회사 소유권의 일부를 투자자에게 주는 증표로, 수익성은 높지만 안전성이 낮음 |
> | 채권 | 정부나 회사가 돈을 빌리고 주는 증서로, 주식보다는 안전하지만 원금을 잃을 가능성이 있음 |
> | 보험 | 위험에 대비하려는 사람들이 미리 돈을 모아 두었다가 사고를 당한 사람에게 제공하는 제도로, 수익성이나 유동성은 낮지만 큰 손실을 막아 줌 |

정답과 해설

5 시장의 역할
시장은 거래에 드는 시간·노력을 줄여 효율적이다.

6 시장의 종류
통신과 인터넷의 발달로 시공간의 제약이 없는 새로운 형태의 시장이 활성화되고 있다.

7 시장과 관련된 경제 용어
수요(ㄱ)는 일정한 가격에 상품을 사려는 욕구이고, 생산 과정을 나누어 여러 사람이 분담해 일을 완성하는 형태(ㄹ)는 분업이다.

8 시장 가격의 결정 원리
가격이 4,000원일 때는 균형 거래량(600개)보다 많은 초과 공급이 발생하여 공급자들 간에 경쟁이 생기므로 가격이 하락한다.

선택지 바로 보기

① 균형 거래량은 500개이다. (×) → 600개이다.
② 상품이 1,000원일 때 가격이 하락한다. (×)
→ 가격이 상승한다.
③ 상품이 2,000원일 때 수요량은 증가하고 공급량은 감소한다. (×) → 수요량과 공급량이 유지된다.
④ 3,000원에서 시장 가격이 형성된다. (×)
→ 2,000원에서 형성된다.
⑤ 4,000원에서는 초과 공급으로 가격이 하락한다. (○)

더 알아보기 시장 가격의 결정 과정

가격	변화
P_2	수요량<공급량 → 초과 공급 발생 → 공급자끼리 경쟁 → 시장 가격 하락
P_0	수요량=공급량 → 균형(시장) 가격과 균형 거래량 형성
P_1	수요량>공급량 → 초과 수요 발생 → 수요자끼리 경쟁 → 시장 가격 상승

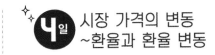

4일 시장 가격의 변동 ~환율과 환율 변동

기초 확인 문제 | 33, 35쪽

1 (1) ㉠ (2) ㉡ (3) ㉠ (4) ㉡　**2** (오른쪽으로 이동)　**3** (1) 증가 (2) 증가 (3) 감소 (4) 오른쪽 (5) 증가　**4** 24만 원
5 ㄷ, ㅁ　**6** ㄴ, ㄷ, ㅂ　**7** (1) 상승 (2) 하락 (3) 줄이는 (4) 기피　**8** ㄴ, ㄹ　**9** ㄴ, ㅁ　**10** (1) ㉢ (2) ㉠ (3) ㉡

1 수요 변동의 요인
수요가 증가하는 요인에는 대체재 가격 상승, 상품의 선호도 증가, 소득 증가 등이 있고, 수요가 감소하는 요인에는 보완재 가격 상승, 미래 가격의 하락 예상, 인구수 감소 등이 있다.

더 알아보기 수요에 영향을 주는 대체재와 보완재

대체재	• 의미: 대신 소비해도 비슷한 만족감을 얻을 수 있는 재화 예 콜라와 사이다, 밥과 빵 • 영향: 대체재 가격이 상승하면 수요가 증가함
보완재	• 의미: 함께 소비할 때 더 큰 만족감을 얻을 수 있는 재화 예 승용차와 휘발유, 삼겹살과 상추 • 영향: 보완재 가격이 하락하면 수요가 증가함

2 수요 곡선의 이동

자료 분석

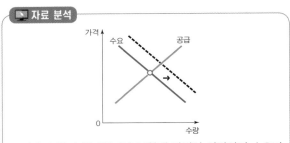

가계 소득이 증가하거나 보완재 가격이 하락하면 수요가 증가하므로 수요 곡선이 오른쪽으로 이동한다.

3 공급 변동의 요인
생산 기술의 발전, 공급자 수 증가, 공급자의 상품 가격 인하 예상, 생산 요소 가격의 하락 등은 공급을 증가시키는 요인이다.

4 국내 총생산(GDP)의 계산

국내 총생산은 최종 생산물인 빵의 가치 24만 원이다. 다른 방법으로 계산하면 각 생산 단계마다 더해진 가치인 10만 원, 9만 원, 5만 원의 합인 24만 원이다.

5 국내 총생산(GDP)의 특징

외국에서의 생산, 중고품의 거래, 가사 노동 등은 국내 총생산에 포함되지 않는다.

8 인플레이션의 원인

인플레이션의 원인에는 2가지가 있다. 첫째는 가계의 소비나 기업의 투자가 증가하는 총수요 증가, 시중의 통화량 증가 등 수요 측면의 원인이며, 둘째는 임금, 원자재 가격 상승으로 생산비가 증가하여 기업의 공급이 감소하는 공급 측면의 원인이다.

내신 기출 베스트 | 36~37쪽

1 ② 2 ② 3 ⑤ 4 ③ 5 ① 6 ③
7 ④ 8 ①

1 수요 변동의 요인

상품에 대한 긍정적 정보가 언론에 나와 수요자들의 기호(선호도)가 증가했고, 이는 수요를 매우 증가하게 만들었다.

오답 피하기 ④ 제시문에 신기술이 개발되었다는 내용은 없으며, 신기술이 개발되면 생산 비용이 감소하여 오히려 공급이 증가하는 경우가 많다.

2 수요 곡선 이동에 따른 가격의 변화

수요 감소로 수요 곡선이 왼쪽으로 이동하면 제시된 그래프의 검은 점이었던 균형이 하얀 점으로 이동하여 시장 가격이 하락한다.

3 공급 곡선의 이동

공급이 증가하는 원인으로는 생산 기술의 발전, 생산 비용의 감소, 공급자 수 증가 등이 있다.

더 알아보기 시장 가격의 변동 요인

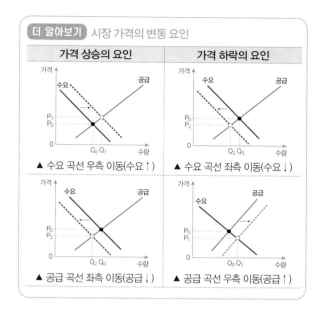

4 국내 총생산(GDP)의 특징

국적과 상관없이 우리나라 국경 안에서 생산된 것이면 모두 우리나라 국내 총생산에 포함된다.

5 국내 총생산(GDP)의 한계

국내 총생산은 국민의 삶의 질, 소득 분배나 빈부 격차를 파악하기 힘들다는 한계가 있다.

오답 피하기 ㄷ. 국내 총생산의 경우, 생산에 사용된 시간만 인정되고 여가에 사용된 시간이나 여가의 가치는 인정하지 않기 때문에 국민의 삶의 질을 파악하기 힘들다.
ㄹ. 국내 총생산은 시장에서 거래된 것만을 포함한다.

6 인플레이션의 원인

인플레이션의 발생 원인에는 총수요 증가, 통화량 증가, 생산비 증가 등이 있다.

7 인플레이션의 영향

인플레이션으로 화폐 가치가 하락하여 화폐 보유자의 재산이 감소할 수 있다.

8 환율 상승의 영향

환율이 상승하면 수출과 외채 상환 부담이 증가하고 국내 물가가 상승하며 수입이 감소한다.

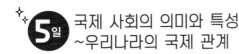

5일 국제 사회의 의미와 특성 ~우리나라의 국제 관계

기초 확인 문제 | 41, 43쪽

1 (1) ⓒ, ⓔ, ⓤ (2) ⓙ, ⓒ, ⓗ, ⓢ   2 (1) 자국 (2) 강대국
3 ㉠ 힘 ㉡ 강대국 ㉢ 국제기구 ㉣ 평화   4 ㉠, ㉡   5 (1)
의존성 (2) 경제적 실리   6 카슈미르 분쟁   7 (1) 다양한
(2) 실리 (3) 민간   8 (1) ㉠, ㉢ (2) ㉡, ㉣, ㉤   9 ㄱ, ㄹ
10 (1) 독도 (2) 국제 사법 재판소 (3) 야스쿠니 (4) 경제
(5) 동북공정

2 국제 사회의 특성

국제 사회의 국가들은 자국의 이익을 우선시하므로 우호적이었던 나라와 관계를 끊기도 하고, 오랫동안 적대적이었던 나라와 협력 관계를 맺기도 한다.

5 국제 사회의 변화

오늘날 세계화로 국가 간 상호 의존성이 강화되고 있다. 냉전 체제에서는 정치적 이념이 중시되었으나, 이후 각국은 경제적 실리를 중시하게 되었다.

내신 기출 베스트 | 44~45쪽

1 ①   2 ㉠ 국제 연합, 세계 무역 기구 등 ㉡ 그린피스, 국경 없는 의사회 등   3 ②   4 냉전   5 ③   6 ⑤
7 ③   8 ④

1 국제 사회의 특징

국제 사회는 중앙 정부가 없다는 특징이 있다.

2 국제기구의 종류

국제기구는 정부 간 국제기구와 국제 비정부 기구로 나뉜다.

> **더 알아보기** 국제기구의 종류

정부 간 국제기구	국제 비정부 기구
국제 연합(UN), 유럽 연합(EU), 세계 무역 기구(WTO), 경제 협력 개발 기구(OECD) 등	옥스팜, 그린피스, 월드 비전, 국제 사면 위원회, 국경 없는 의사회 등

> **더 알아보기** 국제 연합(UN)

국제 연합(UN)은 제2차 세계 대전 이후 전쟁을 방지하고 국제 평화를 유지하기 위해 만들어진 정부 간 국제기구이다. 현재 190개가 넘는 국가가 가입하였다. 다양한 분야에서 국제적 협력을 증진하기 위해 산하에 다음과 같은 기구들을 두고 있다.

국제 연합 아동 기금(UNICEF)	가난과 배고픔으로 고통을 겪는 어린이들을 돕기 위해 식수 위생, 보건 환경을 개선하는 활동을 함
국제 연합 난민 기구(UNHCR)	난민에게 생활 물품과 쉼터를 제공하고 난민의 자발적 귀환을 도움
국제 연합 교육 과학 문화 기구 (UNESCO)	교육, 과학, 문화 분야에서 국제적인 이해를 높이기 위해 노력하며, 세계 유산을 보호하는 활동을 함
기타	국제 연합 평화 유지군(PKF), 세계 보건 기구(WHO), 국제 사법 재판소, 세계 식량 계획 등

3 국제 사회의 행위 주체

제시문은 미얀마 정부가 경제적 실리를 위해 다국적 기업을 유치하려 노력하는 사례이다.

4 냉전의 의미

제2차 세계 대전 이후 자본주의 진영과 사회주의 진영 간의 정치·외교·이념상의 갈등이나 군사적 위협과 같은 잠재적 권력 투쟁을 냉전이라고 한다.

> **더 알아보기** 냉전

제2차 세계 대전 이후부터 1991년까지 미국과 소비에트 연방(소련)을 비롯한 양측 동맹국 사이에서 갈등·긴장·경쟁 상태가 이어진 대립 시기이다. '냉전(cold war)'이란 말은 무기를 들고 싸운다는 의미인 '열전(hot war)'의 상대적 의미로 등장한 용어이다. 이는 당시에 냉전 주축 국가의 군대가 직접 충돌한 적은 없지만 군사 동맹, 핵무기, 군비 경쟁, 첩보전, 정치적 선전, 우주 진출을 위한 기술 개발 경쟁 등의 양상을 보이며 서로 대립하였음을 의미한다.

5 국제 사회의 갈등 양상

최근 국제 사회는 군사력 증강 경쟁은 약화하고, 자국의 경제적 이익과 인권, 종교, 민족 등과 관련한 다양한 갈등이 나타나고 있다.

6 우리나라의 국제 갈등을 해결하는 방법
민간단체는 국제 갈등에 관한 우리나라의 주장을 국제 사회에 홍보하는 역할을 할 수 있다.

7 우리나라와 일본의 갈등
일본이 독도 문제를 국제 사법 재판소에 가져가려는 것은, 명백한 우리 영토인 독도를 분쟁 지역으로 만들어 자국에 유리한 상황을 조성하려는 것이다.

> **더 알아보기** 우리나라와 일본의 갈등 문제

역사 교과서 왜곡	일본의 한 역사 교과서에는 "신라가 일본에 조공을 바쳤다."라는 취지의 문장 등이 있어 고대의 한일 관계를 왜곡하고 있다.
일본군 '위안부' 문제	일본의 침략 전쟁 당시 일본 정부와 일본군이 강제로 동원한 일본군 '위안부' 문제에 대해 일본 정부는 그 강제성을 부인하고 있다.
야스쿠니 신사 참배 문제	야스쿠니 신사에는 제2차 세계 대전을 일으킨 전쟁 범죄자들의 위패가 있는데, 일본 정치인들이 이곳을 참배하여 한국과 중국 등 주변국에게 비판을 받고 있다.
동해 표기 문제	동해는 우리나라에서 2천 년 이상 사용한 명칭인데, 일본은 세계 지도에 동해를 '일본해'로만 표시하자고 주장한다.

> **더 알아보기** 국제 사법 재판소
>
> 국제 사법 재판소는 1945년에 설립된 국제 연합(UN) 자체의 사법 기관이다. 분쟁 당사국들이 합의하여 재판소에 부탁해야 재판소가 관할권을 행사할 수 있으며, 분쟁을 국제법에 따라 재판하는 임무를 띤다. 국제 연합 총회 또는 안전 보장 이사회는 법적 문제에 대해 재판소에 유권 해석을 내려 줄 것을 요청할 수 있다.

8 우리나라와 중국의 갈등
중국은 동북공정으로 고조선, 고구려, 발해 역사를 자신의 역사로 만들려 하고 있고, 독도 영유권 문제를 국제 사법 재판소에 가져가려는 것은 일본이다.

누구나 **100점 테스트** 1회 | 46~47쪽

01 ⑤	02 ⑤	03 ③	04 ⑤	05 ③	06 ③
07 ④	08 ③	09 ③	10 안전성		

01 인권의 의미와 특징
인권은 성별, 피부색, 종교, 사회적 지위, 재산 등과 관계없이 모든 인간이 태어나면서부터 가지는 권리이다.

02 기본권의 사례
사회권은 국민이 인간다운 생활의 보장을 국가에 요구할 수 있는 권리로 적극적 권리이다.

> **더 알아보기** 기본권의 의미와 특징

자유권	・국가 권력의 간섭을 받지 않고 자유롭게 생활할 권리 → 소극적 권리, 가장 오래된 기본권 ・신체·종교·언론의 자유, 재산권 보장 등
평등권	・불합리한 차별을 받지 않고 동등하게 대우받을 권리 → 다른 기본권의 실현을 위한 전제 조건 ・법 앞의 평등, 차별받지 않을 권리 등
참정권	・국민이 국가 기관의 구성과 운영에 참여할 수 있는 권리 → 국민 주권의 원리 실현 ・선거권, 공무 담임권, 국민 투표권 등
사회권	・국민이 국가에 인간다운 생활의 보장을 요구할 권리 → 적극적 권리, 생존권적 기본권 ・교육을 받을 권리, 근로의 권리, 사회 보장을 받을 권리 등
청구권	・국가에 기본권 침해에 대한 구제를 요구할 권리 → 다른 기본권 보장을 위한 수단적 권리 ・청원권, 재판 청구권, 손해 배상 청구권 등

03 인권 구제 기관
인권 구제를 위한 기관으로 법원, 헌법 재판소, 국가 인권 위원회, 한국 소비자원 등을 들 수 있다.

04 근로자 보호와 노동권의 보장
근로자에게 노동 삼권을 보장하는 것은 상대적으로 약자인 근로자가 사용자와 대등한 지위를 가지고 근로 조건을 결정할 수 있도록 하기 위해서이다.

05 국회의 구성

헌법상 국회 의원의 수는 200인 이상으로 정해져 있으며, 국회에는 의장 1명과 부의장 2명이 있다.

오답 피하기 ㄹ. 국회 의원은 지역구 국회 의원과 비례대표 국회 의원으로 구성된다.

06 대통령의 지위

같은 대통령제라고 하더라도 국가마다 대통령의 임기는 다르다.

더 알아보기 대통령의 지위와 그에 따른 권한

지위	권한
국가 원수	외교에 관한 권한(정상 회담, 조약 체결, 외교 사절 신임·접수·파견), 헌법 기관 구성 권한(국가 기관의 장 임명 권한), 국민 투표 제안, 헌법 개정안 발의, 법률안 공포, 전쟁 선포, 국군 통수, 긴급 명령 및 계엄 선포, 사면
행정부 수반	행정부 지휘·감독, 국무 회의 의장, 고위 공무원 임명·해임, 법률안 거부권, 대통령령 제정

07 법원의 조직

사건의 경중에 따라 1, 2심 모두 지방 법원에서 재판한 후 3심 재판을 대법원이 하는 경우는 있지만, 민사 또는 형사 사건을 대법원에서 처음 재판하는 경우는 없다.

오답 피하기 ⑤ 가정 법원과 행정 법원은 지방 법원과 동급이므로, 가정 법원과 행정 법원의 1심 판결에 불복한 사건은 고등 법원에서 담당한다.

08 경제 활동의 종류와 사례

ㄹ은 생산에 참여한 '나'와 누나에게 이익을 나누어 주는 분배이다.

09 자원의 희소성

자원의 희소성은 시간과 장소에 따라 달라지는 상대적인 현상이다.

10 합리적 자산 관리의 고려 사항

합리적 자산 관리를 위해 고려해야 할 요소에는 안전성, 수익성, 유동성 등이 있으며 투자한 원금이 보장되는 정도는 안전성이다.

6일

누구나 **100점 테스트** 2회 | 48~49쪽

01 ②	02 ⑤	03 ③	04 ③	05 ②	06 ②
07 ①	08 ②	09 ②	10 ③		

01 시장의 종류

제시된 사진은 재래시장으로, 재래시장은 눈에 보이는 시장이며 생산물 시장이다. 생산물 시장에서는 가계가 수요자, 기업이 공급자이다.

더 알아보기 시장의 분류

거래 상품의 종류에 따라		거래 형태에 따라	
생산물 시장	• 상품: 재화, 서비스 • 수요자: 가계 • 공급자: 기업	눈에 보이는 시장	• 거래 모습이 눈에 보이는 시장 예 재래시장, 백화점, 대형 마트
생산 요소 시장	• 상품: 노동, 자본, 토지 • 수요자: 기업 • 공급자: 가계	눈에 보이지 않는 시장	• 거래 모습이 눈에 보이지 않는 시장 예 전자 상거래, 증권 시장

02 시장 가격의 결정 원리

가격이 1,000원일 때는 1,000개의 초과 공급이 발생하여 가격이 하락할 것이다.

자료 분석

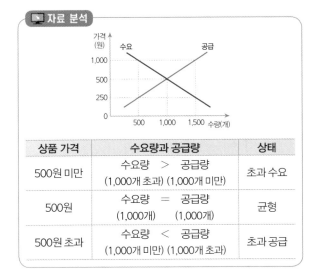

상품 가격	수요량과 공급량	상태
500원 미만	수요량 > 공급량 (1,000개 초과) (1,000개 미만)	초과 수요
500원	수요량 = 공급량 (1,000개) (1,000개)	균형
500원 초과	수요량 < 공급량 (1,000개 미만) (1,000개 초과)	초과 공급

03 **수요 변동의 원인**

주어진 그래프는 수요가 늘어난 것을 나타내는 수요 곡선이며, 생산과는 무관하다.

선택지 바로 보기

① 소득이 증가하였다. (○)

→ 소득이 증가하면 수요가 증가한다.

② 인구가 증가하였다. (○)

→ 인구가 증가하면 수요자가 늘어나므로 수요가 증가한다.

③ 생산 비용이 하락하였다. (×)

④ 기호(선호도)가 증가하였다. (○)

→ 기호가 올라가면 수요가 증가한다.

⑤ 대체재의 가격이 상승하였다. (○)

→ 대체재의 가격이 상승하면 대체재 대신 해당 상품에 대한 수요가 증가한다.

더 알아보기 대체재와 보완재

돼지고기 가격이 상승하면 돼지고기의 수요량은 줄어들고, 비슷한 만족을 주는 닭고기의 수요가 증가한다. 즉 닭고기는 돼지고기의 대체재이다. 한편, 돼지고기 가격이 상승하여 수요량이 줄어들면 돼지고기와 함께 먹는 상추의 수요도 감소한다. 즉 돼지고기와 상추는 보완재 관계이다.

	대체재	보완재
가격 상승	관련 재화 수요 증가	관련 재화 수요 감소
가격 하락	관련 재화 수요 감소	관련 재화 수요 증가

▲ 관련 재화의 수요에 영향을 주는 대체재와 보완재의 가격 변화

04 **균형 가격의 특징**

가격 이외 요인의 변화로 수요와 공급이 변할 경우, 수요 곡선과 공급 곡선이 이동하면서 새로운 균형 가격을 형성할 수 있다.

05 **국내 총생산(GDP)의 특징**

국내 총생산은 한 나라 안에서 생산된 것을 기준으로 계산하므로, 국적과 관계없이 생산된 나라의 GDP에 포함된다.

오답 피하기 ① 작년에 생산된 제품을 올해 판매하면 작년 GDP에 포함된다.

06 **실업자의 의미**

실업은 일할 능력과 의사가 있지만 일자리가 없는 상태이므로, 일할 의사가 없는 을과 정은 실업자에 해당하지 않는다.

더 알아보기 실업자의 의미

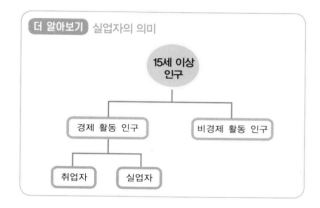

07 **인플레이션의 영향**

인플레이션이 발생하면 실물 자산의 가치가 오르고 화폐 가치가 떨어지므로, 실물 자산 소유자, 채무자, 수입업자는 유리해지고, 화폐 소유자, 채권자, 수출업자는 불리해진다.

더 알아보기 인플레이션의 영향

화폐 가치 하락		일정 금액으로 살 수 있는 재화와 서비스의 양이 감소함
경제 성장 저해		저축 기피, 부동산 투기와 같은 불건전 거래 증가 → 기업의 투자 활동 위축
소득과 부의 불공정한 분배	유리한 사람	실물 자산 보유자(부동산, 금 등), 채무자(돈을 빌린 사람), 수입업자
	불리한 사람	은행 예금 보유자, 임금 근로자, 연금 생활자, 채권자(돈을 빌려준 사람), 수출업자

08 환율 상승의 영향

환율이 상승하면 원화 가치가 하락하므로 수입 부품이나 원자재 가격이 상승하여 국내 물가가 상승할 수 있다.

오답 피하기 ④ 환율이 상승하면 수입 상품을 구입할 때 많은 원화를 지불해야 하므로 수입이 감소한다.
⑤ 환율이 상승하면 수출 상품을 판매할 때 적은 외화를 요구해도 되므로 수출이 증가한다.

더 알아보기 환율 변동의 영향

	환율 상승	환율 하락
수출	증가	감소
수입	감소	증가
물가	상승	안정
기타	외채 상환 부담 증가, 해외여행 감소, 외국인 관광객 증가	외채 상환 부담 감소, 해외여행 증가, 외국인 관광객 감소

09 국제 사회의 행위 주체

세계 무역 기구는 정부 간 국제기구이지만, 나머지는 국제 비정부 기구이다.

더 알아보기 국제 사회의 행위 주체

국가		• 국제 사회를 구성하는 기본적인 주체 • 각 국가는 독립적인 주권을 가지며 평등한 지위를 인정받음
국제 기구	정부 간 국제기구	각 나라의 정부가 회원임 예 국제 연합(UN), 유럽 연합(EU), 세계 무역 기구(WTO), 경제 협력 개발 기구(OECD) 등
	국제 비정부 기구	국경을 넘어 활동하는 개인이나 민간단체가 회원임 예 옥스팜, 그린피스, 월드 비전, 국제 사면 위원회, 국경 없는 의사회 등
다국적 기업		• 여러 국가에 자회사, 지점, 제조 공장을 두고 생산·판매 활동을 하는 기업 • 경제력을 바탕으로 세계 정치·경제·국제 관계에 큰 영향을 미치기도 함
기타		국제적으로 영향력 있는 개인(국제 연합 사무총장, 종교 지도자), 소수 인종, 소수 민족 등

10 중국의 동북공정

중국이 동북공정을 추진하는 의도는 우리 민족의 만주 역사를 중국의 역사로 왜곡하고, 한반도 통일 이후 발생할 수 있는 영토 분쟁을 방지하며, 중국 내 소수 민족의 독립을 막으려는 것이다.

더 알아보기 중국의 동북공정 추진 이유

중국은 구소련이 해체될 때 각 민족 국가들이 독립한 것처럼 중국 내 소수 민족이 독립할 경우 영토가 줄어들 것을 염려하고 있다. 이러한 이유로 동북공정을 추진하여 현재 중국 영토를 기준으로 그 안에 있었던 모든 역사를 중국의 역사로 편입시키려는 것이다.

서술형·사고력 테스트 / 창의·융합·코딩 테스트 | 50~53쪽

[01~02] 핵심 용어

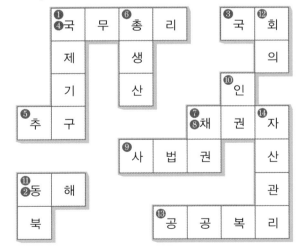

채점 기준	구분
10개 이상 바르게 서술한 경우	상
7개 이상 9개 이하 바르게 서술한 경우	중
6개 이하 바르게 서술한 경우	하

03 기본권의 제한 요건

(1) **예시 답안** | 국가 안전 보장, 질서 유지, 공공복리

(2) **예시 답안** | 자유와 권리의 본질적인 내용은 침해할 수 없다.

핵심 단어 | 국가 안전 보장, 질서 유지, 공공복리, 자유, 권리, 본질

채점 기준	구분
기본권의 제한 사유 2가지와 제한의 한계를 바르게 서술한 경우	상
기본권의 제한 사유 2가지를 바르게 서술하고, 제한의 한계를 서술하였으나 미흡한 경우	중
기본권의 제한 사유만 2가지 이하 쓴 경우	하

04 근로자의 권리

(1) 단체 교섭권

(2) **예시 답안** | 단결권-근로자가 노동조합을 결성할 수 있는 권리이다. 단체 행동권-교섭이 원만하게 이루어지지 않을 때 쟁의 행위를 할 수 있는 권리이다.

핵심 단어 | 단체 교섭권, 근로자, 사용자, 단결권, 노동조합, 단체 행동권, 쟁의

채점 기준	구분
단체 교섭권을 바르게 쓰고, 나머지 노동 삼권과 그 뜻을 바르게 서술한 경우	상
단체 교섭권을 바르게 쓰고, 나머지 노동 삼권과 그 뜻을 서술하였으나 미흡한 경우	중
단체 교섭권만 쓴 경우	하

05 국회의 입법 절차

(1) ㉠ (상임)위원회 ㉡ 본회의

(2) **예시 답안** | 효율적인 의사 진행을 위해 본회의에서 결정할 안건을 미리 조사하고 심의한다.

핵심 단어 | (상임)위원회, 본회의, 효율

채점 기준	구분
㉠, ㉡에 들어갈 기구의 이름을 바르게 쓰고, ㉠의 기능을 바르게 서술한 경우	상
㉠, ㉡에 들어갈 기구의 이름을 바르게 쓰고, ㉠의 기능을 서술하였으나 미흡한 경우	중
㉠, ㉡에 들어갈 기구의 이름만 쓴 경우	하

06 대통령의 권한

(1) 행정부 수반

(2) **예시 답안** | 행정부를 지휘·감독한다. 공무원(행정 각부의 장 등)을 임면한다. 대통령령을 제정한다.

핵심 단어 | 행정부 수반, 행정부, 공무원, 대통령령

07 삼권 분립의 목적

예시 답안 | 각 국가 기관이 서로 견제할 수 있게 하여 권력의 집중과 남용을 막고 국민의 기본권을 보장하기 위함이다.

핵심 단어 | 견제, 권력, 보장, 기본권, 국가 기관, 집중

채점 기준	구분
4가지 용어(견제, 권력, 보장, 기본권)를 이용하여 삼권 분립의 목적을 바르게 서술한 경우	상
4가지 용어(견제, 권력, 보장, 기본권)를 이용하여 삼권 분립의 목적을 서술하였으나 미흡한 경우	하

08 자원의 희소성

(1) ㉠ 희 ㉡ 화 ㉢ 상

(2) **예시 답안** | 희소성은 재화의 절대적인 양에 따라 결정되는 것이 아니라 인간의 욕구와 필요에 따라 상대적으로 달라진다.

핵심 단어 | 희소성, 재화, 상대적, 양, 달라진다

채점 기준	구분
㉠~㉢을 바르게 쓰고, 이를 이용하여 재화의 희소성의 특징을 바르게 서술한 경우	상
㉠~㉢을 바르게 쓰고, 이를 이용하여 재화의 희소성의 특징을 서술하였으나 미흡한 경우	중
㉠~㉢만 쓴 경우	하

09 수요 법칙과 수요 곡선

(1)

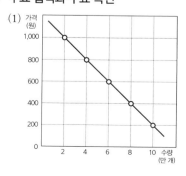

(2) ㉠ 8만 ㉡ 6만 ㉢ 감소 ㉣ 8만 ㉤ 10만 ㉥ 증가

(3) 예시 답안 | 수요 법칙이란 가격이 상승하면 수요량이 감소하고, 가격이 하락하면 수요량이 증가하는 것이다.

핵심 단어 | 수요 법칙, 가격, 상승, 하락, 수요량, 감소, 증가

채점 기준	구분
수요 곡선을 바르게 그리고, ㉠~㉥을 바르게 썼으며, 수요 법칙을 바르게 서술한 경우	상
수요 곡선을 바르게 그리고, ㉠~㉥을 바르게 썼으며, 수요 법칙을 서술하였으나 미흡한 경우	중
수요 곡선을 그리고, ㉠~㉥만 쓴 경우	하

10 균형과 가격의 변동

(1)

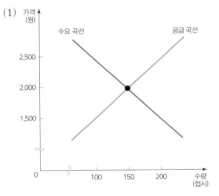

(2) 예시 답안 | 수요량은 150접시에서 100접시로 감소하고, 공급량은 150접시에서 200접시로 증가한다.

(3) 예시 답안 | 공급량이 수요량보다 많아져서 초과 공급이 발생하므로 떡볶이의 가격이 하락하고 다시 균형 가격인 2,000원에 가까워진다.

핵심 단어 | 수요량, 감소, 공급량, 증가, 초과 공급, 가격, 하락, 균형 가격

채점 기준	구분
균형을 바르게 그리고, 가격 상승의 영향을 바르게 서술했으며, 초과 공급의 영향을 바르게 서술한 경우	상
균형을 바르게 그리고, 가격 상승의 영향을 바르게 서술했으며, 초과 공급의 영향을 서술하였으나 미흡한 경우	중
균형을 바르게 그리고, 가격 상승의 영향만 서술한 경우	하

11 대체재와 수요의 변동

(1) 대체재

(2) 예시 답안 | 대체재 가격이 하락하여 대체재 수요가 늘어나므로, 김밥의 수요가 감소하게 되고 수요 곡선이 왼쪽으로 이동할 것이다.

핵심 단어 | 대체재, 가격, 하락, 수요, 감소, 수요 곡선, 왼쪽, 이동

채점 기준	구분
대체재를 쓰고, 수요 곡선의 이동을 바르게 서술한 경우	상
대체재를 쓰고, 수요 곡선의 이동을 서술하였으나 미흡한 경우	중
대체재만 쓴 경우	하

12 인플레이션의 영향

(1) 부동산 소유자

(2) 예시 답안 | 인플레이션이 발생하면 화폐 가치가 하락하여 실물 자산의 가치가 높아지므로, 실물 자산을 가진 부동산 소유자 등이 유리해진다.

핵심 단어 | 실물 자산, 화폐 가치, 하락

채점 기준	구분
부동산 소유자를 쓰고, 인플레이션의 영향을 바르게 서술한 경우	상
부동산 소유자를 쓰고, 인플레이션의 영향을 서술하였으나 미흡한 경우	중
부동산 소유자만 쓴 경우	하

13 국제 사회의 특성

예시 답안 | 국력에 따른 힘의 논리가 작용하여 강대국이 더 많은 영향력을 행사한다.

핵심 단어 | 힘의 논리, 강대국, 영향력

채점 기준	구분
힘의 논리가 작용하는 국제 사회의 특성을 바르게 서술한 경우	상
힘의 논리가 작용하는 국제 사회의 특성을 서술하였으나 미흡한 경우	하

학교 시험 기본 테스트 1회 | 54~57쪽

01 ⑤	02 ②	03 ③	04 ④	05 ②	06 ②
07 ②	08 ⑤	09 ④	10 ③	11 ③	12 ⑤
13 ①	14 ④	15 ②	16 ②	17 ④	18 ⑤
19 ④	20 ④				

01 인권의 특징

인권은 국가나 특정 법, 문서 등이 부여하는 것이 아니라 인간이 태어나면서부터 가지는 자연권이다.

02 헌법의 역할

헌법에 인권을 규정하는 것은 국가의 모든 권력이 인권을 보장하는 방향으로 나아갈 수 있도록 하기 위함이다.

03 국가 인권 위원회의 역할과 특징

국가 인권 위원회는 인권 침해를 조사하여 법령이나 제도의 개선을 권고하는 기관이다.

04 노동권의 침해 사례

오전 9시부터 오후 6시까지 일하고 근무 시간 중 1시간을 쉬었다면 법으로 정한 근로 조건에 어긋나지 않는다.

선택지 바로 보기

① 주문량이 많아 매일 3시간씩 야근을 하래요. (○)
→ 「근로 기준법」에 명시된 근로 시간을 위반하였다.

② 노동조합에 가입했다고 승진 시험에서 탈락했어요. (○)
→ 노동 삼권 중 단결권을 침해한 부당 노동 행위이다.

③ 식당에서 일하는데 실수로 컵을 깨뜨렸다고 사장님이 머리를 치면서 화를 냈어요. (○)
→ 근로자가 인간다운 생활을 하며 일할 권리를 침해하였다.

④ 근로 계약에 따라 오전 9시부터 오후 6시까지 일하고, 근무 시간 중 1시간을 쉬었어요. (✕)

⑤ 회사에 결혼 소식을 알리니 결혼한 여성은 회사를 그만 두어야 한다며 사표를 내라네요. (○)
→ 부당 해고에 해당한다.

05 국회의 권한

국회의 재정에 관한 권한에는 예산안 심의·확정권과 결산 심사권이 있다.

06 행정부의 역할

행정부는 공권력을 가지고 정책을 집행하며 행정 업무를 수행한다.

오답 피하기 ㄴ. 법을 해석하고 적용하여 사회 질서를 유지하는 것은 사법부의 역할이다.
ㄷ. 정책의 기준이 되는 법률을 제정하는 것은 입법부의 역할이다.

07 법원의 조직

판결이 최종적인 효력을 갖는 것은 대법원의 판결이다.

08 삼권 분립의 실제

㉠에는 사법부가 입법부를 견제하는 위헌 법률 심판 제청권이 해당하며, ㉡에는 사법부가 행정부를 견제하는 명령·규칙 심사권이 해당한다.

09 자원의 희소성

자원의 희소성은 상대성을 띤다.

10 우리나라의 경제 체제

우리나라는 시장 경제 체제와 계획 경제 체제를 혼합하여 운영하고 있다.

더 알아보기 시장 경제 체제와 계획 경제 체제

	시장 경제 체제	계획 경제 체제
특징	자유로운 경제 활동 보장, 개인이 생산 수단(토지, 자원, 기계)을 소유	경제 활동의 자유 제한, 국가나 집단이 생산 수단을 소유
경제 문제 해결 수단	시장 가격	국가의 계획이나 명령
장점	개인의 창의성 발휘, 자원의 효율적 사용, 사회 전체의 생산성 향상	소득의 불평등 완화, 국가가 정한 주요 목적을 신속히 달성
단점	빈부 격차 발생, 타인이나 공동체의 이익 침해, 환경 오염	근로 의욕 저하, 경제적 효율성 저하, 국민의 다양한 욕구 파악 어려움

11 금융 상품의 종류
㉠은 수익성이 높지만 안전성이 낮으므로 주식이며, ㉡은 안전성이 높지만 수익성은 낮으므로 예금이다.

12 시장의 기능
시장을 통해 거래에 드는 비용과 시간이 줄어 편리해졌다.

13 수요 법칙과 공급 법칙
(가)는 가격 상승에 따른 수요량 감소, (나)는 가격 하락에 따른 수요량 증가, (다)는 가격 상승에 따른 공급량 증가를 보여 준다.

14 시장 가격의 변동
가격이 3,000원인 경우는 초과 공급 상태이며, 이때 공급자는 가격을 낮춰서라도 판매하려고 해서 가격이 하락하고 점점 균형 가격에 가까워진다.

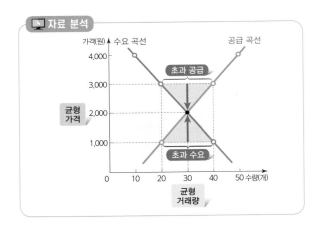

15 국내 총생산의 한계
교통사고로 국민 개인의 삶의 질은 떨어지더라도 사고 처리 과정에서 국내 총생산이 오히려 증가하고 있음을 알 수 있다.

16 실업자의 의미
실업자는 일할 능력과 의사가 있는데도 일자리를 갖지 못한 사람이다.

17 환율 변동의 영향
환율이 하락하면 원화 가치가 상승하여 국내 여행을 하려는 외국인의 여행 비용이 증가한다.

18 국제 사회를 바라보는 관점
제시문은 국제 사회를 '약육강식의 정글'로 보고 있으므로, 개별 국가는 자국의 힘을 키우기 위해 군사 비용을 늘려야 한다는 주장이 가능하다.

19 국제기구의 종류
제시된 설명은 정부 간 국제기구이며, 국제 사면 위원회는 인권 관련 시민 단체로 국제 비정부 기구이다.

20 우리나라와 일본의 갈등
일본은 독도가 지닌 군사적·경제적 가치 때문에 독도를 국가 간 분쟁 지역으로 만들어 자국에 유리한 상황을 만들려고 한다.

학교 시험 기본 테스트 2회 | 58~61쪽

01 ②	02 ③	03 ②	04 ④	05 ④	06 ③
07 ⑤	08 ⑤	09 ②	10 ②	11 ③	12 ③
13 ③	14 ③	15 ②	16 ①	17 ①	18 ⑤
19 ③	20 ①				

01 기본권의 의미와 사례
헌법 제34조 1항은 국가가 인간다운 생활을 보장하는 사회권을 규정한 것이다. 사회권에는 교육을 받을 권리, 사회 보장을 받을 권리 등이 있다.

선택지 바로 보기

① 갑: 오늘은 선거일이라 투표하러 왔어. (×)→ 참정권
② 을: 국가가 주는 기초 연금을 받아 생활하고 있어. (○)
③ 병: 과거와 달리 남녀 모두 미용 고등학교에 입학할 수 있어. (×)→ 평등권
④ 정: 맨홀 뚜껑에 걸려 발목을 다쳤어. 법원에 재판을 청구할 거야. (×)→ 청구권
⑤ 무: SNS에서 환경 보전의 중요성을 알릴 거야. (×)→ 자유권

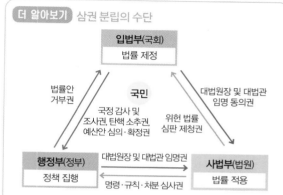

<table>
<tr><td colspan="2">더 알아보기 기본권 관련 헌법 조항</td></tr>
</table>

자유권	제12조 ① 모든 국민은 신체의 자유를 가진다. 제15조 모든 국민은 직업 선택의 자유를 가진다.
평등권	제11조 ① 모든 국민은 법 앞에 평등하다. 누구든지 성별·종교 또는 사회적 신분에 의하여 …(중략)… 차별을 받지 아니한다.
참정권	제24조 모든 국민은 법률이 정하는 바에 의하여 선거권을 가진다. 제25조 모든 국민은 법률이 정하는 바에 의하여 공무 담임권을 가진다.
사회권	제31조 ① 모든 국민은 능력에 따라 균등하게 교육을 받을 권리를 가진다. 제34조 ② 국가는 사회 보장, 사회 복지의 증진에 노력할 의무를 진다.
청구권	제26조 ① 모든 국민은 법률이 정하는 바에 의하여 국가 기관에 문서로 청원할 권리를 가진다. 제29조 ① 공무원의 직무상 불법 행위로 손해를 받은 국민은 …(중략)… 국가 또는 공공 단체에 정당한 배상을 청구할 수 있다.

02 기본권 제한의 실제

국가는 국민의 기본권을 보장하기 위해 노력하지만 기본권을 무제한으로 누릴 수 있는 것은 아니다.

03 인권 침해의 사례

청소년에게 술이나 담배를 팔지 않는 것은 「청소년 보호법」에 따라 유해한 환경으로부터 청소년을 보호하려는 조치로서 인권 침해가 아니다.

04 침해된 노동 삼권의 구제 방법

부당 해고와 부당 노동 행위(노동 삼권을 침해하는 행위)는 노동 위원회에 구제 신청을 할 수 있다. 권리를 침해받았을 때 근로자는 3개월 이내에 지방 노동 위원회에 구제를 신청할 수 있다. 지방·중앙 노동 위원회의 판정에도 불복할 때는 15일 이내에 행정 소송을 제기할 수 있다.

05 국회의 역할

법적 분쟁을 해결하는 것은 법원이, 법률을 집행하고 정책을 수립하는 것은 행정부가 담당한다.

06 정부의 조직

국가의 수입과 지출을 검사하는 것은 본디 감사원의 역할이다.

07 삼권 분립의 목적

삼권 분립은 권력이 한 기관에 집중되어 남용되는 것을 막아 궁극적으로 국민의 자유와 권리를 보장하기 위한 것이다.

▲ 각 기관의 견제 수단

주체 대상	입법부	행정부	사법부
입법부	–	법률안 거부권	위헌 법률 심판 제청권
행정부	국정 감사·조사권, 탄핵 소추권, 예산안 심의·확정권	–	명령·규칙·처분 심사권
사법부	대법원장·대법관 임명 동의권	대법원장·대법관 임명권	–

08 헌법 재판소의 권한

제시된 사례는 「공직 선거법」에 의해 기본권을 침해받았다고 판단한 국민이 직접 헌법 재판소에 헌법 소원 심판을 청구한 것이다.

09 기회비용을 고려한 선택

제시된 개념은 기회비용으로 ②에서는 영화 관람을 선택함으로써 포기한 것이 없으므로 기회비용의 개념이 나타나지 않는다.

> **더 알아보기** 기회비용
>
> 하나의 재화를 선택했을 때, 그 때문에 포기한 다른 재화의 가치를 기회비용이라 한다. 만약 1만 원을 가지고 피자 먹기와 영화 보기 중 하나를 선택해야 하는데 피자를 먹기로 선택했다면 영화를 보면서 느낄 수 있었던 만족(효용)을 누리지 못하는 비용(대가)을 치러야 한다. 위의 상황에서 피자를 선택할 때의 기회비용은 영화 보기로 느낄 수 있는 만족 또는 가치이다. 피자를 먹을 때의 효용이 기회비용보다 작다면 피자를 선택한 것은 잘못된 선택인 것이다.

10 기업의 역할
경제 정책을 수립하는 것은 정부이다.

11 시장의 종류와 특징
주식 시장, 외환 시장 등 구체적으로 눈에 보이지 않더라도 거래가 이루어지면 시장이라고 할 수 있다.

12 수요 법칙과 공급 법칙
수요 법칙은 가격과 수요량이 반대 방향으로 움직이고, 공급 법칙은 가격과 공급량이 같은 방향으로 움직인다는 것이다. 공책의 가격이 900원일 때는 초과 공급이 발생한다.

13 대체재와 보완재
상추는 삼겹살과 함께 소비하는 상품으로 보완재이며, 고등어는 삼겹살 대신 소비할 수 있는 상품으로 대체재이다.

14 공급 증가의 요인
생산 요소의 가격이 하락하면 생산 비용이 감소하여 공급이 증가한다.

15 공급자 수 증가의 영향
공급자 수가 증가하면 공급이 증가하여 균형 가격이 하락하고 균형 거래량은 증가한다.

16 인플레이션의 원인
인플레이션의 원인에는 총수요 증가, 총공급 감소가 있

다. 정부가 세금을 많이 거두어들이면 시중의 통화량이 줄어들어 소비와 투자가 줄고 수요가 감소하게 되므로, 인플레이션이 발생하기 힘들다.

17 인플레이션의 영향
인플레이션이 발생하면 실물 자산의 가치가 커지므로 부동산을 소유한 사람이 유리해진다.

> **더 알아보기** 인플레이션과 화폐 '1,000원' 가치의 하락
>
>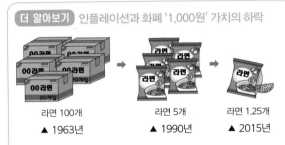
>
> 라면 100개 　　라면 5개 　　라면 1.25개
> ▲ 1963년 　　▲ 1990년 　　▲ 2015년
>
> 1963년에는 1,000원으로 라면 100개를 살 수 있었지만, 1990년에는 라면 5개, 2015년에는 라면 1.25개만 살 수 있다. 물가가 상승하여(인플레이션이 발생하여) 화폐 가치가 하락하고 소비자가 실물 상품을 구매할 수 있는 능력이 감소한 것이다.

18 국제 사회의 특징
온실가스 감축에 대해 선진국과 개발 도상국의 입장이 달라 정상 회의의 성과를 내지 못한 사례를 통해 각국의 이해관계를 조정하여 문제를 해결하는 것이 쉽지 않음을 알 수 있다.

19 외교의 변화
과거에는 각국 정부의 공식적인 외교가 대부분이었지만, 최근 민간 차원의 외교가 증가하고 있다.

20 우리나라와 중국의 갈등
국제 사회의 갈등 발생 시 대화와 협상으로 해결하는 것이 이상적이며, 정부와 민간 차원의 노력이 모두 필요하다. 경제적 보복 조치나 무역 단절은 우리나라에도 피해가 올 수 있으므로 현명한 대응 방법이 아니다.

7일 끝

핵심 용어 풀이

과목별 개념어와 핵심 어휘로
어휘력을 길러 보세요!

핵심 용어 풀이

❶ 인권(사람 人, 권세 權)

① [　　　　](으)로서 당연히 가지는 기본적 권리

▲ 장애인의 인권을 주장하는 운동

답 ❶ 인간

예1 우리 헌법은 인권을 보장하기 위해 인간의 존엄과 가치 및 행복 추구권, 자유권, 평등권, 참정권, 사회권, 청구권 등을 기본권으로 규정했다.

❷ 공공복리(공평할 公, 함께 共, 복 福, 이로울 利)

사회 구성원 전체와 두루 관련된 ① [　　　　]

▲ 사회 구성원 전체가 이용할 수 있는 공원

답 ❶ 복지

예1 국민의 자유와 권리는 국가 안전 보장·질서 유지 또는 공공복리를 위하여 필요한 경우에 한하여 법률로써 제한할 수 있다.

❸ 남용(넘칠 濫, 쓸 用)

권리나 ① [　　　　] 따위를 본래의 목적이나 범위를 벗어나 함부로 행사함

답 ❶ 권한

예1 권력을 남용한 정치가가 탄핵을 당했다.
예2 공권력을 남용하여 개인 정보를 불법적으로 이용한 경찰관이 체포되었다.

❹ 노동(수고로울 勞, 움직일 動)

사람이 생활에 ① [　　　　]한 물자를 얻기 위하여 ② [　　　　]적 노력이나 정신적 노력을 들이는 행위

▲ 노동을 하는 근로자들

답 ❶ 필요 ❷ 육체

예1 그는 노동으로 생계를 꾸린다.
예2 근로자는 사용자에게 노동력을 제공한 대가로 임금을 받는다.

❺ 국회(나라 國, 모일 會)

국민의 ❶ [　　　　]들을 모아 만든 입법 기관

▲ 우리나라의 국회 의사당

답 ❶ 대표

예1 국회는 국민의 의사를 수렴하여 법을 새로 만들 수 있다.

예2 국회의 조직에는 본회의, 위원회, 의장단, 교섭 단체 등이 있다.

❻ 입법(설 立, 법도 法)

❶ [　　　　]을/를 제정함

답 ❶ 법률

예1 국회는 법을 만들고 고치는 기능을 하기 때문에 입법부라고 불린다.

예2 국회는 입법, 재정, 일반 국정(국정 견제)에 관한 권한을 가지고 있다.

❼ 감사(헤아릴 勘, 조사할 査)

잘 살펴 ❶ [　　　　]함

답 ❶ 조사

예1 감사원이 부패한 공무원에 대한 정보를 공개했다.

예2 국회가 다음 주부터 청와대에 대한 국정 감사를 실시한다.

❽ 원수(으뜸 元, 머리 首)

한 나라에서 ❶ [　　　　]인 권력을 지니면서 나라를 다스리는 사람

▲ 각 나라를 대표하는 국가 원수들

답 ❶ 으뜸

예1 각 국가의 원수들이 모인 이번 회의에는 우리나라 대통령, 영국 여왕, 중국 주석, 미국 대통령, 일본 국왕 등이 참석했다.

❾ 헌법(법 憲, 법도 法)

모든 **❶ [　　　]** 의 법의 체계적 기초로서 국가의 조직, 구성 및 작용에 관한 근본법이며 한 국가의 **❷ [　　　]** 법규

▲ 국가의 조직·구성·작용에 관해 근본적으로 규정한 헌법

답 ❶국가 **❷**최고

예1 우리나라 최초의 헌법은 1948년 7월 17일에 공포되었다.

예2 헌법은 국가의 통치 질서와 인간의 존엄성, 국민의 기본권을 보장하기 위한 법이다.

❿ 경제(다스릴 經, 도울 濟)

인간의 생활에 필요한 재화나 **❶ [　　　]** 을/를 생산·분배 **❷ [　　　]** 하는 모든 활동

▲ 경제 활동의 종류

답 ❶서비스 **❷**소비

예1 경제는 세상을 잘 경영하여 백성을 구한다는 뜻의 경세제민(經世濟民)이라는 한자어를 줄인 말에서 비롯되었다.

⓫ 분배(나눌 分, 짝 配)

❶ [　　　] 과정에 참여한 개개인이 생산물을 사회적 법칙에 따라 나누는 일

▲ 케이크를 분배하는 모습

답 ❶생산

예1 분배는 산출되는 생산물이나 소득을 사회 구성원들이 나누어 갖는 것이다.

⓬ 희소성(드물 稀, 적을 少, 성질 性)

인간의 욕망은 **❶ [　　　]** 한 데 비하여 그것을 충족시켜 줄 수 있는 재화나 서비스는 상대적으로 한정되어 있는 상태

▲ 희소성을 가진 다이아몬드

답 ❶무한

예1 과거에는 희소성이 거의 없던 물이 요즘에는 희소성을 가진다.

⑬ 합리(합할 合, 이치 理)

이론이나 ❶ ☐☐☐☐에 합당함

…라고 생각합니다!

맞아.

끄덕

끄덕

▲ 합리적인 주장을 하는 사람

답 ❶ 이치

예1 합리적 선택은 비용을 최소화하고 편익을 최대화하는 선택이다.

예2 합리적 사고는 체계적이고 논리적으로 정확하게 판단하는 과정이다.

⑭ 금융(금 金, 융합할 融)

❶ ☐☐☐☐이/가 없을 때 있는 곳에서 돌려 씀

▲ 금융으로 자본을 마련하는 모습

답 ❶ 금전

예1 이자를 받고 돈을 빌려주는 것을 금융이라고 할 수 있다.

예2 금융 상품에는 예금, 적금, 주식, 채권, 보험, 부동산 등이 있다.

⑮ 시장(시장 市, 마당 場)

여러 가지 상품을 사고파는 일정한 장소, 재화와 서비스의 ❶ ☐☐☐☐이/가 이루어지는 추상적인 영역

▲ 농산물을 파는 시장

답 ❶ 거래

예1 시장은 생산물을 거래하는 곳과 생산 요소를 거래하는 곳으로 구분할 수 있다.

예2 주식이나 증권이 거래되는 증권 거래소, 온라인 쇼핑몰도 시장의 한 종류이다.

⑯ 수요(구할 需, 중요할 要)

어떤 ❶ ☐☐☐☐(이)나 서비스를 일정한 가격으로 사려고 하는 욕구

자, 맛있는 마카롱이 2,000원입니다.

주세요!

먹고 싶어요.

▲ 마카롱에 수요가 있는 사람들

답 ❶ 재화

예1 일정한 가격에서 사람들이 사고자 하는 물건의 양을 수요량이라고 한다.

예2 가격이 상승하면 수요량이 감소하고 가격이 하락하면 수요량이 증가한다는 것이 수요 법칙이다.

⑰ 균형(고를 均, 저울대 衡)

어느 한쪽으로 기울거나 치우치지 아니하고 고른 **❶** [　　　]

▲ 양쪽의 무게가 같아 균형을 이룬 모습

답 **❶** 상태

예1 같은 무게의 두 물체를 천칭의 좌우에 놓으면, 균형이 이루어져 천칭이 움직이지 않는다.

예2 경제에서는 일정한 조건에서 대비되는 두 경제량이 안정을 이루고 변화하지 않는 상태를 균형이라고 한다.

⑱ 대체재(대신할 代, 바꿀 替, 재물 財)

서로 대신 쓸 수 있는 관계에 있는 두 가지의 **❶** [　　　]

▲ 대체재 관계인 커피와 녹차

답 **❶** 재화

예1 커피와 녹차, 콜라와 사이다, 삼겹살과 닭고기는 서로 대체재이다.

예2 한 재화의 가격이 상승하여 수요가 줄면 그 대체재의 수요는 증가한다.

⑲ 보완재(도울 補, 완전할 完, 재물 財)

서로 부족한 것을 **❶** [　　　] 하여 완전하게 하는 관계에 있는 재화

▲ 보완재 관계인 커피와 설탕

답 **❶** 보충

예1 커피와 설탕은 서로의 보완재이다.

예2 한쪽의 수요가 늘면 보완재의 수요도 늘어난다.

⑳ 통화(통할 通, 재화 貨)

유통 수단이나 지불 수단으로서 기능하는 **❶** [　　　]

▲ 지갑에 든 여러 가지 통화들

답 **❶** 화폐

예1 지폐, 동전, 신용카드는 모두 통화이다.

예2 통화량은 시중에 유통되는 화폐의 양이다.

㉑ 인플레이션(inflation)

❶ [　　　　]이/가 지속적으로 상승하는 현상

▲ 인플레이션이 발생하여 시중에 많아진 화폐

답 ❶ 물가

예1 통화량이 늘어나면 인플레이션이 발생한다.

㉒ 실업(잃을 失, 일 業)

일할 의사와 능력이 있는 사람이 ❶ [　　　　]을/를 잃거나 일할 기회를 얻지 못하는 상태

▲ 실업으로 고민하는 청년들

답 ❶ 일자리

예1 작년 우리나라의 실업자는 100만 명을 넘어섰다.

㉓ 환율(바꿀 換, 비율 率)

자기 나라 돈과 다른 나라 돈의 교환 ❶ [　　　　]

▲ 우리나라와 미국의 돈을 교환하는 모습

답 ❶ 비율

예1 환율이 하락하여 우리나라 수출이 줄었다.
예2 환율이 오르면 외화 가치가 상승하여 수입 원자재 가격이 오르고, 국내 물가도 오른다.

㉔ 약육강식(약할 弱, 고기 肉, 강할 强, 먹을 食)

약한 자가 ❶ [　　　　]자에게 먹힌다는 뜻

▲ 동물의 세계에 나타나는 약육강식

답 ❶ 강한

예1 영국, 프랑스, 독일, 미국, 일본 등이 아시아와 아프리카를 침탈한 19~20세기의 제국주의는 약육강식의 모습을 보여 준다.

㉕ 주권(주인 主, 권세 權)

국가의 의사를 최종적으로 결정하는 ❶ [　　　　]

▲ 주권이 왕에게 있었던 조선 시대

답 ❶ 권력

예1 독도는 우리나라가 주권을 행사하는 우리 영토이다.

예2 주권은 대내적으로는 최고의 절대적 힘을 가지고, 대외적으로는 자주적 독립성을 가진다.

㉖ 이념(이치 理, 생각할 念)

이상적인 것으로 여겨지는 ❶ [　　　　](이)나 견해

▲ 이념에 따라 다르게 움직이는 사람들

답 ❶ 생각

예1 제2차 세계 대전 이후 국제 사회는 이념을 바탕으로 자유 진영과 공산 진영으로 나뉘어 대립하는 냉전 체제가 되었다.

㉗ 냉전(찰 冷, 싸울 戰)

직접적으로 ❶ [　　　　]을/를 사용하지 않고, 경제·외교·정보 따위를 수단으로 하는 국제적 대립

▲ 냉전 시대를 이끈 미국과 소련

답 ❶ 무력

예1 냉전은 제2차 세계 대전 이후 1945년부터 1990년까지 이어졌다.

예2 1990년 독일 통일과 1991년 구소련 붕괴로 냉전 체제가 종식되었다.

㉘ 영유권(거느릴 領, 있을 有, 권세 權)

일정한 영토에 대한 해당 ❶ [　　　　]의 관할권

▲ 울릉도·독도의 영유권을 획득한 신라의 이사부 장군

답 ❶ 국가

예1 경상북도 의회가 일본에 독도 영유권 주장을 즉각 철회할 것을 요구했다.

예2 중국과 일본은 경제적 자원이 풍부한 동중국해를 놓고 영유권 분쟁을 벌이고 있다.

핵심 정리 01 인권

1. **인권**: 인간이 <u>❶   </u> 답게 살도록 마땅히 누려야 할 기본적 권리

2. **특징**: 천부 인권, 자연권, 보편적 권리, 불가침의 권리

▲ 장애인의 인권을 주장하는 운동

답 ❶ 인간

핵심 정리 02 헌법이 보장하는 기본권

1. **기본권**: <u>❶   </u> 이/가 보장하는 인권

2. **종류**

```
              기본권
                │
    인간의 존엄과 가치 및 행복 추구권
                │
 ┌──────┬──────┼──────┬──────┐
자유권  평등권  참정권  사회권  청구권
```

3. **제한 사유**: 국가 안전 보장, 질서 유지, 공공복리를 위해 필요한 경우에 한하여 <u>❷   </u> 로써 제한할 수 있음

답 ❶ 헌법 ❷ 법률

핵심 정리 03 인권 보장을 위한 국가 기관

1. **법원**: <u>❶   </u> 을/를 통해 침해된 권리 구제, 인권을 침해한 행위 처벌

2. **헌법 재판소**: 국민의 <u>❷   </u> 을/를 보장하고 헌법 질서를 유지할 수 있도록 헌법 재판을 하는 기관 → 위헌 법률 심판, 헌법 소원 심판

3. **국가 인권 위원회**: 인권을 침해당한 사람이 진정을 하면, 조사를 통해 필요한 사항을 권고

▲ 헌법 소원 심판을 하는 헌법 재판소

답 ❶ 재판 ❷ 기본권

핵심 정리 04 근로자와 노동권

1. **근로자**: 사용자에게 노동을 제공하고 임금을 받는 사람

2. **노동권(근로자의 권리)**: 근로의 권리, 최저 임금제, 「근로 기준법」의 규정, 노동 삼권(단결권, <u>❶   </u> , 단체 행동권)

▲ 단체 교섭권을 행사하는 근로자들

답 ❶ 단체 교섭권

[예제] (가)의 내용으로 적절한 것을 고르면?

① 정치에 참여할 수 있는 권리
② 불합리한 차별을 받지 않을 권리
③ 침해된 기본권에 대한 구제를 요구할 권리
④ 국가 권력의 간섭이나 침해를 받지 않을 권리
⑤ 국가에 최소한의 인간다운 생활을 요구할 수 있는 권리

답 ②

기억해요!

◻◻◻은/는 불합리한 차별을 받지 않을 권리이다.

답 평등권

[예제] 빈칸에 들어갈 용어로 가장 적절한 것을 고르면?

(　　　)은/는 인간이 태어나면서 하늘로부터 부여받은 권리로, 인간답게 살기 위해 마땅히 누려야 할 권리이다. 비장애인이 이용하는 고속 철도를 장애인이 똑같이 이용하기 힘든 것은 이것을 침해하는 것이다.

① 인권　　　　② 기본권　　　　③ 참정권
④ 청구권　　　　⑤ 노동 삼권

답 ①

기억해요!

인간이 ◻◻답게 살기 위해 마땅히 누려야 할 권리는 인권이다.

답 인간

[예제] 다음 그림에 대한 설명으로 옳은 것은?

① 임금 인상을 요구하는 측은 사용자이다.
② 위의 교섭 행위는 불법 행위이다.
③ 위의 교섭 행위는 단체 행동권이다.
④ 위의 교섭 행위는 노동 삼권에 해당한다.
⑤ 근로자들이 단체 행동권을 행사하고 있다.

답 ④

기억해요!

근로자와 사용자 간의 교섭이 결렬되었을 때 쟁의 행위를 할 수 있는 권리는 ◻◻◻이다.

답 단체 행동권

[예제] 다음 그림에서 인권을 보장하기 위해 헌법 재판소가 수행하는 역할을 고르면?

① 민사 재판　　　　② 탄핵 심판
③ 조사 및 권고　　　　④ 위헌 법률 심판
⑤ 헌법 소원 심판

답 ⑤

기억해요!

인권을 침해당한 ◻◻이/가 헌법 소원을 하면 헌법 재판소의 심판을 통해 구제받을 수 있다.

답 국민

핵심 정리 05 국회의 위상과 조직

1. **위상**: 국민의 **❶ [　　　]** 기관, 입법 기관, 국가 권력의 견제 기관

2. **조직**: 국회 의원(지역구, 비례 대표), 위원회(상임 위원회, 특별 위원회), 의장단, 교섭 단체, 본회의

3. **국회의 입법 절차**

| 법률안 제안 | → | ❷ [　　　] 의 심의 | → | 본회의 심의·의결 | → | 법률안 공포 |

답 ❶ 대표 ❷ 위원회

핵심 정리 06 대통령과 행정부

1. **대통령의 지위**: 국가를 대표하는 원수, **❶ [　　　]** 의 수반

2. **행정부의 조직**

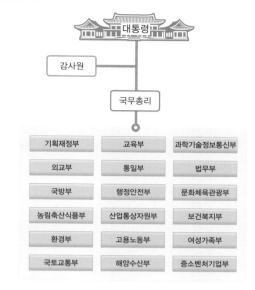

대통령

감사원

국무총리

기획재정부	교육부	과학기술정보통신부
외교부	통일부	법무부
국방부	행정안전부	문화체육관광부
농림축산식품부	산업통상자원부	보건복지부
환경부	고용노동부	여성가족부
국토교통부	해양수산부	중소벤처기업부

답 ❶ 행정부

핵심 정리 07 법원과 헌법 재판소

1. **법원의 조직**: **❶ [　　　]**, 고등 법원, 지방 법원, 특허 법원, 가정 법원, 행정 법원

2. **헌법 재판소의 지위**: **❷ [　　　]** 을/를 수호하고 국민의 기본권을 보장하는 독립된 국가 기관

대법원

고등 법원   특허 법원

가정 법원   지방 법원   행정 법원

▲ 법원의 조직

답 ❶ 대법원 ❷ 헌법

핵심 정리 08 경제 활동과 경제 주체

1. **경제 활동**: 인간의 욕구를 충족하기 위해 재화 또는 서비스를 생산, 분배, **❶ [　　　]** 하는 활동

2. **경제 주체**: 가계, 기업, 정부 등

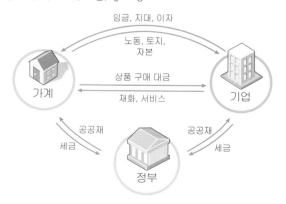

임금, 지대, 이자
노동, 토지, 자본
상품 구매 대금
재화, 서비스
가계   기업
공공재   공공재
세금   세금
정부

답 ❶ 소비

핵심 정리 06

[예제] (가)에 대한 설명으로 옳지 <u>않은</u> 것은?

① 임기는 5년이다.

② 국무 회의의 의장이다.

③ 국회 의원을 임명할 수 없다.

④ 법률안 거부권을 행사할 수 있다.

⑤ 외국과 조약을 맺는 것은 행정부 수반으로서의 역할이다.

답 ⑤

기억해요!

        이/가 외국과 조약을 맺는 것은 국가 원수로서의 권한이다.

답 대통령

핵심 정리 05

[예제] 다음 국가 기관에 대한 설명으로 옳지 <u>않은</u> 것은?

① 행정부와 사법부를 견제하는 기능을 한다.

② 본회의에서 최종적인 의사 결정이 이루어진다.

③ 효율적인 의사 진행을 위해 위원회를 구성한다.

④ 국민의 대표 기관으로 직접 민주제의 근간이 된다.

⑤ 국민의 의사를 반영하여 법률을 제정하거나 개정한다.

답 ④

기억해요!

국회는   민주제의 근간이다.

답 간접

핵심 정리 08

[예제] (가)에 대한 설명으로 옳지 <u>않은</u> 것은?

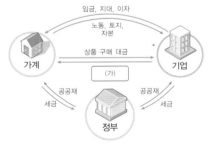

① 재화와 서비스이다.

② 경제 활동의 대상이다.

③ (가)는 눈에 보이는 것만 해당한다.

④ (가)를 주로 구입하여 소비하는 것은 가계이다.

⑤ 기업은 (가)를 생산하여 가계에 판매함으로써 이윤을 추구한다.

답 ③

기억해요!

경제 활동의 대상에는 인간의 욕구를 충족해 주는 물건인 재화뿐만 아니라 눈에 보이지 않는   도 포함된다.

답 서비스

핵심 정리 07

[예제] 다음 조직에 대한 설명으로 옳은 것은?

① 대법원만 사법권을 가지고 있다.

② 헌법 재판소는 사법부에 속한다.

③ 대법원은 주로 1심 판결을 담당한다.

④ 지방 법원은 법적 분쟁을 해결하기 위한 3심 판결을 담당한다.

⑤ 일반 법원인 대법원, 고등 법원, 지방 법원은 기본적인 3심 구조를 이룬다.

답 ⑤

기억해요!

대법원, 고등 법원, 지방 법원은 기본적인   심 구조를 이루어 각각 3심, 2심, 1심 판결을 주로 맡는다.

답 3

핵심 정리 09 수요 법칙과 공급 법칙

1. **수요 법칙**: 가격이 상승하면 수요량이 감소하고, 가격이 하락하면 수요량이 증가하는 현상 → 가격과 수요량은 ❶ ☐ 방향으로 움직임

2. **공급 법칙**: 가격이 상승하면 공급량이 증가하고, 가격이 하락하면 공급량이 감소하는 현상 → 가격과 공급량은 같은 방향으로 움직임

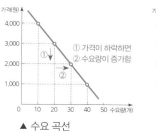
▲ 수요 곡선

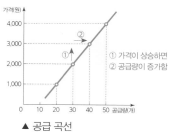
▲ 공급 곡선

답 ❶ 반대

핵심 정리 10 시장 가격(균형 가격)의 결정

1. **균형**: 시장에서 수요량과 공급량이 같은 상태

2. **시장 가격**: 균형 상태의 가격(=균형 가격) → 수요 곡선과 공급 곡선이 만나는 점에서의 가격

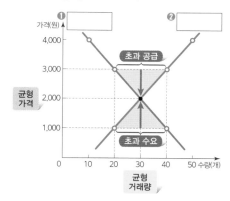

답 ❶ 수요 곡선 ❷ 공급 곡선

핵심 정리 11 수요 변화에 따른 가격 변동

1. **수요 증가**: 소득 증가, 기호 증가, 수요자 수 증가, 대체재 가격 상승, 보완재 가격 하락 → 수요 증가(수요 곡선 ❶ ☐ 이동) → 균형 가격 상승

2. **수요 감소**: 소득 감소, 기호 감소, 수요자 수 감소, 대체재 가격 하락, 보완재 가격 상승 → 수요 감소(수요 곡선 왼쪽 이동) → 균형 가격 하락

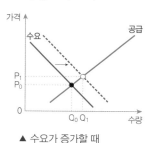
▲ 수요가 증가할 때

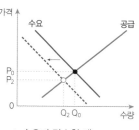
▲ 수요가 감소할 때

답 ❶ 오른쪽

핵심 정리 12 공급 변화에 따른 가격 변동

1. **공급 증가**: 생산 기술 발전, 생산 비용 감소, 공급자 수 증가 → 공급 증가(공급 곡선 ❶ ☐ 이동) → 균형 가격 하락

2. **공급 감소**: 생산 비용 증가, 공급자 수 감소, 공급자의 상품 가격 인상 예상 → 공급 감소(공급 곡선 왼쪽 이동) → 균형 가격 상승

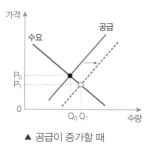
▲ 공급이 증가할 때

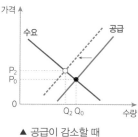
▲ 공급이 감소할 때

답 ❶ 오른쪽

[예제] 다음 그래프에 대한 설명으로 옳지 <u>않은</u> 것은?

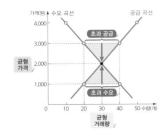

① 가격이 3,000원일 때 초과 공급이 발생한다.

② 가격이 1,000원일 때 초과 수요가 발생한다.

③ 가격이 3,000원일 때 공급자들은 공급량을 늘리려 한다.

④ 가격이 2,000원일 때는 수요자와 공급자가 모두 만족할 수 있다.

⑤ 가격이 1,000원일 때 수요자들 사이에 경쟁이 벌어져 가격이 하락하게 된다.

답 ⑤

기억해요!

초과 수요 상태에서는 [　　　]들 사이에 경쟁이 벌어져 가격이 상승하게 된다.

답 수요자

[예제] 다음 그래프에 대한 설명으로 옳은 것은?

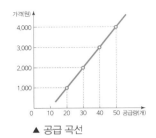

▲ 공급 곡선

① 공급 곡선은 우하향한다.

② 공급 법칙만으로 균형 가격이 결정된다.

③ 가격과 공급량은 반대 방향으로 움직인다.

④ 우상향하는 곡선이므로 공급 법칙을 나타낸다.

⑤ 가격이 2,000원에서 3,000원으로 상승하게 되면 공급량은 40개에서 30개로 감소한다.

답 ④

기억해요!

공급 곡선은 가격과 공급량이 같은 방향으로 움직인다는 [　　　] 법칙을 나타낸다.

답 공급

[예제] 다음 그래프에 대한 설명으로 옳지 <u>않은</u> 것은?

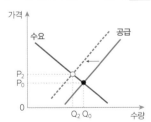

① 공급의 변화를 나타낸다.

② 공급이 감소하여 균형 거래량이 증가하였다.

③ 공급이 감소하여 균형 가격이 상승한 것을 보여 준다.

④ 공급 곡선이 이동한 요인은 생산 비용의 증가, 공급자 수의 감소 등이 있다.

⑤ 수요 곡선이 일정하다는 전제에서 공급 곡선이 이동했을 때 가격이 변한 것을 나타낸다.

답 ②

기억해요!

공급이 감소하면 균형 가격이 [　　　]하고, 균형 거래량이 [　　　]한다.

답 상승, 감소

[예제] 다음 그래프에 대한 설명으로 옳지 <u>않은</u> 것은?

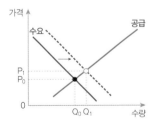

① 수요의 증가를 나타낸다.

② 균형 가격은 변하지 않는다는 것을 보여 준다.

③ 수요 곡선이 이동하여 균형 가격이 상승하였다.

④ 수요 곡선이 이동한 요인은 소득과 기호의 증가 등이다.

⑤ 공급 곡선이 일정하다는 전제에서 수요 곡선이 이동했을 때 가격이 변한 것을 나타낸다.

답 ②

기억해요!

수요 곡선이 오른쪽으로 이동하는 것은 수요가 [　　　]했다는 것을 보여 준다.

답 증가

핵심 정리 13 국내 총생산(GDP)

1. **의미**: 한 ❶[____] 안에서 일정 기간 생산된 최종 생산물의 가치를 시장 가격으로 계산하여 모두 더한 것

2. **한계**: 시장에서 거래되는 재화와 서비스의 가치만을 측정 → 국민 개개인의 삶의 질이나 소득 분배 상태 파악 어려움

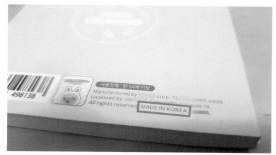

▲ 국내 총생산에 포함되는 재화라는 것을 알 수 있는 표시

답 ❶ 나라

핵심 정리 14 인플레이션

1. **의미**: 물가가 지속적으로 오르는 현상

2. **원인**: 총수요 증가, 총공급 감소

3. **영향**: 화폐 가치 ❶[____], 실물 자산 가치 상승 → 수출 감소, 수입 증가, 투기 등 불건전한 경제 활동 증가

상가 건물 가격이 계속 올라 기분이 좋군.

▲ 실물 자산 가치 상승

이자는 그대로인데 물가가 계속 올라 예금한 보람이 없네.

▲ 화폐 가치 하락

답 ❶ 하락

핵심 정리 15 실업과 환율

1. **실업**: 일할 능력과 의사는 있으나 일자리가 없는 상태

2. **환율**: 자국 화폐와 외국 화폐의 교환 비율

3. **환율 상승의 영향**: 수출 증가, 국내 물가 ❶[____], 유학 비용 증가, 수입·해외여행 감소

4. **환율 하락의 영향**: 수출 감소, 국내 물가 안정, 유학 비용 감소, 수입·해외여행 증가

> ○○호 ○ ○ 신 문
>
> 우리나라는 1997년에 외환 위기를 겪으면서, 환율이 2,000원/달러가 넘게 치솟았다. 외국 자본의 투자가 줄어들고 외화의 공급이 줄어들었기 때문이다.

▲ 환율 상승 사례

답 ❶ 상승

핵심 정리 16 우리나라의 국제 관계

1. **일본과의 갈등**: 일본의 ❶[____] 영유권 주장 문제, 일본의 역사 교과서 왜곡, 일본군 '위안부' 문제, 동해 표기 문제 등

2. **중국과의 갈등**: 동북공정, 우리 수역에서의 중국 어선의 불법 조업, 한류 저작권 침해 문제 등

▲ 우리나라가 영유권을 가진 독도

답 ❶ 독도

[예제] 다음 그림에서 추론할 수 있는 상황으로 가장 적절한 것은?

> 상가 건물 가격이 계속 올라 기분이 좋군.

> 이자는 그대로인데 물가가 계속 올라 예금한 보람이 없네.

① 인플레이션이 발생했다.

② 화폐 가치가 상승하고 있다.

③ 물가가 지속적으로 하락했다.

④ 실물 자산의 가치가 하락하고 있다.

⑤ 총수요 감소 때문에 발생할 수 있는 상황이다.

답 ①

기억해요!

인플레이션이 발생하면 [ ] 자산의 가치가 상승하고 화폐 가치가 하락한다.

답 실물

[예제] 사진 속 상품에 대한 설명으로 옳지 않은 것은?

① 중고로 거래하면 GDP에 포함되지 않는다.

② 상품의 최종 시장 가치만 GDP에 포함된다.

③ 외국인이 구입하면 우리나라 GDP에 포함되지 않는다.

④ 작년에 생산된 것이라면 올해 GDP에 포함되지 않는다.

⑤ 중국에서 판매되는 경우 그 가치가 우리나라 GDP에 포함된다.

답 ③

기억해요!

경제 주체의 국적과 관계없이 우리나라의 국경 안에서 생산된 것은 우리나라 [ ] 에 포함된다.

답 국내 총생산(GDP)

[예제] 독도에 대한 설명으로 옳지 않은 것은?

① 신라 시대부터 우리의 영토였다.

② 우리나라 경상북도 울릉군에 속하는 섬이다.

③ 일본이 1905년 시마네현 고시 제40호로 독도를 불법 편입하였다.

④ 우리 정부는 관련 문제를 국제 사법 재판소를 통해 해결하려 한다.

⑤ 일본이 독도의 영유권을 주장하는 목적은 독도의 해양 자원 선점과 군사적 활용을 위해서이다.

답 ④

기억해요!

일본은 독도 문제를 [ ] 에 가져가려 한다.

답 국제 사법 재판소

[예제] 다음 기사에서 추론할 수 없는 것은?

○○호 ○○ 신 문

우리나라는 1997년에 외환 위기를 겪으면서, 환율이 2,000원/달러가 넘게 치솟았다. 외국 자본의 투자가 줄어들고 외화의 공급이 줄어들었기 때문이다.

▲ 환율 상승 사례

① 수출이 증가했을 것이다.

② 수입이 감소했을 것이다.

③ 해외여행이 감소했을 것이다.

④ 유학 비용이 증가했을 것이다.

⑤ 국내 물가가 안정되었을 것이다.

답 ⑤

기억해요!

환율이 상승하면 수입 원자재의 가격이 오르므로 국내 물가가 [ ] 한다.

답 상승

중간·기말시험, 7일 안에 확실히 끝내 줄게!

7일 끝 시리즈

초단기 시험 대비

시험에 꼭 나오는 핵심만 콕콕!
학습량은 줄이고 효율은 높여
7일 안에 중간·기말고사 최적 대비!

중하위권 기초 다지기

시험이 두려운 중하위권들을 위해
쉽지만 꼭 풀어봐야 할 문제들만 모아
기초를 확실하게 다져 주는 교재!

다양한 기출·예상 문제

학교 내신 빈출 문제는 물론,
창의·융합형, 서술형, 신유형 등
다양한 문제 수록으로 철저한 시험 대비!

아직 늦지 않았다, "7일 끝"으로 7일 안에 결판 내자!

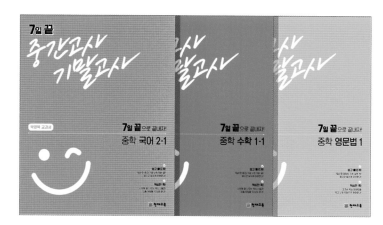

국어: 중 2~3 (학기별, 박영목/노미숙)
수학: 중 1~3 (학기별)
영어: 영문법 1~3 (내신 기반 다지기)

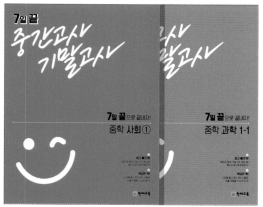

사회: 중 1~3 (사회 ①, ②/역사 ①, ②)
과학: 중 1~3 (학기별)

book.chunjae.co.kr

교재 내용 문의 ·················· 교재 홈페이지 ▶ 중등 ▶ 교재상담

교재 내용 외 문의 ·················· 교재 홈페이지 ▶ 고객센터 ▶ 1:1문의

발간 후 발견되는 오류 ·············· 교재 홈페이지 ▶ 중등 ▶ 학습지원 ▶ 학습자료실

7일 끝

중간고사 기말고사

7일 끝으로 끝내자!

중학 사회 ②

BOOK 2

천재교육

언제나 만점이고 싶은 친구들 —————

Welcome!

숨 돌릴 틈 없이 찾아오는 시험과 평가,
성적과 입시 그리고 미래에 대한 걱정.
중·고등학교에서 보내는 6년이란 시간은
때때로 힘들고, 버겁게 느껴지곤 해요.

그런데 여러분, 그거 아세요?
지금 이 시기가 노력의 대가를
가장 잘 확인할 수 있는 시간이라는 걸요.

안 돼, 못하겠어, 해도 안 될 텐데–
어렵게 생각하지 말아요. 천재교육이 있잖아요.
첫 시작의 두려움을 첫 마무리의 뿌듯함으로 바꿔줄게요.

펜을 쥐고 이 책을 펼친 순간
여러분 앞에 무한한 가능성의 길이 열렸어요.

우리와 함께 꽃길을 향해 걸어가 볼까요?

#시험대비
#핵심정복

7일 끝
중간고사
기말고사

Chunjae
Makes
Chunjae

▼

개발총괄	김덕유
편집개발	중등 사회팀
제작	황성진, 조규영

발행일	2021년 3월 15일 초판 2021년 3월 15일 1쇄
발행인	(주)천재교육
주소	서울시 금천구 가산로9길 54
신고번호	제2001-000018호
고객센터	1577-0902
교재 내용문의	(02)3282-1780

7일 끝으로 끝내자!

중학 사회 ②

BOOK 2

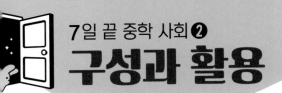

7일 끝 중학 사회 ❷
구성과 활용

시험 공부
시작

생각 열기

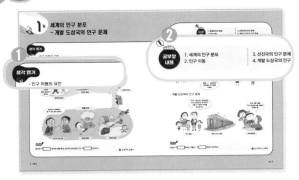

공부할 내용을 만화로 가볍게 살펴보며 학습을 준비해 보세요.

❶ 생각 열기 만화 내용을 가볍게 보고 퀴즈를 풀면서 학습 목표를 떠올려 보세요.

❷ 공부할 내용을 살피며 핵심 학습 요소를 확인해 보세요.

본격
공부 중

교과서 **핵심 정리** + 기초 **확인 문제**

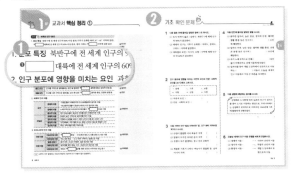

꼭 알아야 할 교과서 핵심 내용을 익히고 기초 확인 문제를 풀며 제대로 이해했는지 확인해 보세요.

❶ 빈칸 문제를 채우며 교과서 핵심 내용을 다시 한 번 체크해 보세요.

❷ 교과서 핵심과 관련된 기초 확인 문제를 풀며 공부한 내용을 확인해 보세요.

내신 **기출 베스트**

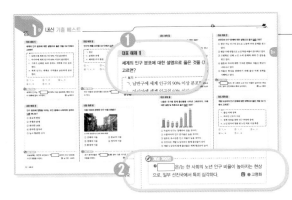

다양한 유형의 문제를 풀어 보며 공부한 내용을 점검해 보세요.

❶ 대표 예제 문제를 풀며 시험에 잘 나오는 문제를 확인해 보세요.

❷ 개념 가이드를 보며 시험에 잘 나오는 용어나 개념을 익히거나 문제 해결의 힌트를 얻어 보세요.

누구나 100점 테스트
앞에서 공부한 내용을 바탕으로 기초 이해력을 점검해 보세요.

서술형·사고력 **테스트**
/ 창의·융합·코딩 **테스트**
서술형 문제를 집중적으로 풀며 서술형 문제 적응력을 높여 보세요.
참신하고 다양한 자료들을 활용한 문제를 풀면서 사고력을 길러 보세요.

학교 시험 기본 테스트
시험 문제에 가까운 예상 문제를 풀며 실전에 대비해 보세요.

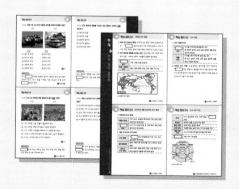

단원별 필수 개념어와 어휘를 담은 핵심 용어 풀이를 보며 어휘력을 길러 보세요.

핵심 정리 총집합 카드를 휴대하며 이동하는 중이나 시험 직전에 활용해 보세요.

7일 끝 중학 사회 ❷

차례

1일 세계의 인구 분포
~ 개발 도상국의 인구 문제

생각 열기

• 인구 이동의 요인

흡인 요인

이곳엔 좋은 일자리가 많아요.

임금도 다른 지역보다 훨씬 높다고 해요.

풍부한 일자리

쾌적한 환경

국민을 위한 법안을 만드는 데 여야가 협조합시다.

정치적 안정

배출 요인

일자리가 부족해서 할 수 있는 일이 없어요.

꼬르륵

꼬르륵~

빈곤과 낮은 임금

열악한 환경

전쟁과 분쟁

Quiz

풍부한 ❶ [　　　　], 쾌적한 생활 환경, 정치적 안정 등은 인구 ❷ [　　　　] 요인이다.

답 ❶ 일자리, ❷ 흡인

• 선진국의 인구 문제

저출산 현상

2020년 → 2030년

올해 ○○ 초등학교 입학생은 우리 둘뿐이래요.

고령화 현상

앞으로 우리가 이분들을 모두 부양해야 한다고요.

• 개발 도상국의 인구 문제

우리 가족은 총 7명이에요. 우리나라에서는 한 부부가 보통 4~5명의 아이를 낳는답니다.

"북적 북적"

끼끼

우리 귀한 아들! 역시 집안을 이을 아들이 있어야 해.

인구 급증

대도시 인구 과밀

성비 불균형

Quiz

오늘날 ❸ [   ]에서는 저출산 · ❹ [   ] 현상이 심각하다.

답 ❸ 선진국, ❹ 고령화

개념 1 세계의 인구 분포

1. **분포 특징** 북반구에 전 세계 인구의 90% 이상 분포(기후가 온화한 북위 20°~40° 지역에 집중), **❶**[   ] 대륙에 전 세계 인구의 60% 이상 분포, 평야 지대나 **❷**[   ] 지역에 집중 분포

2. **인구 분포에 영향을 미치는 요인** 과학 기술의 발달로 **❸**[   ]의 제약을 극복하게 되면서, 자연적 요인보다 인문·사회적 요인이 더 큰 영향을 미치고 있음

자연적 요인	기후, 지형, 식생, 토양 등 ⑩ 기후가 온화한 지역은 인구가 밀집되어 있고, 너무 덥거나 추운 지역은 인구가 희박함
인문·사회적 요인	정치, 경제, 산업, 문화, 교육, 교통 등 ⑩ 산업이 발달하여 일자리가 풍부한 지역은 인구가 밀집되어 있고, 산업이 낙후된 지역은 인구가 희박함

[예] 서부 유럽은 기후가 온화하고 산업이 발달하여 많은 인구가 모여 살고 있다.

❶ 아시아
❷ 해안
❸ 자연환경

개념 2 인구 이동

1. **인구 이동의 요인**

흡인 요인	인구를 지역으로 끌어들이는 요인 ⑩ 풍부한 **❹**[ ], 쾌적한 환경, 정치적 안정 등
배출 요인	인구를 다른 지역으로 밀어내는 요인 ⑩ 낮은 **❺**[ ], 열악한 환경, 전쟁과 분쟁 등

❹ 일자리
❺ 임금

2. **세계의 인구 이동**

과거	경제적 이동	• 유럽인들이 아메리카와 오스트레일리아 등지로 이동 • 화교(중국인들)이 동남아시아와 미국 등지로 이동
	강제적 이동	노예 무역으로 아프리카의 흑인들이 **❻**[ ](으)로 이동
	종교적 이동	영국 청교도들이 종교의 자유를 찾아 아메리카로 이동
오늘날	경제적 이동	임금이 높은 지역으로 일자리를 찾아 이동
	정치적 이동	전쟁이나 분쟁을 피하기 위한 난민의 이동 ⑩ 시리아 난민
	환경적 이동	자연재해로 거주지를 떠나는 환경 난민의 이동 ⑩ 투발루 난민
	일시적 이동	휴양, 유학 등을 위한 국제 이동

❻ 아메리카

3. **우리나라의 인구 이동**

국내 이동	1960년대 이후	**❼**[ ] 현상 → 수도권과 대도시, 신흥 공업 도시로 이동
	1990년대 이후	역도시화 현상 → 도시 주변 지역이나 농촌으로 이동
국제 이동	일제 강점기	중국 만주, 러시아 연해주, 일본 등지로 이동
	1960년대 이후	일자리를 찾아 독일, 미국, 서남아시아 등지로 이동
	1990년대 이후	취업과 **❽**[ ]을/를 위한 외국인 이주자의 유입 증가

❼ 이촌 향도

❽ 국제결혼

[예] 내전이 자주 발생하는 아프리카에서는 정치적 인구 이동이 많이 발생한다.

기초 확인 문제

1 다음 괄호 안에 들어갈 알맞은 말에 ○표 하시오.

(1) 육지 면적이 넓은 (남반구, 북반구)에 세계 인구의 90%가 분포한다.

(2) 세계의 인구는 기후가 온화한 (저위도, 중위도, 고위도) 지역에 밀집한다.

(3) 대륙별로 보면 (아시아, 유럽) 지역에 세계 인구의 약 60%가 분포한다.

2 인구 분포에 영향을 미치는 자연적 요인과 인문·사회적 요인을 〈보기〉에서 고르시오.

> ┌ 보기 ┐
> ㄱ. 경제　　ㄴ. 기후　　ㄷ. 교통
> ㄹ. 지형　　ㅁ. 산업　　ㅂ. 식생

(1) 자연적 요인: (　　　　　　)

(2) 인문·사회적 요인: (　　　　　　)

3 다음 지역이 인구 밀집 지역이면 '밀', 인구 희박 지역이면 '희'라고 쓰시오.

(1) 산업이 발달한 미국 북동부 지역　　(　　　)

(2) 밀림이 우거진 아마존 분지 지역　　(　　　)

(3) 전쟁이 자주 발생하는 콩고 민주 공화국
　　　　　　　　　　　　　　　　　(　　　)

(4) 계절풍 기후가 나타나 벼농사가 발달한 동·남부 아시아 지역　　　　　　　　(　　　)

4 다음 빈칸에 들어갈 알맞은 말을 쓰시오.

(1) 풍부한 일자리, 높은 임금, 정치적 안정, 쾌적한 생활 환경 등은 인구의 (　　　　　　) 요인에 해당한다.

(2) 일자리 부족, 낮은 임금, 열악한 생활 환경, 전쟁과 분쟁 등은 인구의 (　　　　　　) 요인에 해당한다.

(3) 과거 노예 무역으로 인해 (　　　　　　) 흑인들이 아메리카로 강제 이동하게 되었다.

(4) 일자리를 찾아 개발 도상국에서 선진국으로 이동하는 (　　　　　　) 이동이 오늘날 세계의 인구 이동에서 가장 큰 부분을 차지한다.

5 다음 설명에 해당하는 용어를 쓰시오.

> 산업화와 도시화에 따라 농촌의 인구가 일자리를 찾아 도시로 이동하는 현상으로, 우리나라에서는 산업화가 본격적으로 이루어진 1960년대 이후에 활발하게 진행되었다.

(　　　　　　)

6 오늘날 세계의 인구 이동 유형을 바르게 연결하시오.

(1) 경제적 이동 ·　　　　· ㄱ. 시리아 난민의 이동

(2) 정치적 이동 ·　　　　· ㄴ. 투발루 난민의 이동

(3) 환경적 이동 ·　　　　· ㄷ. 개발 도상국에서 유럽으로의 이동

교과서 **핵심 정리** ②

선진국(우리나라)의 인구 문제

1. 저출산 아이를 적게 낳는 현상

원인	산업 구조의 변화, 결혼과 자녀에 대한 가치관 변화, 자녀 ❶□□□에 대한 경제적 부담 증가 등
문제	인구 정체 및 감소, ❷□□□ 부족, 경제 성장 둔화
대책	출산 장려금 지원, 자녀 양육비 지원, 양성평등 문화 확산 등

❶ 양육

❷ 노동력

2. 고령화 한 사회에서 노년 인구의 비율이 높아지는 현상

원인	생활 수준의 향상, 의학 기술의 발달 → 평균 ❸□□□ 연장
문제	노인 인구 부양비 증가 및 사회 복지 비용 증가, 노인 소외 및 세대 간 갈등
대책	노인 ❹□□□ 정책 시행 ⑩ 정년 연장, 연금 제도 개선, 임금 피크제 도입, 실버산업 확대, 노인 일자리 창출 등

❸ 수명

❹ 복지

[예] 우리나라는 매우 빠른 속도로 고령화가 진행되고 있다.

개발 도상국의 인구 문제

1. 인구 급증

원인	높은 출생률, 낮은 ❺□□□ → 인구의 폭발적 증가
문제	낮은 인구 부양력 → 기아, 빈곤, 실업 등
대책	농업의 기계화, 경제 개발, 출산 ❻□□□ 정책

❺ 사망률

❻ 억제

2. 성비 불균형

원인	중국, 인도 등 일부 아시아 국가의 남아 선호 사상
문제	결혼 적령기에 배우자를 찾지 못함
대책	태아 감별 금지, ❼□□□의 사회적 환경 조성

❼ 양성평등

3. 대도시 인구 과밀

원인	산업화에 따른 ❽□□□ 현상
문제	• 주택 부족, 교통 혼잡, 환경 오염 등 도시 문제 발생 • 농촌의 노동력 부족
대책	대도시의 인구와 기능 ❾□□□ 정책, 농촌 환경 개선 및 지역 발전

❽ 이촌 향도

❾ 분산

[예] 중국은 남아 선호 사상과 '한 자녀 정책'으로 심각한 성비 불균형 문제가 발생했다.

정답과 해설 **64쪽**

7 다음 자료를 보고 ㉠, ㉡에 들어갈 알맞은 말을 쓰시오.

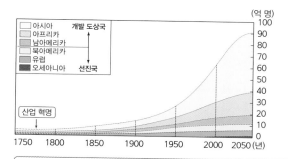

세계의 인구는 (㉠) 이후 의학 기술의 발달, 생활 수준의 향상 등으로 폭발적으로 증가하였으며, 특히 1950년대 이후에는 (㉡)이/가 주도하고 있다.

㉠: (   )
㉡: (   )

8 다음 빈칸에 들어갈 알맞은 말을 쓰시오.

(1) 저출산 현상이 나타나고 있는 선진국에서는 생산 가능 인구의 감소로 인해 (   ) 부족 문제를 겪고 있다.

(2) 선진국은 저출산 문제를 해결하기 위해 사회적으로는 양성평등 문화를 조성하고, 정책적으로는 (   ) 정책을 시행하고 있다.

(3) 고령화 현상이 발생하는 원인은 생활 수준의 향상과 의학 기술의 발달로 (   ) 이/가 연장되었기 때문이다.

9 다음 자료를 보고 ㉠, ㉡에 들어갈 알맞은 말을 쓰시오.

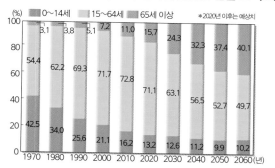

최근 우리나라는 출산율 감소로 (㉠)·(㉡) 문제가 심각하다. 이러한 현상이 지속될 경우 2060년에는 생산 가능 인구 1명이 노인 인구 1명을 부양하게 될 전망이다.

㉠: (   )
㉡: (   )

10 다음 괄호 안에 들어갈 알맞은 말에 ○표 하시오.

(1) 최근에도 개발 도상국은 농업, 종교, 전통문화의 영향으로 높은 (출생률, 사망률)을 유지하고 있다.

(2) 중국, 인도 등 아시아의 일부 국가에서는 남아 선호 사상으로 인해 (성비, 세대) 불균형 현상이 나타나고 있다.

(3) 개발 도상국에서는 산업화에 따른 (역도시화, 이촌 향도) 현상으로 인해 대도시의 인구 과밀 문제가 발생하고 있다.

1일 내신 기출 베스트

대표 예제 1

세계의 인구 분포에 대한 설명으로 옳은 것을 〈보기〉에서 고르면?

> 보기
> ㄱ. 남반구에 세계 인구의 90% 이상 분포한다.
> ㄴ. 아시아에 세계 인구의 60% 이상이 분포한다.
> ㄷ. 기후가 온화한 북위 중위도 지역에 주로 분포한다.
> ㄹ. 세계 인구는 대체로 지역별로 균등하게 분포한다.

① ㄱ, ㄴ 　　② ㄱ, ㄹ 　　③ ㄴ, ㄷ
④ ㄷ, ㅁ 　　⑤ ㅁ, ㅂ

🧭 **개념 가이드**

세계의 인구는 ❶ [   ]에 90% 이상 분포하며, 특히 아시아 대륙에 많이 거주한다.　　답 ❶ 북반구

대표 예제 2

인구 분포에 영향을 미치는 요인 중에서 나머지와 성격이 다른 하나는?

① 종교적 탄압
② 전쟁과 분쟁
③ 편리한 교통
④ 풍부한 일자리
⑤ 높고 험준한 산지

🧭 **개념 가이드**

오늘날에는 자연적 요인보다 ❷ [   ] 요인이 인구 분포에 더 큰 영향을 미친다.　　답 ❷ 인문·사회적

대표 예제 3

인구의 배출 요인을 〈보기〉에서 모두 고르면?

> 보기
> ㄱ. 빈곤　　　　　　　ㄴ. 낮은 임금
> ㄷ. 분쟁과 전쟁　　　ㄹ. 풍부한 일자리
> ㅁ. 쾌적한 주거 환경

① ㄱ 　　② ㄴ, ㅁ 　　③ ㄷ, ㄹ
④ ㄱ, ㄴ, ㄷ 　　⑤ ㄷ, ㄹ, ㅁ

🧭 **개념 가이드**

인구 이동의 요인은 흡인 요인과 ❸ [   ] 요인으로 구분할 수 있다.　　답 ❸ 배출

대표 예제 4

다음 자료와 관련된 인구 이동 유형은?

▲ 미국 샌프란시스코의 차이나타운

① 강제적 이동 　　② 종교적 이동
③ 경제적 이동 　　④ 정치적 이동
⑤ 환경적 이동

🧭 **개념 가이드**

과거 중국인들은 ❹ [   ]을/를 찾아 다른 국가로 경제적 이동을 하였다.　　답 ❹ 일자리

대표 예제 **5**

세계의 인구 변화에 대한 설명으로 옳은 것은?

① 현재 세계의 인구는 감소하고 있다.

② 선진국은 과도하게 높은 출산율로 어려움을 겪고 있다.

③ 제2차 세계 대전 이후 선진국의 인구가 급증하고 있다.

④ 개발 도상국에서는 인구의 정체 또는 감소 현상이 나타나고 있다.

⑤ 개발 도상국은 생활 수준이 향상되고 의학 기술이 발달하면서 인구가 급격히 늘어나고 있다.

개념 가이드

1960년대 이후 세계의 인구 성장은 **⑤**[   ]이/가 주도하고 있다.

답 ⑤ 개발 도상국

대표 예제 **7**

선진국의 인구 문제에 대한 설명으로 옳지 <u>않은</u> 것은?

① 생산 가능 인구의 감소로 노동력 부족 문제를 겪고 있다.

② 평균 수명 연장으로 노인 부양 비용이 증가하고 있다.

③ 고령화로 인해 노인 소외 문제와 세대 간 갈등을 겪고 있다.

④ 결혼과 자녀에 대한 가치관 변화로 저출산 현상이 나타나고 있다.

⑤ 저출산 현상을 완화하기 위해 출산 억제 정책을 시행하고 있다.

개념 가이드

⑦[   ]은/는 한 사회의 노년 인구 비율이 높아지는 현상으로, 일부 선진국에서 특히 심각하다.

답 ⑦ 고령화

대표 예제 **6**

다음은 국가별 합계 출산율을 나타낸 그래프이다. 이에 대한 설명 및 추론으로 옳지 <u>않은</u> 것은?

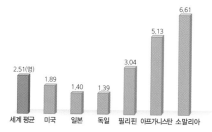

① 독일의 인구는 정체되어 있을 것이다.

② 소말리아의 인구 증가율은 높을 것이다.

③ 일본은 유소년층 인구 비율이 높을 것이다.

④ 선진국은 개발 도상국보다 합계 출산율이 낮다.

⑤ 개발 도상국의 합계 출산율은 세계 평균보다 높다.

개념 가이드

선진국은 **⑥**[   ]와/과 사망률이 모두 낮아 인구 증가 속도가 정체되어 있다.

답 ⑥ 출생률

대표 예제 **8**

개발 도상국의 인구 문제에 대한 대책으로 옳은 것을 〈보기〉에서 고르면?

┌ 보기 ┐
ㄱ. 출산 억제 정책
ㄴ. 외국인 근로자 고용
ㄷ. 경제 성장을 통한 인구 부양력 증대
ㄹ. 노인 일자리 창출 및 노인 의료 시설 확충
└────────────────┘

① ㄱ, ㄴ 　　② ㄱ, ㄷ 　　③ ㄴ, ㄷ

④ ㄴ, ㄹ 　　⑤ ㄷ, ㄹ

개념 가이드

개발 도상국에서는 산업화에 따른 이촌 향도 현상으로 대도시 인구 **⑧**[   ] 문제가 나타난다.

답 ⑧ 과밀

2일 도시의 의미와 특징
~ 선진국과 개발 도상국의 도시화

• 도시 내부 구조와 지역 변화

도시의 내부 경관은 지역의 접근성과 토지 이용에 따라 다양한 모습으로 나타나.

개발 제한 구역

도심

우린 교통이 편리하고 접근성이 좋은 도심으로 갈 거야.

중간 지역

우린 땅값이 저렴하고, 환경이 쾌적한 곳을 찾아 나갈래.

주변 지역

여긴 대도시의 일부 기능을 분담하는 위성 도시야.

위성 도시

Quiz

❶ [   ]은/는 도시 중심부에 위치하여 ❷ [   ]이/가 편리하고 접근성이 높다.

답 ❶ 도심, ❷ 교통

공부할 내용

1. 도시의 의미와 특징
2. 도시 내부 구조와 지역 분화
3. 도시화의 의미와 과정
4. 선진국과 개발 도상국의 도시화

• 도시화의 의미

• 도시화 과정

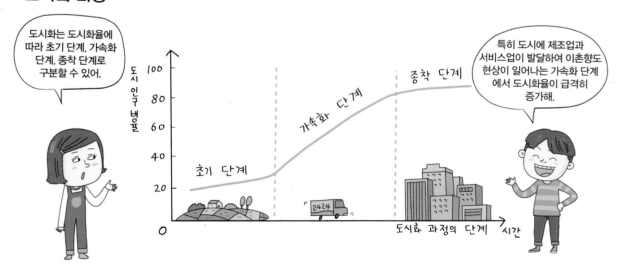

Quiz

도시화는 도시의 수가 ❸ [   ]하거나 도시에 사는 ❹ [   ] 비율이 높아지는 과정이다.

답 ❸ 증가, ❹ 인구

2일 교과서 핵심 정리 ①

개념 1 도시의 의미와 특징

1. 도시의 의미 ❶[   ]와/과 함께 사람들이 거주하는 대표적인 생활 공간

2. 도시의 특징 높은 인구 밀도, 집약적 토지 이용, ❷[   ] 산업 발달, 정치·경제·문화의
중심지, 촌락과의 상호 작용 등 ┗ 한정된 공간을 효율적으로 활용해야 하기 때문

3. 세계적으로 유명한 도시

세계 도시	❸[ ]의 본사, 국제기구가 많고 자본과 정보가 집중하여 세계 정치·경제 활동의 중심지 역할을 하는 도시 예 미국 뉴욕, 영국 런던 등
생태 도시	사람과 자연이 조화롭게 공존할 수 있는 체계를 갖춘 도시 예 독일 프라이부르크, 브라질 쿠리치바 등
역사 유적이 많은 도시	오래된 유물·유적을 바탕으로 ❹[ ] 산업이 발달한 도시 예 이탈리아 로마, 그리스 아테네 등
저위도에 위치한 고산 도시	일 년 내내 온화한 날씨가 나타나 많은 사람이 모여 사는 도시 예 에콰도르 키토, 케냐 나이로비 등

예 우리나라에서 도시는 인구 2만 명 이상이 모여 사는 지역을 의미한다.

❶ 촌락
❷ 2·3차
❸ 다국적 기업
❹ 관광

개념 2 도시 내부 구조와 지역 분화

1. 도시 내부 구조

도심	도시 중심에 위치, 고층 건물 밀집, 비싼 땅값, 중심 업무 지구 형성, 인구 공동화 현상 발생 ┗ 교통이 편리해 도시 내부에서 접근성이 가장 높음
부도심	도심의 기능을 분담(상업·업무 기능 집중), 도심과 주변 지역을 연결하는 ❺[ ]이/가 편리한 곳에 형성
중간 지역	도심과 주변 지역 사이에 주택, 학교, 공장 등이 혼재
주변 지역	저렴한 땅값, 넓은 땅 확보 가능 → 주거 및 공업 지역 형성
개발 제한 구역	도시의 무질서한 ❻[ ]을/를 막고, 녹지 공간을 확보하기 위해 개발을 제한 하는 공간
위성 도시	대도시 주변에서 대도시의 일부 기능(주거, 공업, 행정 기능 등)을 분담

❺ 교통
❻ 팽창

2. 지역 분화 접근성과 지가(땅값)의 차이로 인해 도시 공간이 기능별로 분리되는 현상

상업·업무 기능	높은 지가를 감당할 수 있어서 ❼[ ]에 형성
공업·주거 기능	넓은 땅을 구할 수 있고, 환경이 쾌적한 ❽[ ]에 형성

❼ 도심
❽ 주변 지역

예 도심은 도시 어디에서나 쉽게 접근할 수 있어 지가가 높다.

기초 확인 문제

1 다음 자료를 보고 ㉠, ㉡에 들어갈 알맞은 말을 쓰시오.

▲ 도시　　　　　　　　▲ 촌락

구분	도시	촌락
인구 밀도	높음	낮음
건물 높이	높음	낮음
주민 직업	(㉠)	1차 산업
토지 이용	많은 도로와 건물	(㉡)

㉠: (　　　　　　　　)

㉡: (　　　　　　　　)

2 다음 설명에 해당하는 도시를 〈보기〉에서 고르시오.

> 보기
> ㄱ. 고산 도시　　ㄴ. 세계 도시
> ㄷ. 생태 도시　　ㄹ. 역사 유적이 많은 도시

(1) 오래된 유물·유적을 바탕으로 관광 산업이 발달한 도시　　　　　　　　　　　(　　　　)

(2) 사람과 자연이 조화롭게 공존할 수 있는 체계를 갖춘 도시　　　　　　　　　　(　　　　)

(3) 자본과 정보가 집중하여 세계 정치·경제·문화의 중심지 역할을 하는 도시　　　　(　　　　)

(4) 저위도의 해발 고도가 높은 산지에 위치하여 일 년 내내 온화한 날씨가 나타나는 도시　(　　　　)

3 다음 모식도의 ㉠~㉢에 들어갈 알맞은 말을 쓰시오.

㉠: (　　　　　　　　)

㉡: (　　　　　　　　)

㉢: (　　　　　　　　)

4 괄호 안의 내용 중 알맞은 말을 골라 ○표 하시오.

(1) (도심, 부도심)은 도시 내부에서 가장 접근성이 높은 곳으로 중심 업무 지구를 형성하고 있다.

(2) 위성 도시는 대도시 주변에서 대도시의 일부 기능을 (분담, 대체)하는 기능을 한다.

(3) (상업·업무, 공업·주거) 기능은 지가가 저렴해 넓은 땅을 구할 수 있으며, 환경이 쾌적한 주변 지역에 입지한다.

5 다음 설명에 해당하는 도시 내부 구조를 쓰시오.

> 도시의 무질서한 팽창을 막고, 녹지 공간을 확보하기 위해 개발을 제한하는 공간이다.

(　　　　　　　　)

개념 3 도시화의 의미와 과정

1. 도시화의 의미

의미	도시의 수 증가하거나 도시에 거주하는 인구 비율이 높아지면서 도시적 ❶ [ ]이/가 확대되는 과정
특징	도시의 수 증가, 도시의 면적 확대, 일반적으로 산업화와 함께 진행, 주민의 경제 활동이 제조업과 ❷ [ ] 위주로 변화

2. 도시화 과정 도시화율에 따라 초기 단계, 가속화 단계, 종착 단계로 구분

초기 단계	• 도시화율이 매우 낮고 완만하게 상승 • 대부분의 인구가 촌락에 분포, ❸ [ ] 산업에 종사
가속화 단계	• 본격적으로 ❹ [ ]이/가 진행되면서 도시화율이 급격하게 증가 • 도시에 제조업과 서비스업 발달 → ❺ [ ] 현상 활발
종착 단계	• 도시화의 정도가 가장 높고, 도시화율의 증가가 점차 느려짐 • 도시 간 인구 이동 활발, 대도시권 확대, ❻ [ ] 현상 발생

[예] 도시화는 경제 성장과 밀접한 관련이 있기 때문에 도시화율을 통해 한 국가의 산업 및 경제 수준을 파악할 수 있다.

❶ 생활 양식

❷ 서비스업

❸ 1차

❹ 산업화
❺ 이촌 향도

❻ 역도시화

개념 4 선진국과 개발 도상국의 도시화

1. 선진국과 개발 도상국의 도시화

선진국	• 18세기 ❼ [ ] 이후 200여 년 동안 산업 발달과 함께 점진적으로 진행 • 현재 도시화율이 완만하게 증가하거나 정체되는 ❽ [ ] 단계
개발 도상국	• 제2차 세계 대전 이후 단기간(약 30~40년)에 매우 급속하게 진행 • 이촌 향도 현상 + 도시 인구의 급속한 자연적 증가 → 도시 인구 과밀

❼ 산업 혁명
❽ 종착

2. 선진국과 개발 도상국의 도시 문제

선진국	• 대도시의 인구 감소, 시설 노후화 등 → 도시 내부 기능 약화 • ❾ [ ] 쇠퇴 → 실업률 증가 • 교통 체증 문제, 노숙자 문제, 범죄 문제 등
개발 도상국	• 도시 기반 시설이 갖추어지지 않은 상태에서 많은 사람이 도시로 밀집 • 도시 기반 시설과 주택 부족 → 무허가 주택과 ❿ [ ](슬럼) 형성 • 환경 오염 문제, 도시 내 빈부 격차 문제, 일자리 부족 문제 등

❾ 제조업

❿ 빈민촌

[예] 선진국보다 개발 도상국에서 도시 문제가 두드러진다.

기초 확인 문제

정답과 해설 **65쪽**

6 다음 설명에 해당하는 용어를 쓰시오.

> 도시의 수가 증가하거나 도시에 거주하는 인구 비율이 높아지면서 도시적 생활 양식이 확대되는 과정이다.

( )

7 괄호 안의 내용 중 알맞은 말을 골라 O표 하시오.

(1) 도시화가 진행되면 일반적으로 인구가 (증가, 감소)하고, 도시의 면적이 (확대, 축소)된다.

(2) 도시화가 이루어지면 주민의 경제 활동은 (농업, 공업과 서비스업) 위주로 변한다.

8 다음 도시화 과정 그래프를 보고 ㉠, ㉡에 들어갈 알맞은 말을 쓰시오.

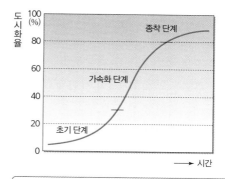

> 도시화 곡선은 (㉠) 형태로 나타나며, 초기 단계, 가속화 단계, (㉡) 단계를 거쳐 곡선의 기울기가 완만해진다.

㉠: ( )

㉡: ( )

9 도시화 과정에 알맞은 각 단계를 〈보기〉에서 고르시오.

> 보기
> ㄱ. 초기 단계   ㄴ. 가속화 단계
> ㄷ. 종착 단계

(1) 도시화율은 높게 나타나지만, 도시화율의 증가 속도는 점차 느려진다. ( )

(2) 도시화율이 매우 낮고 완만하게 상승하며, 대부분의 인구가 촌락에 분포한다. ( )

(3) 도시에 제조업과 서비스업이 급격히 발달하고, 이촌 향도 현상이 활발하게 나타난다.

( )

10 다음 도시화 그래프를 보고 ㉠, ㉡에 들어갈 알맞은 말을 쓰시오.

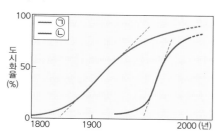

> (㉠)의 도시화는 산업 혁명 이후 200여 년동안 점진적으로 진행된 반면, (㉡)의 도시화는 제2차 세계 대전 이후 단기간에 매우 급속하게 진행되었다.

㉠: ( )

㉡: ( )

대표 예제 **1**

도시에 대한 설명으로 옳은 것은?

① 인구 밀도가 낮다.

② 토지를 집약적으로 이용한다.

③ 주민들의 직업 구성이 단순하다.

④ 각종 생활 편의 시설과 기능이 부족하다.

⑤ 1차 산업에 종사하는 인구의 비율이 높다.

개념 가이드

❶ ☐☐☐ 은/는 상대적으로 좁은 지역에 많은 사람이 모여 살기 때문에 ❷ ☐☐☐☐ 이/가 높다. **답** ❶ 도시 ❷ 인구 밀도

대표 예제 **2**

(가), (나)에서 설명하는 도시가 옳게 짝지어진 것은?

> (가) 고대 그리스의 정치·경제·문화의 중심지였던 도시로, 오늘날까지 당시 유적을 잘 간직하고 있다.
>
> (나) 미국에서 인구가 가장 많은 도시로, 세계 경제·문화·금융의 중심지이다. 국제 연합의 본부가 있기도 하다.

	(가)	(나)
①	뉴욕	런던
②	런던	뉴욕
③	런던	아테네
④	아테네	런던
⑤	아테네	뉴욕

개념 가이드

❸ ☐☐☐ 은/는 자본과 정보가 집중하여 세계 경제·정치의 ❹ ☐☐☐ 역할을 하는 도시이다. **답** ❸ 세계 도시 ❹ 중심지

대표 예제 **3**

도시 내부의 지역 분화가 나타나는 원인을 〈보기〉에서 고르면?

> 보기
> ㄱ. 기후의 차이 ㄴ. 지가의 차이
> ㄷ. 접근성의 차이 ㄹ. 건물 높이의 차이

① ㄱ, ㄴ ② ㄱ, ㄷ ③ ㄴ, ㄷ

④ ㄴ, ㄹ ⑤ ㄷ, ㄹ

개념 가이드

❺ ☐☐☐ 은/는 접근성과 지가(땅값)의 차이로 인해 도시 공간이 기능별로 분리되는 현상이다. **답** ❺ 지역 분화

대표 예제 **4**

(가), (나) 지역에 대한 설명으로 옳지 <u>않은</u> 것은?

(가)	(나)

① (가) 지역은 주로 주거 기능을 담당한다.

② (가) 지역의 주민들은 대부분 1차 산업에 종사한다.

③ (나) 지역은 대도시의 중심 업무 기능을 담당한다.

④ (가)는 (나)에 비해 지가가 저렴하다.

⑤ (나)는 (가)에 비해 교통이 편리하고 접근성이 높다.

개념 가이드

❻ ☐☐☐ 은/는 도시의 중심부에 위치해 교통이 편리하고 접근성이 높다. **답** ❻ 도심

대표 예제 **5**

빈칸에 들어갈 내용으로 옳은 것을 〈보기〉에서 고르면?

> 도시화가 초기 단계에서 종착 단계로 진행될수록
> (   )이/가 확대된다(증가한다, 높아진다).

┌─ 보기 ────────────────────────────┐
ㄱ. 녹지 면적   ㄴ. 도시 인구 비율
ㄷ. 도시적 생활 양식   ㄹ. 1차 산업 종사자 비율
└───────────────────────────────┘

① ㄱ, ㄴ   ② ㄱ, ㄷ   ③ ㄴ, ㄷ
④ ㄴ, ㄹ   ⑤ ㄷ, ㄹ

개념 가이드

❼ [   ]이/가 진행되면 일반적으로 인구가 증가하고, 도시의 면적이 확대된다.   답 ❼ 도시화

대표 예제 **7**

도시 문제와 그 대책을 잘못 짝지은 것은?

	도시 문제	대책
①	교통 체증	교통 혼잡세 부과
②	대기 오염	도시 재개발 산업
③	수질 오염	상·하수도 시설 정비
④	주택 부족	공공 주택 공급
⑤	과도한 쓰레기 배출량	쓰레기 종량제 시행

개념 가이드

❿ [   ]은/는 도시의 발전을 위해 공공 시설을 정비하고 건축물을 개량하는 산업이다.   답 ❿ 도시 재개발

대표 예제 **6**

다음 그래프에 대한 설명으로 옳은 것은?

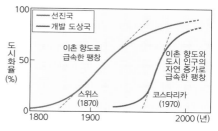

① 현재 선진국의 도시화는 가속화 단계이다.
② 개발 도상국은 단기간에 도시화가 이루어졌다.
③ 앞으로 선진국의 도시화율은 급속히 높아질 것이다.
④ 현재 개발 도상국은 선진국에 비해 도시화 진행 속도가 느리다.
⑤ 현재 개발 도상국은 선진국보다 도시에서 거주하는 인구 비율이 더 높다.

개념 가이드

❽ [   ]은/는 18세기 ❾ [   ] 발달과 함께 점진적으로 도시화가 진행되었다.   답 ❽ 선진국 ❾ 산업

대표 예제 **8**

선진국의 도시 문제에 대한 설명으로 옳은 것을 〈보기〉에서 고르면?

┌─ 보기 ────────────────────────────┐
ㄱ. 제조업의 쇠퇴로 인해 도시의 실업률이 상승하고 있다.
ㄴ. 대도시의 인구 감소, 시설 노후화로 인해 도시 기능이 약화되고 있다.
ㄷ. 도시 인구에 비해 주택이 부족하여 무허가 주택, 빈민촌 문제가 일어난다.
ㄹ. 도시 기반 시설이 갖추어지지 않은 상태에서 도시화가 급격히 진행되어 도시 문제가 심각하다.
└───────────────────────────────┘

① ㄱ, ㄴ   ② ㄱ, ㄷ   ③ ㄴ, ㄷ
④ ㄴ, ㄹ   ⑤ ㄷ, ㄹ

개념 가이드

⓫ [   ]은/는 도시 기반 시설이 갖추어지지 않은 상태에서 급격한 도시화가 진행되었다.   답 ⓫ 개발 도상국

2일

3_일 농업의 세계화와 기업화 ~ 기후 변화 문제를 해결하기 위한 노력

생각 열기

• 농업 생산 방식의 변화

자급적 농업
• 생산자가 직접 소비
• 가족 노동력 활용
• 여러 종류의 작물을 소규모로 생산

상업적 농업
• 시장 판매 목적
• 대형 농기계 활용
• 상품성이 높은 작물을 대규모로 생산

Quiz

농업 생산의 세계화와 함께 ❶ [   ] 농업이 증가하고 있다.

답 ❶ 상업적

공부할 내용

1. 농업의 세계화와 기업화
2. 다국적 기업과 생산 지역의 변화
3. 서비스업의 세계화
4. 기후 변화 문제를 해결하기 위한 노력

• 서비스업의 세계화

사회가 발달할수록 소비자의 욕구 충족을 위한 서비스업이 성장한다.

오늘날 교통과 통신의 발달로 국가 간의 교류가 활발해지면서 서비스업도 세계화되고 있다.

서비스업의 세계화에 따라 우리 일상생활에도 다양한 변화가 나타나고 있다.

> 한국 아이돌은 정말 멋져!

문화의 세계화

> 한정판 앨범을 해외 직구로 구매했어.

해외 직접 구매 발달

> 아이돌 공연을 보려고 한국에 왔어!

관광의 세계화

이 밖에도 다양한 분야의 서비스업에서 세계화가 진행되고 있다.

Quiz

경제 성장과 소득 수준의 향상으로 서비스업에 대한 ❷ ▢▢▢ 이/가 증가하고 있다.

답 ❷ 수요

3일 교과서 **핵심 정리** ①

개념 1 농업의 세계화와 기업화

1. **의미** 세계 여러 지역에서 농산물의 생산 및 판매가 이루어지고, 기업이 많은 자본을 투자하여 농작물을 ❶[   ]하는 현상

2. **배경** 교통·통신의 발달, 자유 무역 확대, 세계 무역 기구(WTO) 출범, 다국적 농업 기업의 등장, 다양한 농산물에 대한 소비자의 수요 증가 등

3. **농업 생산 방식의 변화** 자급적 농업 → 상업적 농업

자급적 농업	생산자가 직접 소비	여러 종류의 작물을 소규모로 생산	가족 노동력 활용	예 아시아의 벼농사
상업적 농업	시장 판매 목적	❷[ ]이/가 높은 한두 가지 농작물을 대규모로 생산	대형 농기계 활용	예 기업적 곡물 농업

4. **기업화의 특징**

대량화	┌ 세계적인 농업 기업이 개발 도상국으로 진출하여 플랜테이션 농장을 운영함 대규모 재배, 대형 농기계 및 화학 비료 사용, 농산물의 품종 개량 → 생산량 증대, ❸[ ] 확보
체계화	농작물의 생산, 가공, 상품화의 전 과정을 기업 차원에서 체계적으로 진행 → 농작물의 생산·소비 구조에도 영향

예 대량의 농작물을 쉽게 생산하기 위해 첨단 농기계를 대규모 농장에 투입하고 있다.

개념 2 다국적 기업과 생산 지역의 변화

1. **다국적 기업의 의미와 특징**
   ┌ 구글, 맥도날드, 코카콜라, 나이키, 삼성 전자 등

의미	전 세계를 대상으로 제품 생산과 판매 등의 활동을 하는 기업
특징	• 세계 여러 국가에 연구소, 생산 공장, 지사 등을 운영 • 다국적 기업이 세계 경제에 미치는 영향력이 점차 커짐 • ❹[ ]이/가 낮아지면서 다국적 기업의 수가 빠르게 증가함 • 제조업뿐만 아니라 다양한 분야로 그 역할과 범위를 확대해 나감

2. **다국적 기업의 입지에 따른 지역 변화**

구분	긍정적 영향	부정적 영향
본국(선진국)	• 세계 도시로 성장 • 첨단 산업, 고부가 가치 산업의 발달 촉진	• 생산 공장이 다른 지역으로 이전 시 산업 공동화 현상 발생 → 지역 경제 침체
투자 유치국 (개발 도상국)	• 자본 유입, ❺[ ] 증가 → 지역 경제 활성화 • 다국적 기업의 생산 기술 습득	• 유사한 업종의 중소기업 피해 • 생산 공장 주변의 환경 오염 • 이윤의 대부분이 다국적 기업의 본국으로 유출됨

❶ 대량 생산

❷ 상품성

❸ 가격 경쟁력

❹ 무역 장벽

❺ 일자리

기초 확인 문제

정답과 해설 **67쪽**

1 빈칸에 들어갈 알맞은 말을 쓰시오.

(1) 교통·통신의 발달, 자유 무역의 확대로 인해 전 세계를 대상으로 농업 생산이 이루어지는 농업의 ( )이/가 진행되고 있다.

(2) 오늘날에는 기업이 자본과 기술을 바탕으로 농장을 운영하는 농업의 ( )이/가 확대 되고 있다.

2 빈칸에 들어갈 알맞은 말을 쓰시오.

> 과거에는 대부분의 농부가 가족의 먹거리를 마련하기 위해 소규모로 생산했으며 이러한 농업을 자급적 농업이라고 한다. 그러나 오늘날에는 농업의 세계화 및 기업화로 ( ) 농업이 대중화되었다.

3 〈보기〉를 농업 생산의 세계화와 기업화가 미치는 영향에 따라 구분하시오.

┌ 보기 ┐
ㄱ. 농업 생산성 향상
ㄴ. 소규모 농가의 피해
ㄷ. 다양한 농산물을 저렴하게 구매
└────────────┘

(1) 긍정적 영향: ( )
(2) 부정적 영향: ( )

4 다국적 기업의 성장 배경으로 옳은 것을 〈보기〉에서 모두 고르시오.

┌ 보기 ┐
ㄱ. 보호 무역주의 등장
ㄴ. 교통 및 통신의 발달
ㄷ. 자유 무역 협정(FTA) 확대
ㄹ. 세계 무역 기구(WTO) 등장
└────────────┘

( )

5 다국적 기업의 공간적 분업과 관련하여 다음 빈칸에 들어갈 알맞은 말을 쓰시오.

(㉠)	정보 수집과 자본 확보에 유리한 선진국
연구소	전문 인력 확보에 유리한 선진국
생산 공장	저임금 노동력이 풍부한 (㉡), 무역 장벽의 극복과 시장 개척에 유리한 경제 블록
영업 지점	수요가 많은 지역

㉠: ( )
㉡: ( )

6 다국적 기업의 생산 공장이 개발 도상국에 들어설 때, 공장이 해당 지역에 미치는 긍정적 영향과 부정적 영향을 알맞게 연결하시오.

(1) 긍정적 영향 •   • ㉠ 자본 유입

      • ㉡ 일자리 증가

(2) 부정적 영향 •   • ㉢ 생산 공장 주변의 환경 오염

      • ㉣ 유사 업종의 중소 기업 매출 감소

개념 3 │ 서비스업의 세계화

1. 서비스업의 의미와 특징

└ 서비스 제공 대상에 따라 소비자 서비스업, 생산자 서비스업으로 나눌 수 있음

의미	상품을 유통·판매하거나 인간 활동에 필요한 서비스를 제공하는 산업
특징	• 경제가 성장하고 소득 수준이 향상될수록 서비스업의 수요가 증가함 • 소비자에 따라 원하는 서비스의 형태가 달라 ❶ [ ]하기 어려움 • 기계로 대신할 수 없는 일이 많기 때문에 고용 창출 효과가 큼 • 산업 시설의 기계화로 제조업 노동력이 서비스업으로 이동 → ❷ [ ] 현상 발생

❶ 표준화

❷ 탈공업화

2. 서비스업의 세계화

의미	서비스업의 제공 범위가 국경을 넘어 전 세계적으로 확대되는 현상
특징	• 국가 간 교역에서 서비스업이 차지하는 비중이 높아지고, 규모도 확대됨 • 유통·관광·교육·의료 등 여러 분야의 서비스업이 국경을 넘어 확대됨 • 서비스업의 공간적 ❸ [ ]이/가 나타남 예 해외 전화 상담실

❸ 분화

예 해외 직접 구매, 누리 소통망(SNS)을 통한 관광 정보 공유 등이 대표적 사례이다.

개념 4 │ 기후 변화 문제를 해결하기 위한 노력

1. 기후 변화의 의미 일정한 지역에서 장기간에 걸쳐 나타나는 기후의 평균적인 상태가 비정상적으로 변하는 현상 예 지구 온난화

2. 기후 변화의 영향

빙하 감소와 해수면 상승	• 극지방과 고산 지역의 빙하가 녹아 면적 감소 • 해수면 상승 → 섬나라와 해안 저지대 국가들의 침수 피해 발생
기상 이변 증가	• 태풍, 홍수, 폭설 등 자연재해 발생 빈도와 피해 규모 증가 • 지구의 평균 기온 상승으로 가뭄과 ❹ [ ] 현상 심화
생태계 변화	• 식생 분포 변화 → 고산 식물의 멸종, 열대 식물의 분포 범위 확대 • 동물의 서식지 변화, 수온 변화로 인한 해양 생태계 교란 등

❹ 사막화

3. 기후 변화 문제를 해결하기 위한 노력

개인적 노력	에너지 절약, 자원 재활용, 친환경 제품 사용, 대중교통 이용 등
지역적 노력	비정부 기구(NGO)의 환경 캠페인 예 지구촌 불 끄기
국가적 노력	대체 에너지 개발, 온실가스 배출량 감축 예 탄소 배출권 거래제
국제적 노력	기후 변화에 공동으로 대응할 수 있는 ❺ [ ] 체결

└ 이산화 탄소, 메탄가스, 염화 불화 탄소 등 온실 효과를 일으키는 기체

❺ 국제 협약

7 괄호 안의 내용 중 알맞은 말을 골라 O표 하시오.

(1) 전자 상거래의 발달로 인해 재래시장 및 지역 상권은 (확대 , 축소)되고 있다.

(2) 정보 통신 기술의 발달로 경제 활동의 시간적·공간적 제약이 (감소 , 증가)하고 있다.

8 서비스업의 발달과 관련된 자료를 보고 빈칸에 들어갈 알맞은 말을 쓰시오.

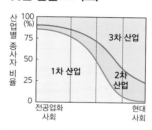

오늘날 제조업보다 서비스업이 경제 성장을 이끄는 (   ) 현상이 나타나고 있다. 선진국일수록 서비스업 비중이 높게 나타난다.

9 다음 글의 ⊙에 해당하지 <u>않는</u> 업종을 〈보기〉에서 고르시오.

오늘날 서비스업의 입지에도 변화가 생겼다. 업무 효율성 증대를 위해 단순 업무를 개발 도상국에 분산하기도 하는 한편, ⊙ <u>전문화된 서비스 업종</u>은 접근성이 좋고, 정보 확보에 유리한 특정 지역에 모여 입지한다.

┌ 보기 ┐
광고, 금융, 영화 제작, 해외 콜센터

(   )

10 기후 변화에 대한 설명으로 옳은 것을 〈보기〉에서 <u>모두</u> 고르시오.

┌ 보기 ┐
ㄱ. 동식물의 생태계에 미치는 영향은 미미하다.
ㄴ. 장기간에 걸쳐 기후 상태가 변하는 현상이다.
ㄷ. 기후 변화의 피해는 일부 지역에 한정되어 나타난다.
ㄹ. 최근에는 자연적 요인보다 인위적 요인의 영향을 많이 받고 있다.

(   )

11 관계있는 것끼리 선으로 연결하시오.

(1) 해수면 상승　　·　　　　·　⊙ 산호초 파괴

(2) 해수 온도 상승·　　　　·　ⓒ 해안 저지대 침수

12 다음 설명에 해당하는 용어가 무엇인지 쓰시오.

온실가스 배출량 감축을 유도하기 위해 온실가스 배출 권리를 사고팔 수 있도록 한 제도이다.

(   )

대표 예제 1

농업 생산의 세계화가 나타나게 된 배경으로 옳지 <u>않은</u> 것은?

① 세계적인 다국적 농업 기업의 등장

② 교통과 통신의 발달로 지역 간 교류 증가

③ 기술 발달에 따른 농산물 생산 가능 범위 확대

④ 자유 무역의 확대로 농산물의 국제 교역량 증가

⑤ 생활 수준 향상에 따른 다양한 농산물에 대한 수요 감소

개념 가이드

농업 생산이 세계화되면서 ❶ [   ] 농업이 확대되고 있다.

답 ❶ 상업적

대표 예제 2

다음에 제시된 사진과 같은 농업 생산 방식에 대한 설명으로 옳지 <u>않은</u> 것은?

① 주로 시장 판매를 목적으로 한다.

② 기업 차원에서 농작물을 재배한다.

③ 대형 농기계를 이용하여 농업을 한다.

④ 밀, 옥수수 등과 같은 곡물을 재배한다.

⑤ 농약이나 화학 비료를 사용하지 않는 친환경적인 농업 방식이다.

개념 가이드

농업의 기업화의 특징으로는 ❷ [   ]와/과 ❸ [   ] 이/가 있다.

답 ❷ 대량화 ❸ 체계화

대표 예제 3

다음 사례를 통해 유추할 수 있는 오늘날의 경제 활동에 대한 설명으로 옳은 것은?

> 최근 우리나라에서 인기를 끌고 있는 □□ 콜라 의 본사는 미국에 있지만, 생산 공장 중 하나는 경기도 여주에 있다.

① 한 나라 안에서만 생산 활동이 이루어진다.

② 국제적 차원에서 경제적 상호 의존도가 낮아졌다.

③ 자유 무역의 확대로 국가 간 무역 장벽이 높아졌다.

④ 교통 및 통신의 발달로 국가 간 교류가 감소하였다.

⑤ 상품, 노동 등이 국경을 초월하여 자유롭게 이동하게 되었다.

개념 가이드

최근에는 ❹ [   ] 에서도 다국적 기업이 등장하고 있다.

답 ❹ 개발 도상국

대표 예제 4

A 지역의 공장이 B 지역으로 이전할 때, A 지역에서 일어날 변화로 옳은 것을 〈보기〉에서 고르면?

> ┌ 보기 ┐
> ㄱ. 자본이 유입된다.
> ㄴ. 대규모 실업이 발생한다.
> ㄷ. 산업 공동화 현상이 나타난다.
> ㄹ. 다국적 기업의 기술이 이전된다.

① ㄱ, ㄴ   ② ㄱ, ㄷ   ③ ㄴ, ㄷ

④ ㄴ, ㄹ   ⑤ ㄷ, ㄹ

개념 가이드

다국적 기업이 생산 공장을 다른 지역에 짓는 것은 ❺ [   ] 에 해당한다.

답 ❺ 공간적 분업

대표 예제 **5**

서비스업에 대한 설명으로 옳지 <u>않은</u> 것은?

① 표준화하기 어렵다.

② 고용 창출 효과가 크다.

③ 금융, 법률, 광고 등은 소비자 서비스업에 해당한다.

④ 인간이 필요로 하는 재화나 용역을 공급하는 것을 말한다.

⑤ 기업 활동에 도움을 주는 서비스는 생산자 서비스업이다.

개념 가이드

서비스업은 ⑥ [   ] 서비스업과 ⑦ [   ] 서비스업으로 구분할 수 있다.

답 ⑥ 소비자, ⑦ 생산자

대표 예제 **6**

해외 상품 직접 구매 서비스가 지속적으로 확대될 때 나타날 수 있는 변화로 옳은 것을 〈보기〉에서 고르면?

┌ 보기 ┐
ㄱ. 국제 물류 시장이 축소된다.

ㄴ. 배송 대행 서비스가 활성화된다.

ㄷ. 소비자는 저렴하게 해외 상품을 구매할 수 있다.

ㄹ. 유사 상품을 파는 국내 기업의 경쟁력이 강화된다.
└─────────────────────────┘

① ㄱ, ㄴ   ② ㄱ, ㄷ   ③ ㄴ, ㄷ

④ ㄴ, ㄹ   ⑤ ㄷ, ㄹ

개념 가이드

전자 상거래가 발달하면서 ⑧ [   ]이/가 활성화되고 있다.

답 ⑧ 택배 산업

대표 예제 **7**

기후 변화로 인한 환경 변화로 옳지 <u>않은</u> 것은?

① 알래스카의 겨울이 길어진다.

② 북극의 빙하가 녹아 항로가 열린다.

③ 해수면 상승으로 해안 저지대가 침수된다.

④ 사막 주변의 초원 지대가 사막으로 변한다.

⑤ 바닷물 온도의 상승으로 해양 생태계가 변한다.

개념 가이드

기후 변화에 따른 피해는 전 ⑨ [   ] 차원으로 확산되고 있다.

답 ⑨ 지구적

대표 예제 **8**

빈칸에 들어갈 국제 협약은?

(⑦)은/는 2015년 12월 12일 파리에서 열린 국제 연합 기후 변화 협약 당사국 총회 본회의에서 195개 당사국이 채택한 협정으로, 온실가스 배출량을 단계적으로 감축하는 내용을 담고 있다.

① 파리 협정   ② 오슬로 협정

③ 교토 의정서   ④ 기후 변화 협약

⑤ 자유 무역 협정

개념 가이드

기후 변화 협약의 구체적인 감축 방안으로 1997년에 채택된 교토 의정서를 통해, ⑩ [   ]이/가 도입되었다.

답 ⑩ 탄소 배출권 거래제

4일 환경 문제 유발 산업의 국가 간 이전 ~ 소중한 우리 땅, 독도

생각 열기

• 일상생활 속 환경 이슈

Quiz

❶ [   ] 운동은 지역에서 생산된 먹거리를 그 지역에서 소비하자는 운동이다.

답 ❶ 로컬 푸드

· 독도의 가치

독도는 우리나라 동쪽 끝에 위치한 섬이야. 512년에 신라의 영토로 편입된 이후 우리나라의 영토가 되었어.

환경·생태적 가치
• 다양한 동식물 서식
• 우리나라에서 가장 오래된 화산섬

경제적 가치
• 풍부한 수산 자원
• 메탄 하이드레이트 매장

영역적 가치
• 군사적 요충지
• 우리 영해의 동쪽 끝

Quiz

독도는 우리나라 가장 동쪽의 섬으로, 행정 구역상 ❷ ☐ 울릉군 울릉읍 독도리에 해당한다.

답 ❷ 경상북도

개념 1 환경 문제 유발 산업의 국가 간 이전

1. 환경 문제 유발 산업의 의미 산업 활동 가운데 오염 물질을 배출하는 등 환경 문제를 일으키는 산업으로, **❶** ☐ 산업이라고도 함

❶ 공해

2. 환경 문제 유발 산업의 이전 배경과 특징

배경	다국적 기업의 국제 분업으로 인한 생산 공장 이전, 농업 생산의 세계화로 인한 **❷** ☐ 농장 운영 등
특징	• 산업 생산 시설뿐만 아니라 환경 문제도 함께 옮겨가게 됨 • 선진국에서 개발 도상국으로, 환경 문제에 관한 사회적 인식이 높은 나라에서 낮은 나라로 이동함
사례	전자 쓰레기의 이동, 석면 산업의 이전 등

❷ 플랜테이션

└ 수명이 다 된 가전제품이나 부품에서 나오는 쓰레기

3. 환경 문제 유발 산업의 이전에 따른 영향 환경 문제의 지역적 불평등 발생

환경 문제 유발 산업의 이전으로 인한 피해는
유입 지역(개발 도상국)에 집중되기 때문

구분	긍정적 영향	부정적 영향
유출 지역 (선진국)	• 환경 문제 해결 • 개발 도상국의 저렴한 노동력 활용	공장 시설 이전으로 본국의 일자리 감소
유입 지역 (개발 도상국)	• 산업 유치를 통해 일자리 증가 • **❸** ☐ 등의 경제적 효과	• 환경 오염 발생 • 산업 재해 등 사고 발생

❸ 소득 증가

예 환경 문제의 지역적 불평등을 바로잡아 환경 이용의 혜택과 피해를 공평하게 나누어야 한다.

개념 2 일상생활 속 환경 이슈

1. 환경 이슈의 의미와 특징

의미	환경 문제 중에서 원인, 영향, 해결 방안 등을 서로 다르게 생각하여 논쟁이 벌어지는 환경 문제(=**❹** ☐)
특징	• 시대별로 환경 이슈가 다르며, 다양한 규모에서 나타남 • 사람들의 일상생활과 사회 전반에 큰 영향을 미침

❹ 환경 쟁점

2. 환경 이슈의 사례 유전자 재조합 식품(GMO), 로컬 푸드 운동, 미세 먼지, 미세 플라스틱으로 인한 해양 생태계 오염, 원자력 발전소나 쓰레기 매립지 등 혐오 시설 건립을 둘러싼 입장 차이 등

└ 지역 이기주의 발생

3. 환경 이슈를 해결하기 위한 방법

개인적 방법	환경 이슈에 관한 개인의 견해를 정립하고, **❺** ☐ 을/를 위한 활동에 참여해야 함 예 에너지 절약, 대중교통 이용, 일회용품 사용 자제 등
이해 당사자 간 노력	개인, 시민 단체, 기업, 정부, 국제 사회가 환경 이슈에 관심을 갖고 합리적인 해결책을 찾아야 함

❺ 환경 보전

예 환경 이슈는 지역적인 것부터 세계적인 것까지 다양한 규모로 나타난다.

기초 확인 문제

정답과 해설 **68쪽**

1 설명에 해당하는 용어를 쓰시오.

> • 수질 오염, 대기 오염 등의 환경 문제를 유발하는
>   산업을 의미한다.
> • 환경 규제가 엄격한 선진국에서 상대적으로 그렇
>   지 않은 개발 도상국으로 옮겨 가고 있다.

(   )

2 괄호 안의 내용 중 알맞은 말을 골라 ○표 하시오.

(1) 환경 문제 유발 산업의 이전으로 인해 환경 문제
   가 지역적으로 (평등 , 불평등)하게 나타난다.

(2) 환경 문제 유발 산업의 (유입 지역 , 유출 지역)
   주민들은 각종 질병에 노출될 수 있다.

3 다음 지도를 보고 빈칸 ㉠, ㉡에 들어갈 알맞은 말을 쓰시오.

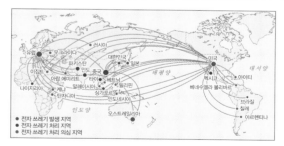

> 미국, 유럽 등의 (㉠   )에서 발생한 전자
> 쓰레기가 중국, 인도, 아프리카 대륙 등의
> (㉡   )(으)로 옮겨지고 있다.

㉠: (   )

㉡: (   )

4 다음은 미세 먼지의 이동 경로와 발생 원인에 대한 지도이다. 이에 대한 설명으로 옳은 것을 〈보기〉에서 모두 고르시오.

> ┌ 보기 ┐
> ㄱ. 미세 먼지는 국내에서도 발생한다.
> ㄴ. 원인 배출 지역과 피해 지역이 정확히 일치한다.
> ㄷ. 중국에서 불어오는 바람에는 미세 먼지가 포함
>   되어 있지 않다.
> ㄹ. 미세 먼지 문제를 해결하기 위해서는 우리나라
>   와 중국의 협조 체제가 필요하다.

(   )

5 다음에서 설명하는 식품의 이름을 쓰시오.

> 어떤 생물의 유용한 유전자만 골라 다른 생물에
> 넣어서 만든 농축수산물로, 이 식품의 생산 및 이용
> 에 대해서는 찬반 여론이 첨예하게 대립하고 있다.

(   )

4일 교과서 핵심 정리 ②

개념 3 우리나라의 영역

1. 영역의 의미 한 국가의 ❶[　　　]이/가 미치는 공간의 범위   ❶ 주권

2. 영역의 구성

영토	국민의 삶의 터전이 되는 땅으로, 영해·영공 설정의 기준이 됨
영해	• 영토 주변의 바다로, 일반적으로 기선으로부터 12해리까지의 해역을 말함 　　　　항해·항공용 거리를 나타내는 단위(1해리 = 약 1,852m) • 국가 방위나 항해, 자원 개발 등의 측면에서 중요함
영공	• 영토와 영해의 수직 상공으로, 통상적으로 ❷[　　　] 내로 범위를 한정 • 최근 항공 교통과 우주 산업의 발달 및 국가 방위 측면에서 중요성이 커짐

❷ 대기권

3. 우리나라의 영역

영토		• 한반도와 주변 섬들로 구성(총면적 약 22.3만 km²) • 서·남해안에서 이루어지는 대규모 ❸[　　　](으)로 면적 확대 중
영해	동해안·제주도·울릉도·독도	• 통상 기선으로부터 12해리 • 해안선이 단조롭고 섬이 적음
	서해안·남해안	• 직선 기선으로부터 12해리 • 해안선이 복잡하고 섬이 많음
	대한 해협	• 직선 기선으로부터 3해리 • 일본과 가까움
영공		영토와 영해의 수직 상공

❸ 간척 사업

예 바다의 중요성이 커지면서 배타적 경제 수역의 중요성도 커지고 있다.
　　　　영해 기선부터 200해리까지의 바다 중 영해를 제외한 바다로, 바다에 대해 경제적 주권을 행사할 수 있음

개념 4 소중한 우리 땅, 독도

1. 독도의 자연환경과 인문 환경

자연 환경	• 지형: 동도·서도 2개의 큰 섬과 89개의 부속 도서로 구성 • 기후: 연교차가 작은 ❹[　　　] 기후
인문 환경	• 512년 신라 장군 이사부가 우산국(울릉도)을 신라의 영토로 편입한 이후 우리나라의 영토가 됨 • 우리나라 주민과 독도 경비 대원 상주, 각종 주민 생활 시설과 경비 활동 시설 분포

❹ 해양성

2. 독도의 가치

영역적 가치	우리 영해의 동쪽 끝을 확정, 군사적 요충지 ┌동아시아 해상 주도권 경쟁에서 우리나라의 　　　　전진 기지 역할
경제적 가치	풍부한 수산 자원, 메탄 하이드레이트 매장, 해양 심층수
환경·생태적 가치	우리나라에서 가장 오래전에 형성된 ❺[　　　], 다양한 동식물 서식

❺ 화산섬

메탄이 주성분인 천연가스가 얼음처럼 고체화된 것으로, 연소 시 공해가 적은 차세대 청정 에너지원

기초 확인 문제

6 빈칸에 들어갈 알맞은 말을 쓰시오.

(1) (   )은/는 영토, 영해, 영공으로 구성된다.

(2) 한 국가에 속한 육지의 범위를 (   )(이)라고 한다.

7 〈보기〉를 영해 설정 기준에 따라 구분하시오.

┌─ 보기 ─────────────────────────┐
ㄱ. 독도   ㄴ. 울릉도   ㄷ. 제주도
ㄹ. 서해안   ㅁ. 남해안   ㅂ. 동해안
└──────────────────────────────┘

(1) 직선 기선으로부터 12해리 (   )

(2) 통상 기선으로부터 12해리 (   )

8 다음에서 설명하는 용어를 쓰시오.

┌──────────────────────────────┐
• 영해 기선으로부터 200해리에 이르는 수역 중 영해를 제외한 수역
• 바다에 대한 경제적 주권 행사 가능
• 다른 국가의 선박·항공기 통행 가능
└──────────────────────────────┘

(   )

9 독도에 대한 설명으로 옳은 것을 〈보기〉에서 <u>모두</u> 고르시오.

┌─ 보기 ─────────────────────────┐
ㄱ. 행정 구역상 강원도에 속한다.
ㄴ. 섬 전체가 천연 보호 구역으로 지정되어 있다.
ㄷ. 울릉도보다 일본 오키섬과 더 가까운 거리에 있다.
ㄹ. 날씨가 맑은 날 울릉도에서 눈으로 관찰할 수 있다.
└──────────────────────────────┘

(   )

10 독도의 가치와 관계있는 것을 선으로 연결하시오.

(1) 생태적 가치 •   • ㉠ 천연기념물 제336호로 지정됨

(2) 경제적 가치 •   • ㉡ 우리나라 영해의 동쪽 끝을 확정함

(3) 영역적 가치 •   • ㉢ 조경 수역으로 각종 어족 자원이 풍부함

11 다음에서 설명하는 ㉠의 이름을 쓰시오.

┌──────────────────────────────┐
해저의 천연가스가 높은 압력과 낮은 온도 때문에 고체화된 것으로, 연소 시 이산화 탄소 배출량이 적어 미래의 청정 에너지원으로 주목받고 있다. 독도 인근 해역에 매장된 (㉠   )은/는 그 양이 국내 천연가스 소비량을 기준으로 100년 사용량에 달하는 것으로 알려졌지만, 아직은 상용화하지 못하고 있다.
└──────────────────────────────┘

(   )

4일 내신 기출 베스트

대표 예제 1

선진국과 비교한 개발 도상국의 상대적 특징으로 옳지 않은 것은?

① 임금이 저렴하다.

② 환경 규제가 덜 엄격하다.

③ 환경 문제에 대한 주민의 저항이 약하다.

④ 제품 생산에 필요한 기술 개발이 이루어진다.

⑤ 정부 정책이 환경보다 경제 발전에 역점을 둔다.

개념 가이드

❶ [＿＿＿＿＿]은/는 대부분 인건비와 지가가 저렴하여 산업 운영비가 적게 든다.　　　　　　　답 ❶ 개발 도상국

대표 예제 2

다음은 석면 공장의 이동을 나타낸 지도이다. 현재 중국, 인도네시아, 말레이시아에서 나타나는 현상으로 옳은 것은?

① 최신 제조 설비를 갖췄다.

② 주민들의 일자리가 줄어들었다.

③ 석면에 대한 규제가 강화되었다.

④ 석면 사용을 전면 금지하고 있다.

⑤ 주민들이 암에 걸릴 확률이 높아졌다.

개념 가이드

선진국에서는 발암 물질인 석면에 대한 규제가 ❷ [＿＿＿＿＿] 되고 있다.　　　　　　　답 ❷ 심화

대표 예제 3

환경 문제를 해결하기 위한 개인적 차원의 노력으로 적절한 것을 〈보기〉에서 고르면?

┌─ 보기 ──────────────────────┐
ㄱ. 전기 절약하기

ㄴ. 음식물 남기기

ㄷ. 자전거 이용하기

ㄹ. 일회용품 자주 사용하기
└──────────────────────────┘

① ㄱ, ㄴ　　　② ㄱ, ㄷ　　　③ ㄴ, ㄷ

④ ㄴ, ㄹ　　　⑤ ㄷ, ㄹ

개념 가이드

환경 문제를 해결하기 위한 개인적 노력에는 에너지 절약, ❸ [＿＿＿＿＿] 제품 사용 등이 있다　　답 ❸ 친환경

대표 예제 4

유전자 재조합 식품에 대해 찬성하는 입장의 학생을 〈보기〉에서 고르면?

┌─ 보기 ──────────────────────┐
민주: 인체에 미치는 영향에 대한 검증이 제대로 이루어지지 않았습니다.

채연: 병충해에 강하고 수확량이 크게 증가합니다.

나희: 생물 다양성을 위협할 수 있습니다.

유진: 농약과 화학 비료 사용량을 줄일 수 있습니다.
└──────────────────────────┘

① 민주, 채연　　② 민주, 나희　　③ 채연, 나희

④ 채연, 유진　　⑤ 나희, 유진

개념 가이드

유전자 재조합 식품(GMO)는 유전자 ❹ [＿＿＿＿＿] 식품이라고도 불린다.　　　　　　답 ❹ 변형

대표 예제 **5**

다음은 영역의 구성을 나타낸 그림이다. A∼E에 대한 설명으로 옳은 것은?

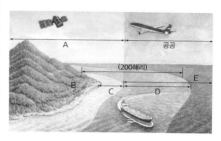

① A는 영토와 영해의 수직 상공에 해당한다.

② B는 한 국가에 속한 바다의 범위이다.

③ C는 B 주변의 바다로 기선으로부터 200해리까지이다.

④ D는 한 국가의 영역 안에 포함된다.

⑤ E는 배타적 경제 수역이다.

개념 가이드

❺ [　　　　]은/는 한 국가의 주권이 미치는 공간적 범위로 영토, 영해, 영공으로 구성된다.   **답 ❺** 영역

대표 예제 **6**

우리나라의 영토에 대한 설명으로 옳은 것을 〈보기〉에서 고르면?

> 보기
> ㄱ. 삼면이 바다로 둘러싸인 반도국이다.
> ㄴ. 동쪽 끝은 제주도, 남쪽 끝은 독도이다.
> ㄷ. 한반도와 그 부속 도서로 이루어져 있다.
> ㄹ. 형태가 동서로 길어 다양한 기후가 나타난다.

① ㄱ, ㄴ　　　② ㄱ, ㄷ　　　③ ㄴ, ㄷ

④ ㄴ, ㄹ　　　⑤ ㄷ, ㄹ

개념 가이드

우리나라의 영토는 **❻** [　　　　]와/과 그 주변 섬들로 구성되어 있다.   **답 ❻** 한반도

대표 예제 **7**

독도의 가치에 대한 설명으로 옳지 않은 것은?

① 독도 주변의 12해리는 우리나라의 영해이다.

② 해저의 화산 지형은 지질학적 가치가 뛰어나다.

③ 해저의 해양 심층수가 식수, 의약품으로 활용된다.

④ 석탄이 얼음 형태로 매장된 메탄 하이드레이트가 분포한다.

⑤ 한류와 난류가 만나 조경 수역을 이루어 어족 자원이 풍부하다.

개념 가이드

독도는 해상 및 항공 교통과 방어 기지로서 중요한 **❼** [　　　　] 요충지이기도 하다.   **답 ❼** 군사적

대표 예제 **8**

밑줄 친 ㉠∼㉤ 중 옳지 않은 것은?

> 독도를 ㉠ 지도상에 뚜렷하게 수록한 현존하는 최초의 지도는 『신증동국여지승람』에 실린 「팔도총도」이다. 이 지도에는 ㉡ 동해에 울릉도와 독도가 그려져 있다. ㉢ 독도의 이름은 우산도로 기록되어 있고, ㉣ 독도와 울릉도의 위치가 정확하게 그려져 있다. 이는 당시 ㉤ 우리 조상들이 독도를 우리나라의 영토로 분명하게 인식하고 있었음을 보여 준다.

① ㉠　　② ㉡　　③ ㉢　　④ ㉣　　⑤ ㉤

개념 가이드

『세종실록』「지리지」에도 울릉도, **❽** [　　　　]의 지리와 위치가 기록되어 있다.   **답 ❽** 독도

생각 열기

• 세계의 지리적 문제

기아 문제

생물 다양성 감소

영토 분쟁

Quiz

센카쿠 열도 분쟁, 카슈미르 분쟁, 팔레스타인 분쟁은 ❶ ⬚ 에 관한 분쟁이다.

답 ❶ 영역

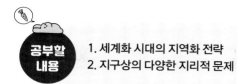
• 국제기구의 노력

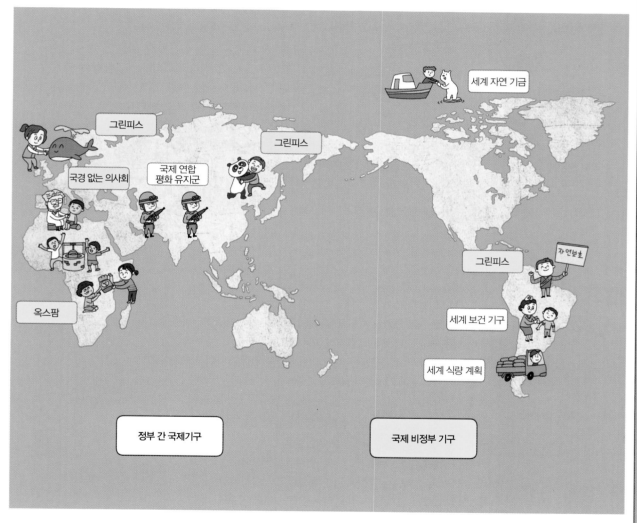

Quiz

세계의 불평등을 해소하기 위해 활동하는 국제 연합 평화 유지군, 세계 식량 계획 등은 ❷ [   ]이다.

답 ❷ 국제기구

5일 교과서 **핵심 정리** ①

개념 1 세계화 시대의 지역화 전략

1. **지역화 전략** 지역의 경쟁력을 높이기 위해 경제·문화적 측면에서 다른 지역과 차별화하는 계획을 마련하는 것

구분	의미와 효과	사례	
지역 브랜드	지역에서 생산하는 상품, 서비스 또는 지역 자체에 부여한 고유한 상표(로고, 슬로건, 캐릭터 등) → 지역 홍보, 지역 경쟁력 향상	뉴욕의 'I♥NY', ❶□□□의 'Happy 700', 하동의 '대한민국 알프스 하동'	❶ 평창
장소 마케팅	특정 장소가 지닌 유형·무형의 자산이나 고유한 특징을 이용하여 장소 자체를 매력적인 상품으로 만드는 것 → 지역 가치 상승, 지역 경제 활성화	❷□□□ 활용(파리 에펠탑, 뉴욕 자유의 여신상), 축제 개최 (함평 나비 축제, 보령 머드 축제, 화천 산천어 축제)	❷ 랜드마크
지리적 표시제	국가가 해당 지역명을 상표권으로 인정해 주는 제도 → 지리적 특산물의 품질 향상, 생산자의 권익 향상, 소비자의 알 권리 충족, 지역 경제 발전	보성 ❸□□□(제1호), 횡성 한우, 의성 마늘, 성주 참외, 순창 고추장	❸ 녹차

예 평창의 지역 브랜드인 'Happy 700'은 사람이 살기에 가장 쾌적한 해발 고도인 700m에 위치한 평창 지역을 브랜드화한 것이다.

개념 2 지구상의 다양한 지리적 문제

원인	국가 간 불균형 발전에 따른 경제 격차와 사회적 불평등, 종교·민족 차이, 영역·자원을 둘러싼 대립, 대규모 자연재해, 환경 오염 물질의 장거리 이동 등		
특징	지역 특성을 반영하며, 특정 지역만의 문제가 아니고 다른 지역과 연관되며, 여러 요인이 복합적으로 작용함 → 문제 해결을 위해 지구촌이 함께 노력해야 함 └─ 세계화의 영향		
종류	기아 문제	• 뜻: 인간이 생존하는 데 필요한 물과 영양소가 ❹□□□된 상태 • 요인: 자연적 요인(가뭄, 홍수, 병충해 등), 인위적 요인(곡물 수요 증대, 곡물 가격 상승, 식량의 상업화, 식량 안보 위협 등)	❹ 결핍
	생물 다양성 감소	• 뜻: 자연계에 존재하는 생물과 그 서식 환경의 다양성이 손실되는 것 • 요인: 인구 증가와 경제 발전에 따른 동식물의 서식지 파괴 및 ❺□□□ 유입, 농경지 확대, 남획 등 → 생물 다양성 협약 체결 등 필요	❺ 외래종
	영역 분쟁	• 뜻: 가까운 나라 사이에 영토와 ❻□□□을/를 차지하기 위한 갈등이 발생하는 것 • 요인: 모호한 국경선 설정, ❼□□□ 확보 경쟁, 종교·민족·언어 등의 차이에 따른 문화적 충돌 등 • 사례: 센카쿠 열도 분쟁, 난사 군도 분쟁, 쿠릴 열도 분쟁, 팔레스타인 분쟁, 카슈미르 분쟁 등	❻ 영해 ❼ 자원

기초 확인 문제

1 괄호 안의 내용 중 알맞은 말을 골라 ○표 하시오.

(1) 지역을 상징하는 로고, 슬로건, 캐릭터 등을 (지리적 표시제, 지역 브랜드)라고 한다.

(2) (장소 마케팅, 지리적 표시제)은/는 장소를 하나의 매력적인 상품처럼 인식하고 고유한 특징을 부각하여 판매하려는 전략이다.

(3) 특산물의 원산지 지명을 상표권으로 인정해 주는 제도를 (지리적 표시제, 지역 브랜드)라고 한다.

(4) '횡성 한우'는 (국가, 강원도 횡성군)이/가 횡성의 이름을 상표로 인정했으므로, 다른 지역 한우는 이 상표를 쓸 수 없다.

2 지역 브랜드와 해당 지역을 바르게 연결하시오.

(1) ·

· ㉠ 영덕군

(2) ·

· ㉡ 경주시

(3) ·

· ㉢ 보성군

(4) ·

· ㉣ 남원시

3 다음과 같은 지역화 전략을 활용하고 있는 지역은?

인간이 살기에 가장 쾌적한 해발 고도 700m에 위치한 지역을 브랜드화하였다.

(   )

4 지리적 문제에 해당하는 것을 〈보기〉에서 모두 고르시오.

┌ 보기 ┐
ㄱ. 기아 문제   ㄴ. 영토 분쟁
ㄷ. 영해 분쟁   ㄹ. 생물 다양성 감소 문제

(   )

5일

5 괄호 안의 내용 중 알맞은 말을 골라 ○표 하시오.

(1) (아시아, 아프리카) 대륙의 국가들은 유럽 열강의 식민 지배 이후, 부족의 경계와 국경선이 달라 분쟁이 발생하고 있다.

(2) 국가 간 영역 분쟁의 원인으로는 (인구, 자원) 확보를 위한 경쟁과 (성별, 종교)에 따른 갈등 등이 있다.

(3) 육상 자원의 고갈로 해양 자원에 대한 관심이 커지면서 (영공, 영해)의 영유권을 놓고 갈등이 많이 벌어지고 있다.

5일 교과서 핵심 정리 ②

| 선진국 | • 18세기 후반 산업 혁명으로 일찍이 산업화를 이룸, 소득 수준이 높음
• 서부 유럽, 북아메리카 등 주로 **❶**   에 위치함
• 1인당 국내 총생산, 국민 총소득, 인간 개발 지수, 성인 문자 해독률, 기대 수명, 1,000명당 의사 수 등의 수치가 높음
         └ 경제적 발전 지표   └ 비경제적 발전 지표 | ❶ 북반구 |
| 저개발국 | • 20세기 이후부터 현재까지 산업화가 진행 중임, 소득 수준이 낮음, 삶의 질이 낮은 편
• 동남아시아, 중남부 아메리카, 아프리카 등 주로 **❷**   주변과 남반구에 위치함
• 영아 사망률, 교사 1인당 학생 수 등이 높음
         └ 비경제적 발전 지표 | ❷ 적도 |

예 주로 북반구에 위치한 선진국과 남반구에 위치한 저개발국 사이의 사회·경제적 격차에 따른 갈등을 '남북문제'라고 한다.

개념 **4** 지역 간 불평등 완화를 위한 노력

1. 정부 간 국제기구의 노력
┌ 국제기구에는 정부 간 국제기구와 국제 비정부 기구가 있음

| 국제 연합(UN) | • 세계 보건 기구: 보건, 위생 분야의 국제적 협력
• 세계 식량 계획: **❸**   와/과 빈곤으로 고통받는 지역에 식량 지원
• 국제 연합 아동 기금: 아동 구호 및 아동 복지 향상
• 국제 연합 평화 유지군: 분쟁 지역에 파견 → 질서 유지 및 주민 안전 수호 | ❸ 기아 |
| 경제 협력 개발 기구(OECD)의 공적 개발 원조(ODA) | • 뜻: 선진국에서 저개발국의 경제 발전과 복지 증진 등을 위해 도움을 주는 것
• 한계: 수혜국에 재해나 분쟁이 발생하면 장기적 지원이 어려움, 적절하지 못한 원조는 지역의 경제적 자립 토대를 무너뜨림 | |

2. 국제 비정부 기구(NGO)의 노력

옥스팜	기근 구제를 위해 시작한 국제 구호 개발 기구	
그린피스	지구의 **❹** 보존 및 세계 평화를 위한 활동	❹ 환경
월드 비전	긴급 구호 및 지역 개발 사업	
국경 없는 의사회	국제 민간 인도주의 의료 구호 단체, 소외된 지역에 **❺** 지원	❺ 의료

3. 공정 무역(fair trade)
┌ 커피, 차, 카카오, 바나나, 의류, 수공예품 등

뜻	저개발국의 가난한 생산자가 만든 상품을 공정한 **❻** (으)로 사고파는 무역	❻ 가격
목적	노동에 대한 정당한 대가를 지불하는 것	
효과	• 생산자: 정당한 노동의 대가를 받고 쾌적한 환경에서 일함, 노동하는 아이들이 학교에 갈 수 있음 • 소비자: 저개발국 사람들을 직접 도움, 수익금이 빈곤 지원 사업에 사용됨, 친환경 제품을 구입할 수 있음	

기초 확인 문제

정답과 해설 **70쪽**

6 선진국과 저개발국에서 각각 상대적으로 높게 나타나는 발전 지표를 바르게 연결하시오.

(1) 선진국 •

(2) 저개발국 •

• ㉠ 문자 해독률
• ㉡ 영아 사망률
• ㉢ 인구 증가율
• ㉣ 자동차 보급률
• ㉤ 인간 개발 지수
• ㉥ 교사 1인당 학생 수
• ㉦ 1인당 국내 총생산

8 괄호 안의 내용 중 알맞은 말을 골라 ○표 하시오.

(1) 국제 연합 (난민 기구, 평화 유지군)은/는 분쟁 지역에 파견되어 질서를 유지하고 주민들의 안전을 지키기 위해 노력한다.

(2) 지구의 환경 보존, 평화 증진을 위해 활동하는 국제 비정부 기구는 (그린피스, 월드 비전)이다.

9 ㉠에 들어갈 알맞은 말을 쓰시오.

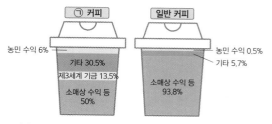

*기타는 운송료, 통관비, 인건비 등을 포함

(㉠) 커피를 구입하면 유통 단계를 줄여 생산자의 수익을 높이고 제3세계의 발전을 도울 수 있다.

㉠: ( )

7 A, B 국가군에서 각각 상대적으로 높게 나타나는 발전 지표를 〈보기〉에서 골라 쓰시오.

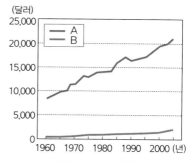

▲ A, B 국가군의 1인당 국내 총생산

┌ 보기 ┐
ㄱ. 기대 수명　　　ㄴ. 영아 사망률
ㄷ. 인구 증가율　　ㄹ. 교사 1인당 학생 수
ㅁ. 중·고등학교 진학률　ㅂ. 이동 전화 가입 건수
└────────────┘

(1) A 국가군: ( )

(2) B 국가군: ( )

10 (가), (나)와 같은 활동을 하는 국제기구를 〈보기〉에서 골라 쓰시오.

(가) 아동 구호 및 아동 복지 향상
(나) 기아와 빈곤으로 고통받는 지역에 식량 지원

┌ 보기 ┐
ㄱ. 세계 보건 기구　　ㄴ. 세계 식량 계획
ㄷ. 국제 사면 위원회　ㄹ. 국제 연합 아동 기금
└────────────┘

(가): ( )

(나): ( )

5_일 내신 기출 베스트

대표 예제 1

다음 글에 나타난 지역화 전략으로 가장 적절한 것은?

I ♥ NY

1970년대 중반, 미국의 뉴욕은 경기 침체가 심각
했다. 이에 정부는 뉴욕 시민의 자부심과 도시에 대
한 애정을 되살리고, 관광 산업을 중심으로 경기를
회복시키려 'I♥NY'을 만들었다. 다양한 기념품에
이를 활용하여 뉴욕은 세계의 명소로 성장했다.

① 도시 재생   ② 장소 마케팅
③ 생태 도시 조성   ④ 지역 브랜드 개발
⑤ 지리적 표시제 등록

🧭 **개념 가이드**

뉴욕의 'I♥NY', 평창의 'Happy ❶ ⬚ ', 하동의 '대한
민국 알프스 하동'은 지역 브랜드의 사례이다. 🔑 ❶ 700

대표 예제 2

다음 글의 빈칸에 들어갈 상품으로 옳은 것은?

전라남도 보성군은 연평균 기온이 약 13℃, 연 강
우량이 약 1,400mm이다. 생산 지역의 뛰어난 자연
환경과 생산 기술 덕분에 품질을 인정받은 보성
( )은/는 2002년에 우리나라의 지리적
표시 제1호로 등록되었다.

① 쌀   ② 감귤   ③ 녹차
④ 마늘   ⑤ 수박

🧭 **개념 가이드**

우리나라의 지리적 표시제에 등록된 상품에는 '보성 녹차', '횡성
한우', '순창 ❷ ⬚ ', '의성 마늘' 등이 있다. 🔑 ❷ 고추장

대표 예제 3

다음 빈칸에 들어갈 알맞은 말을 쓰시오.

남중국해는 무역
항로가 지나고 원유·
천연가스 등 해저에
지하자원이 매장돼
있어 (㉠)
가치가 뛰어나므로
이를 차지하기 위해
주변국들이 이 해역의 (㉡)을/를 주장
하고 있다.

㉠: ( )
㉡: ( )

🧭 **개념 가이드**

육상 자원이 고갈되고 해양 자원에 대한 관심이 높아지면서
❸ ⬚ 의 영유권을 둘러싼 갈등이 많아졌다. 🔑 ❸ 영해

대표 예제 4

지리적 문제에 관한 설명으로 옳지 않은 것은?

① 지역의 특성을 반영한다.
② 여러 요인이 복합되어 발생한다.
③ 인류의 삶이 풍요로워지면서 점차 사라지고 있다.
④ 지구촌의 모든 구성원이 함께 해결해 나가야 한다.
⑤ 기아 문제, 영토·영해 분쟁, 생물 다양성 감소 문
제 등이 있다.

🧭 **개념 가이드**

지리적 문제는 최근 ❹ ⬚ (으)로 지역 간 상호 작용이 활
발해지면서 여러 요인이 복합되어 나타나고 있다. 🔑 ❹ 세계화

대표 예제 **5**

다음 글에서 설명하는 용어를 쓰시오.

> 이 지표는 각 국가의 실질 국민 소득, 교육 수준, 기대 수명 등 인간의 삶과 관련된 경제적·비경제적 지표를 모두 고려한 것이다.

(   )

개념 가이드

인간 개발 지수(HDI)는 **❺** [   ] 뿐 아니라 문자 해독률 등 비경제 지표까지 고려한 발전 지표이다.   **답 ❺ 경제 지표**

대표 예제 **6**

다음은 해원이가 보고서 작성을 위해 수집한 자료이다. 빈칸에 들어갈 주제로 가장 적절한 것은?

> 〈사회 탐구 보고서〉
> • 주제: _____
> • 조사 항목
>   – 지역별 기대 수명
>   – 지역별 평균 교육 기간
>   – 지역별 1인당 국내 총생산

① 지역별 발전 수준의 차이

② 저개발국의 빈곤 극복 노력

③ 세계화 시대의 지역 내 경쟁

④ 발전 수준과 행복 지수와의 관계

⑤ 선진국과 저개발국의 경제 수준 비교

개념 가이드

지역별 발전 수준을 파악할 수 있는 평균 교육 기간, 문자 해독률, 영아 사망률 등은 **❻** [   ] 지표이다.   **답 ❻ 비경제**

대표 예제 **7**

지역 간 불평등을 완화하기 위한 노력으로 옳지 <u>않은</u> 것은?

① 저개발국은 적정 기술을 도입한다.

② 국제 협력단을 설립하여 저개발국을 원조한다.

③ 국제 연합이 지속 가능 발전 목표를 수립하였다.

④ 국가 간의 무한 경쟁을 통해 지구촌이 동등하게 발전하도록 한다.

⑤ 협동조합을 설립하여 어려운 사람들이 힘을 한데 모아 처지를 개선한다.

개념 가이드

경제 협력 개발 기구의 공적 개발 **❼** [   ] 은/는 선진국에서 저개발국의 경제 발전을 위해 돕는 것이다.   **답 ❼ 원조**

대표 예제 **8**

다음은 공정 무역에 관한 회의 장면이다. 사회자의 질문에 대한 A~E의 대답으로 옳지 <u>않은</u> 것은?

① A: 공정 무역으로 사회 정의에 부합하는 생산을 할 수 있습니다.

② B: 수익이 늘어 아이들을 학교에 보낼 수 있습니다.

③ C: 저렴한 가격으로 제품을 구매할 수 있습니다.

④ D: 공정 무역보다 일반 무역을 통해 더 큰 이윤을 얻을 수 있습니다.

⑤ E: 공정 무역 제품은 선택의 폭이 넓지 않습니다.

개념 가이드

공정 무역으로 상품을 구입하면 생산자의 수익을 높이고 제 **❽** [   ] 세계의 발전을 도울 수 있다.   **답 ❽ 3**

[01~02] 다음은 세계의 인구 분포를 나타낸 지도이다. 이를 보고 물음에 답하시오.

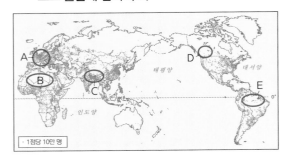

01 위 지도에 대한 설명으로 옳은 것을 〈보기〉에서 고르면?

┌─ 보기 ┐
ㄱ. 인구는 특정 지역에 집중하여 분포한다.
ㄴ. 가장 많은 인구가 사는 대륙은 아시아이다.
ㄷ. 적도 주변 지역은 인구 밀도가 매우 높은 편이다.
ㄹ. 해안 지역보다 산지 지역에 많은 사람이 모여 살고 있다.

① ㄱ, ㄴ   ② ㄱ, ㄷ   ③ ㄴ, ㄷ
④ ㄴ, ㄹ   ⑤ ㄷ, ㄹ

02 다음 (가), (나)에 해당하는 지역을 지도에서 골라 바르게 연결한 것은?

(가) 산업이 발달하여 일자리가 풍부하고, 각종 편의 시설이 잘 갖추어져 있어 인구가 밀집하였다.
(나) 너무 덥고 습한 기후 조건 때문에 농업과 인간 활동에 불리하여 인구가 희박하다.

(가)	(나)		(가)	(나)
①	A	B	②	A	E
③	B	C	④	C	D
⑤	D	E			

03 인구 분포에 영향을 미치는 요인을 바르게 짝지은 것은?

	자연적 요인	인문·사회적 요인
①	기후	정치
②	문화	지형
③	식생	토양
④	산업	기후
⑤	교육	교통

04 다음 내용에 공통으로 해당하는 인구 이동 유형은?

• 과거 중국인들이 동남아시아와 미국 등지로 이동했던 경우
• 오늘날 개발 도상국에서 선진국으로 일자리를 찾아 이동하는 경우

① 강제적 이동   ② 경제적 이동
③ 종교적 이동   ④ 정치적 이동
⑤ 환경적 이동

05 다음 사례와 관련된 선진국의 인구 문제는?

 생필품을 사러 나가기 어려운 사람들을 대상으로 한 이동 슈퍼마켓이 일본에서 인기몰이하고 있다.

① 성비 불균형   ② 저출산 현상
③ 고령화 현상   ④ 낮은 인구 부양력
⑤ 대도시 인구 과밀

06 다음은 도시에 대한 퀴즈이다. 답을 바르게 나열한 것은?

퀴즈	답
도시에 거주하는 사람들의 직업과 생활 모습이 다양하다.	(○, ×)
도시에는 적은 사람이 모여 살기 때문에 인구 밀도가 낮다.	(○, ×)
병원, 관공서 등 생활 편의 시설과 중심 기능이 집중되어 있다.	(○, ×)

① ○ - ○ - ○   ② ○ - × - ×   ③ ○ - × - ○
④ × - × - ○   ⑤ × - × - ×

07 다음 설명에 해당하는 도시로만 바르게 묶인 것은?

> 자본과 정보가 집중하여 세계 정치·경제 활동의 중심지 역할을 하는 도시이다.

① 뉴욕, 도쿄, 서울
② 키토, 라파스, 나이로비
③ 로마, 아테네, 이스탄불
④ 쿠리치바, 프라이부르크
⑤ 시드니, 나폴리, 싱가포르

08 다음 글의 밑줄 친 '이 지역'에서 볼 수 있는 모습으로 옳지 않은 것은?

> 서울 종로구의 한 초등학교는 한때 전교생이 5,000명에 가까웠으나, 이 지역에 거주하는 인구가 감소하면서 학생 수가 급감해 현재 전교생이 120명으로 축소되었다.

① 쇼핑하는 사람들로 붐비는 백화점 본점
② 대기업 본사의 고층 빌딩이 즐비한 모습
③ 낮에는 텅 비고 밤에는 꽉 찬 아파트 주차장
④ 출근 시간에 하차하는 사람들로 붐비는 지하철역
⑤ 민원 처리를 위해 기다리는 사람들로 붐비는 시청

09 다음 자료의 주제로 가장 적절한 것은?

▲ 베트남의 커피 생산량과 재배 면적 변화

베트남은 열대 기후 지역에 있는 대표적인 쌀 수출국이었다. 그러나 베트남은 1990년대부터 커피 생산을 꾸준히 확대하여, 2007년 커피 수출액이 쌀 수출액을 앞질렀으며, 2016년 현재 브라질에 이어 세계 2위의 커피 생산국이 되었다.

① 공정 무역의 확산
② 곡물 자급률 증가의 문제
③ 유전자 변형 농산물의 생산 증가
④ 자급적 농업 확대에 따른 재배 작물 변화
⑤ 기호 작물 수요 증가에 따른 토지 이용 변화

10 다음은 어느 의류 회사의 청바지 생산 과정을 나타낸 지도이다. 이에 대한 설명으로 옳지 않은 것은?

① 일본은 질 좋은 지퍼를 생산한다.
② 영국은 자본과 정보가 풍부한 곳이다.
③ 튀니지는 고급 인력이 풍부한 곳이다.
④ 나미비아는 원료 구매에 유리한 곳이다.
⑤ 이탈리아는 염색 기술이 발달한 곳이다.

6일

01 서비스업의 세계화에 대한 설명으로 옳은 것을 〈보기〉에서 고르면?

> 보기
> ㄱ. 서비스업의 규모가 축소되고 있다.
> ㄴ. 제조업과 달리 공간적 분산이 불가능하다.
> ㄷ. 유통, 교육 등 다양한 분야에서 진행되고 있다.
> ㄹ. 교통·통신 기술 발달, 다국적 기업의 활동이 그 배경이다.

① ㄱ, ㄴ   ② ㄱ, ㄷ   ③ ㄴ, ㄷ
④ ㄴ, ㄹ   ⑤ ㄷ, ㄹ

02 밑줄 친 ㉠~㉢에 대한 설명으로 옳지 <u>않은</u> 것은?

> 전 지구적 차원의 기후 변화를 해결하려면 ㉠ <u>개인적 노력</u>은 물론 ㉡ <u>국가적 노력</u>, ㉢ <u>국제 사회의 노력</u>이 함께 이루어져야 한다.

① ㉠ - 대중교통을 이용한다.
② ㉠ - 온실가스 배출권 거래제에 동참한다.
③ ㉡ - 탄소 성적 표지 제도를 시행한다.
④ ㉡ - 화석 연료를 대체하는 에너지를 개발한다.
⑤ ㉢ - 온실가스 배출량을 감축하기 위한 협약을 체결한다

03 환경 문제 유발 산업이 유입된 지역에서 나타나는 변화를 바르게 짝지은 것은?

	긍정적 변화	부정적 변화
①	경제 활성화	실업률 상승
②	일자리 창출	환경 오염 심화
③	환경 문제 해결	주민 건강 위협
④	주민 건강 위협	생산 비용 상승
⑤	생산 비용 절감	주민 소득 감소

04 다음은 미세 먼지의 이동 경로와 발생 원인을 나타낸 지도이다. 이에 대한 설명으로 옳지 <u>않은</u> 것은?

① 주로 자연적 요인에 의해 미세 먼지가 생성되고 있다.
② 미세 먼지의 발생은 국내외 요인이 복합적으로 작용한다.
③ 중국발 미세 먼지를 줄이기 위해 중국과 협조 체제를 만들어야 한다.
④ 미세 먼지는 바람을 타고 이동하기 때문에 주변 국가 간 논란이 발생할 수 있다.
⑤ 정부의 미세 먼지 대책은 화력 발전소와 공장 등을 규제하는 내용이 포함되어야 한다.

05 다음 지도의 A 지역에 대한 설명으로 옳지 <u>않은</u> 것은?

① 동해상에 위치한다.
② 화산 활동으로 형성된 섬이다.
③ 우리나라의 가장 동쪽에 위치한다.
④ 우리나라에서 해가 가장 빨리 뜨는 곳이다.
⑤ 우리나라의 울릉도보다 일본의 오키섬과 더 가깝다.

06 다음은 우리나라 영해에 관한 지도이다. 이에 대한 설명으로 옳은 것은?

① 독도의 영해 설정 기준은 직선 기선이다.
② 간척 사업으로 서해안의 영해 범위가 넓어졌다.
③ 우리나라의 영해 설정 기준은 모든 해안에서 같다.
④ 대한 해협의 경우에는 기선으로부터 3해리까지가 영해이다.
⑤ 해안선이 복잡한 황해와 남해에서는 통상 기선을 기준으로 영해를 설정한다.

07 다음 설명과 관련된 지역 브랜드는?

> 분단의 아픔을 경험한 도시로, 종전 이후 눈부신 경제 발전을 이뤘음에도 불구하고, 여전히 어둡고 부정적인 이미지를 가지고 있었다. 이러한 문제를 해결하기 위해 시 정부와 시민들이 지역 브랜드를 통해 관광객과 투자자들에게 도시에 대한 긍정적 이미지를 알리고자 했다.

①   ②

③  ④

⑤ I amsterdam

08 기아 문제에 대한 설명으로 옳은 것은?

① 인위적 요인에 의해서만 발생한다.
② 기술의 발달로 기아 문제는 거의 해결되었다.
③ 유럽, 북아메리카 대륙의 국가에서 발생률이 높다.
④ 개발 도상국의 인구 급증으로 곡물 수요가 증대되어 발생한다.
⑤ 식량 분배는 공평하게 이루어지지만, 식량 생산량이 부족하기 때문에 발생한다.

09 지역별 발전 수준과 발전 지표에 대한 설명으로 옳은 것을 〈보기〉에서 고르면?

┌ 보기 ─────────────────────
ㄱ. 발전 수준은 국가별로 다양하게 나타난다.
ㄴ. 행복 지수는 선진국에서만 높게 나타난다.
ㄷ. 발전 지표는 경제적 지표와 비경제적 지표로 구분된다.
ㄹ. 경제적 지표로는 기대 수명, 영아 사망률, 성불평등 지수 등이 있다.
└─────────────────────────

① ㄱ, ㄴ   ② ㄱ, ㄷ   ③ ㄴ, ㄷ
④ ㄴ, ㄹ   ⑤ ㄷ, ㄹ

6일

10 공적 개발 원조(ODA)에 대한 설명으로 옳지 않은 것은?

① 개발 원조 위원회(DAC)에서 주도한다.
② 저개발국의 빈곤 감소와 삶의 질 향상을 목적으로 한다.
③ 우리나라는 한국 국제 협력단을 통해 일정 금액을 지원받는다.
④ 적절하지 못한 원조는 해당 지역의 자립 토대를 무너뜨리기도 한다.
⑤ 우리나라는 원조를 받던 국가에서 다른 국가에 원조를 하는 국가로 바뀐 최초의 국가이다.

01 다음 지도의 A, B 지역 인구 분포의 특징을 자연환경과 관련지어 서술하시오.

_____

_____

_____

02 다음 공익 광고를 보고 물음에 답하시오.

(1) 공익 광고에 나타난 우리나라의 인구 문제 두 가지를 쓰시오.

_____

(2) (1) 인구 문제의 해결 방안을 각각 서술하시오.

_____

03 다음 〈놀이 방법〉에 따라 나온 최종 도착 지점을 〈회전판〉에서 찾아 쓰시오.

〈놀이 방법〉

• 〈보기〉의 내용이 옳으면 회전판의 바늘을 A 방향으로 세 칸, 옳지 않으면 B 방향으로 두 칸 이동시킨다.

• 〈보기〉 번호 순서대로 이동하고, 회전판 바늘은 ㉠부터 출발한다.

보기

1. 도시는 촌락과 비교하여 인구 밀도가 낮으며, 주민의 직업 구성이 1차 산업 위주이다.

2. 생태 도시는 자연과 인간이 조화롭게 공존하는 도시로, 독일의 프라이부르크, 브라질의 쿠리치바가 대표적이다.

3. 개발 제한 구역은 도시의 녹지 공간을 확보하기 위해 개발을 제한한 구역으로, 일반적으로 도시의 중심에 설정된다.

4. 접근성과 지가의 차이에 따라 도시 내부의 지역 분화가 일어나면, 상업·업무 기능은 주변 지역에 형성되고, 공업·주거 기능은 도심에 형성된다.

〈회전판〉

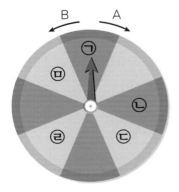

04 다음 자료를 보고 물음에 답하시오.

〈놀이 방법〉

· 놀이판의 〈시작〉 지점부터 출발한다.
· 놀이판에 제시된 내용이 옳은 내용이면 두 칸 앞으로 이동하고, 옳지 않은 내용이면 한 칸 앞으로 이동한다.
· ㉠~㉥ 중 한 지점에 도착하면 놀이가 종료된다.

〈놀이판〉

시작 ⇨	오늘날 전 세계를 대상으로 농산물의 생산 및 판매가 이루어지고 있다.	㉠		농업 생산의 세계화로 상품 작물의 재배 면적이 확대되고 있다.
				㉡
				초지가 발달한 넓은 목장에서 가축을 사육하는 기업적 목축이 확대되고 있다.
㉢	㉣	농업 생산이 기업화되면서 소규모 작물 재배 방식이 증가하고 있다.		㉤

(1) 〈놀이 방법〉에 따라 놀이를 진행한 후 나온 최종 도착 지점의 기호를 쓰시오.

(2) 밑줄 친 '농업 생산의 세계화'가 나타난 배경을 서술하시오.

05 다음 도시화 그래프를 보고 물음에 답하시오.

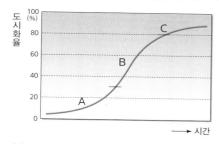

(1) A~C 단계의 명칭을 쓰시오.

(2) B 단계에서 도시화율이 급격하게 증가한 이유를 서술하시오.

6일

06 다음은 어느 다국적 기업의 생산 공장 이전 과정을 나타낸 지도이다. 이 기업이 생산 공장을 이전한 목적을 서술하시오.

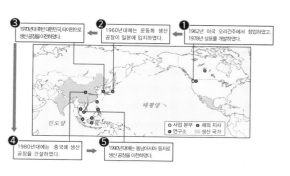

07 환경 문제 유발 산업의 이전이 유입 지역에 미치는 긍정적·부정적 영향을 각각 서술하시오.

(1) 긍정적 영향

(2) 부정적 영향

08 다음 글을 읽고 물음에 답하시오.

> (   )은/는 음식 재료가 산지에서 식탁에 오르기까지의 수송 거리를 의미한다. 최근에는 이를 줄이기 위해 로컬 푸드 운동이 일고 있다.

(1) 빈칸에 들어갈 알맞은 말을 쓰시오.

(2) 밑줄 친 로컬 푸드 운동의 의미와 그 영향을 서술하시오.

09 다음 글을 읽고, 물음에 답하시오.

> ㉠ 어떤 생물의 유전자 중 유용한 유전자를 다른 생물체의 유전자와 결합하여 특정 목적에 맞도록 변형시킨 농산물을 ㉡ 긍정적으로 보는 입장과 ㉢ 부정적으로 보는 입장이 공존하고 있다.

(1) ㉠에 해당하는 용어를 쓰시오.

(2) ㉡과 ㉢의 주장을 뒷받침하는 근거를 각각 한 가지씩 서술하시오.

10 다음 지도에서 A 지역의 영해 범위가 다른 지역과 차이 나는 이유를 서술하시오.

11 다음 자료를 보고 물음에 답하시오.

▲ 보령 머드 축제

▲ 함평 나비 축제

(1) 두 축제와 관련된 지역화 전략을 쓰시오.

_____

(2) (1) 지역화 전략의 의미와 효과를 서술하시오.

_____

_____

_____

12 다음 지도의 A 지역의 명칭을 쓰고, 이 지역에서 일어나고 있는 분쟁의 원인을 서술하시오.

_____

_____

_____

13 다음 〈낱말 퀴즈〉를 보고 물음에 답하시오.

〈낱말 퀴즈〉

[퀴즈 방식]
• 다음 설명에 해당하는 낱말을 아래 글자판에서 차례대로 지운다.
• 모든 퀴즈를 푼 후 남은 글자를 조합하여 단어를 만든다.

설명 1 국내 총생산 등 경제적 지표뿐만 아니라 기대 수명, 교육 기간 등 비경제적 지표까지 모두 고려한 발전 지표

설명 2 보건, 위생 분야에서 국제적 협력과 지원을 주도하고 있는 국제기구

설명 3 지구의 환경 보존 및 세계 평화 유지를 위해 활동하고 있는 국제 비정부 기구

〈글자판〉

인	그	기	수	정
계	역	간	피	건
스	발	공	지	구
보	린	세	무	개

(1) 남은 글자를 조합하여 만들 수 있는 단어를 쓰시오.

_____

(2) (1)의 의미를 서술하시오.

_____

_____

01 밑줄 친 ㉠~㉤에 대한 설명으로 옳지 **않은** 것은?

> 인구 분포에 영향을 주는 요인에는 ㉠ 자연적 요인과 ㉡ 인문·사회적 요인이 있다. ㉢ 과거의 인구 분포는 자연적 요인의 영향을 많이 받았지만, ㉣ 최근에는 인문·사회적 요인의 영향을 더 많이 받게 되었다. 과학 기술이 발달하면서 사람들은 ㉤ 거주에 불리한 자연환경을 극복하고 거주 지역을 확대하고 있다.

① ㉠ – 기후, 지형, 토양 등이 있다.

② ㉡ – 정치, 교육, 문화, 교통, 경제 등이 있다.

③ ㉢ – 냉대 및 온대 기후 지역은 인구 밀집 지역, 건조 기후 지역은 인구 희박 지역이다.

④ ㉣ – 산업 혁명 이후 일자리가 풍부한 지역으로 인구가 밀집하였다.

⑤ ㉤ – 미국 북동부, 일본 태평양 연안 등은 새로운 거주 지역이 되었다.

02 지도에 나타난 A~E 인구 이동에 대한 설명으로 옳지 **않은** 것은?

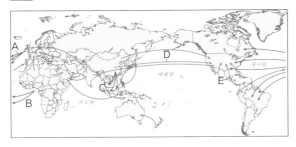

① A는 신항로 개척 이후 유럽인의 이동이다.

② B는 강제적 이동이다.

③ C의 이동으로 난민 문제가 발생하였다.

④ D는 이동 유형 측면에서 아메리카 대륙의 히스패닉 이동과 유사하다.

⑤ E는 경제적 이동이다.

03 고령화가 급격히 진행되는 나라에서 나타나는 현상으로 옳은 것은?

① 노인 복지 비용이 감소한다.

② 심각한 기아 문제가 발생한다.

③ 일자리 부족으로 실업률이 매우 높다.

④ 경제 활동 인구가 늘어나 국가 경쟁력이 강화된다.

⑤ 노동력이 부족하여 외국인 근로자를 받아들이려 한다.

04 개발 도상국의 인구 문제로 옳은 것을 〈보기〉에서 고르면?

> **보기**
> ㄱ. 인구의 고령화　　　ㄴ. 출생아 수 감소
> ㄷ. 급속한 인구 증가　　ㄹ. 식량 및 자원 부족

① ㄱ, ㄴ　　　② ㄱ, ㄹ　　　③ ㄴ, ㄷ

④ ㄴ, ㄹ　　　⑤ ㄷ, ㄹ

05 지도의 (가)~(라) 도시에 대한 설명 중 옳은 것은?

① (가)는 런던, (나)는 나이로비, (다)는 도쿄, (라)는 뉴욕이다.

② (가)는 자연과 인간이 공존하는 생태 도시이다.

③ (나)는 세계 경제 활동의 중심지이다.

④ (다)는 적도 부근의 고원에 위치해 무덥다.

⑤ (라)는 중세 시대의 역사 유적을 간직한 도시이다.

06 A 지역의 특징적인 경관으로 가장 적절한 것은?

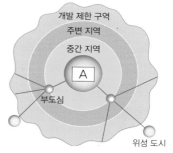

개발 제한 구역
주변 지역
중간 지역
A
부도심
위성 도시

①    ②

③    ④

⑤

07 도시 내부의 지가 분포에 대한 설명으로 옳은 것을 〈보기〉에서 모두 고르면?

┌ 보기 ┐
ㄱ. 도심에서 멀어질수록 접근성이 낮아지면서 지가도 낮아진다.
ㄴ. 도심은 도시 대부분의 지역에서 쉽게 접근할 수 있어 지가가 높다.
ㄷ. 도심은 지가가 높아 땅을 효율적으로 이용하기 위해 고층 건물이 밀집되어 들어선다.
ㄹ. 부도심은 상업 기능이 발달하여 주변 지역보다 지가가 높다.
└─────────────┘

① ㄱ, ㄷ   ② ㄱ, ㄹ   ③ ㄴ, ㄷ
④ ㄴ, ㄷ, ㄹ   ⑤ ㄱ, ㄴ, ㄷ, ㄹ

08 선진국과 개발 도상국의 도시화에 대한 설명으로 옳지 않은 것은?

① 선진국의 도시화는 짧은 시간 동안 진행됐다.
② 개발 도상국의 도시는 각종 시설과 주택이 부족한 경우가 많다.
③ 오늘날 선진국은 역도시화로 대도시의 인구가 점차 감소하고 있다.
④ 선진국은 도시화가 오랜 기간 진행되어 도심 부근의 건물이 노후됐다.
⑤ 개발 도상국의 도시화는 제2차 세계 대전 이후 단기간에 급속히 진행됐다.

09 ㉠, ㉡에 대해 바르게 설명한 학생을 〈보기〉에서 모두 고르면?

┌─────────────────────────────┐
미국에서는 ㉠ 대규모 농장에서 대형 농기계와 비행기를 이용하여 밀을 재배한다. 세계적 기업들은 이 방식을 확대해 아시아, 아프리카 지역에도 진출하여 ㉡ 바나나, 커피 등을 재배한다.
└─────────────────────────────┘

┌ 보기 ┐
우리: ㉠으로 밀의 생산 비용이 높아져.
나라: ㉠은 기업화된 농업을 보여 주고 있어.
대한: ㉡은 플랜테이션의 형태로 재배되고 있어.
민국: ㉡은 상품 작물로 최근 전 세계적으로 수요가 증가하고 있어.
└─────────────────────────────┘

① 우리, 나라   ② 우리, 대한
③ 나라, 대한   ④ 우리, 대한, 민국
⑤ 나라, 대한, 민국

10 다음 글의 빈칸에 들어갈 내용으로 가장 적절한 것은?

> 1960년대 우리나라 경제 성장에 기여했던 구로 공업 단지의 기업들이 생산비 절감을 위해 중국 등으로 생산 공장을 대거 이전했다. 그 결과 구로 공업 단지는 _____

① 산업 공동화 현상이 발생하였다.
② 자본이 유입되고 일자리가 증가하였다.
③ 고급 인력이 유입되어 인구가 증가하였다.
④ 유해 물질로 인한 환경 오염이 심각해졌다.
⑤ 금융 지원을 받아 지역 경제가 활성화되었다.

11 해외 직접 구매 방식에 대한 설명으로 옳지 <u>않은</u> 것은?

① 이 방식 때문에 배송 산업이 발전할 수 있다.
② 소비자는 국내에 없는 물건을 구입할 수 있다.
③ 인터넷과 정보 기기를 통해 범위가 확대되었다.
④ 상품을 판매하는 현지에는 새 일자리가 생긴다.
⑤ 해외 상품과 비슷한 상품을 판매하는 국내 기업의 생산이 활성화된다.

12 밑줄 친 ㉠, ㉡에 대한 설명으로 옳지 <u>않은</u> 것은?

> 기후 변화 문제를 해결하려면 ㉠ 개인적 노력 은 물론 ㉡ 국가나 지역 차원의 노력, 국제 사회 의 노력 등이 필요하다.

① ㉠ – 가급적 친환경 제품을 사용한다.
② ㉠ – 친환경 기술 개발로 녹색 성장을 실현한다.
③ ㉡ – 관련 국제 협약을 체결한다.
④ ㉡ – 온실가스 배출량 감축 정책을 시행한다.
⑤ ㉡ – 다양한 홍보 활동으로 기후 문제에 대한 사람들의 환경 의식을 높인다.

13 로컬 푸드 운동을 통해 얻을 수 있는 효과를 바르게 이야기한 학생을 〈보기〉에서 고르면?

> ┌ 보기 ┐
> 은호: 먹거리의 안전성이 낮아져요.
> 정우: 지역 농민이 안정적인 소득을 얻어요.
> 지호: 온실가스의 배출량이 늘어날 거예요.
> 나정: 건강하고 신선한 식재료를 얻을 수 있어요.

① 은호, 정우   ② 은호, 지호   ③ 정우, 지호
④ 정우, 나정   ⑤ 지호, 나정

14 다음 설명이 가리키는 범위로 옳은 것은?

> • 국민의 삶의 터전이 되는 땅
> • 간척이나 해수면 상승 등으로 면적 변화 가능
> • 우리나라의 경우 지속적으로 확대 중

① 공해   ② 영공   ③ 영토
④ 영해   ⑤ 배타적 경제 수역

15 다음 사진에 해당하는 섬에 대한 설명으로 옳지 <u>않은</u> 것은?

① 우리나라 영해의 동쪽 끝을 확정해 준다.
② 다양한 화산 지형과 지질 경관이 나타난다.
③ 토양이 비옥해 동식물이 자라기에 유리하다.
④ 태평양을 향한 해상 및 항공 교통의 중요한 지점 이다.
⑤ 어족 자원이 풍부하고 메탄 하이드레이트가 매장 되어 있다.

16 다음은 전라남도 함평군의 지역화 전략이다. 이에 대한 설명으로 옳지 <u>않은</u> 것은?

> 전라남도 함평군은 농가 인구의 감소와 고령화로 침체된 농촌 지역이었다. 그러나 함평군은 세계 최초로 아름답고 깨끗한 자연의 상징인 나비와 꽃을 소재로 삼아 나비 축제를 개최하여 생명력 넘치는 지역으로 변화를 꾀하였다. 함평 나비 축제는 매년 4~5월 사이에 열려 많은 관광객을 유치하고 있다.

① 성공한 지리적 표시제의 사례이다.
② 함평군의 지역 경제가 활성화될 것이다.
③ 나비 축제는 관광 산업의 활성화로 이어질 것이다.
④ 친환경적인 지역 이미지를 구축할 수 있을 것이다.
⑤ 함평군에서 생산되는 농산물의 판매량에 영향을 미칠 것이다.

17 지도와 같은 기아 문제가 발생하는 원인이 <u>아닌</u> 것은?

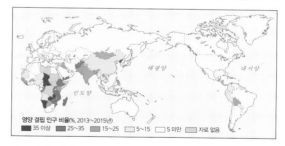

① 이상 기후로 식량 생산량이 줄어들기 때문이다.
② 식량 작물이 다른 용도로 소비되고 있기 때문이다.
③ 잦은 전쟁이 지속되면서 농사를 지을 수가 없기 때문이다.
④ 개발 도상국의 인구 급증으로 곡물 수요가 증대되고 있기 때문이다.
⑤ 식량 분배는 공평하게 이루어지지만 식량 생산량이 부족하기 때문이다.

18 지구상에서 발생하고 있는 영역 분쟁에 대한 설명으로 옳은 것은?

① 팔레스타인 분쟁은 종교와 관련한 분쟁이다.
② 영역 갈등은 주로 하나의 원인 때문에 발생한다.
③ 영역 문제는 도덕 문제가 원인이 되는 경우가 많다.
④ 종교적·문화적 특성이 다른 민족이 함께 거주하는 경우에는 거의 발생하지 않는다.
⑤ 자국의 의사에 따라 국경선이 결정되어 민족 분포와 국경선이 같은 경우에도 발생한다.

19 빈곤을 극복하기 위한 저개발 지역의 노력으로 적절하지 <u>않은</u> 것은?

① 경제 협력 체제를 만든다.
② 적정 기술을 도입해 사용한다.
③ 선진국의 지원에 주로 의존한다.
④ 지역 주민들의 협력과 연대를 늘린다.
⑤ 국가의 육성 산업에서 생산한 상품을 판매하여 얻은 이익을 국내에 재투자한다.

20 괄호 안에 들어갈 알맞은 국제기구는?

> (   )은/는 지구상의 모든 생명이 번영 및 공존하는 것을 추구하며 1971년 설립되었다. 시위를 하는 등 비폭력적 행동을 통해 환경 파괴 현장을 고발하는 데 앞장서고 있다.

① 옥스팜 ② 그린피스
③ 세계 보건 기구 ④ 국경 없는 의사회
⑤ 국제 연합 난민 기구

7일

01 다음 그래프에 대한 설명으로 옳은 것은?

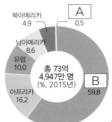

북아메리카 4.9
A 0.5
남아메리카 8.6
유럽 10.0
아프리카 16.2
총 73억 4,947만 명 (%, 2015년)
B 59.8

◀ 대륙별 인구 분포

① A 대륙에 가장 많은 인구가 거주한다.
② A 대륙은 중국과 인도를 포함하고 있다.
③ B 대륙은 대부분 건조 기후가 나타난다.
④ B 대륙 중 벼농사 발달 지역에 인구가 밀집한다.
⑤ 세계의 인구는 대륙별로 균등하게 분포되어 있다.

02 (가), (나) 시기 인구 이동에 관한 설명 중 옳지 <u>않은</u> 것은?

(가)

(나)

① (가) 시기에는 대도시에 인구가 모였다.
② (가) 시기는 산업화가 급히 이루어진 시기이다.
③ (가) 시기에는 이촌 향도 현상이 활발하게 나타났다.
④ (나) 시기 이후 대부분의 인구가 농촌에 살게 되었다.
⑤ (나) 시기에는 대도시의 인구가 주변 지역으로 분산되었다.

03 다음 그래프에 대한 설명 및 추론으로 옳은 것은?

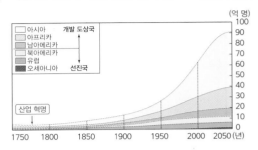

아시아
아프리카   개발 도상국
남아메리카
북아메리카
유럽
오세아니아   선진국

산업 혁명

(억 명)
100
90
80
70
60
50
40
30
20
10
0

1750 1800 1850 1900 1950 2000 2050 (년)

① 선진국은 인구가 급격하게 성장했다.
② 경제가 발전할수록 인구 부양력은 낮아진다.
③ 사망률이 낮아지면서 전체 인구가 감소했다.
④ 개발 도상국은 완만한 인구 성장이 나타난다.
⑤ 세계 인구는 산업 혁명 이후 빠르게 증가했다.

04 저출산 문제의 해결 대책을 〈보기〉에서 고르면?

┌─ 보기
ㄱ. 보육 시설 확충   ㄴ. 노인 일자리 창출
ㄷ. 양육비 지원 축소   ㄹ. 출산 장려금 지급

① ㄱ, ㄴ   ② ㄱ, ㄹ   ③ ㄴ, ㄷ   ④ ㄴ, ㄹ   ⑤ ㄷ, ㄹ

05 (가), (나) 지역을 비교한 내용으로 옳은 것을 〈보기〉에서 고르면?

(가)

(나)

┌─ 보기
ㄱ. (가)는 (나)보다 토지 이용이 집약적이다.
ㄴ. (가)는 (나)보다 사람들의 직업이 단순하다.
ㄷ. (나)는 (가)보다 고층 건물이 많다.
ㄹ. (나)는 (가)보다 인구 밀집도가 낮다.

① ㄱ, ㄴ   ② ㄱ, ㄹ   ③ ㄴ, ㄷ   ④ ㄴ, ㄹ   ⑤ ㄷ, ㄹ

06 도시화가 진행되면 나타나는 현상으로 옳은 것은?

① 도시적 생활 양식이 축소된다.

② 도시화가 진행되는 지역은 인구 유입이 늘어난다.

③ 역도시화 현상이 일어나면 도시 인구가 감소한다.

④ 주민의 경제 활동이 1차 산업 위주로 변화하게 된다.

⑤ 도시 수가 감소하거나 도시에 거주하는 인구의 비율이 낮아진다.

08 세 나라의 도시화율을 나타낸 그래프이다. 이에 대한 설명으로 옳지 않은 것은?

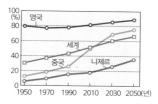

① 영국은 도시화의 종착 단계에 있다.

② 중국은 1950년대에 도시화 초기 단계였다.

③ 현재 세계 인구의 절반 이상이 도시에 거주한다.

④ 니제르의 도시화는 매우 빠른 속도로 진행되고 있다.

⑤ 도시화로 인한 도시 문제는 선진국보다 개발 도상국에서 두드러질 것이다.

09 ㉠의 배경에 대한 설명으로 옳지 않은 것은?

> 오늘날 한국에 사는 우리가 즐겨 먹는 먹거리의 대부분은 외국에서 온 것이다. 이는 ㉠농업의 세계화 때문이다.

① 교통과 통신의 발달

② 세계 무역 기구의 출범

③ 자유 무역의 축소로 국제 교역량 감소

④ 생활 수준 향상과 다양한 농산물의 수요 증가

⑤ 농산물을 생산·유통하는 다국적 기업의 등장

07 다음은 국가별 도시화율을 나타낸 지도이다. 이에 대한 설명으로 옳은 것을 〈보기〉에서 고르면?

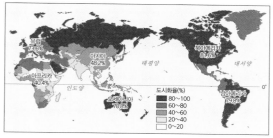

┌ 보기 ┐

ㄱ. 선진국은 도시화율이 높은 편이다.

ㄴ. 대부분의 개발 도상국은 도시화율이 높다.

ㄷ. 유럽, 오세아니아 대륙의 도시화율은 높은 편이다.

ㄹ. 도시화율이 가장 높은 대륙은 유럽이고, 가장 낮은 대륙은 아시아이다.

① ㄱ, ㄴ   ② ㄱ, ㄷ   ③ ㄴ, ㄷ

④ ㄴ, ㄹ   ⑤ ㄷ, ㄹ

10 다국적 기업의 생산 공장이 들어서는 지역에서 나타나는 변화로 적절한 것은?

① 자본이 유입된다.

② 실업자가 증가한다.

③ 관련 산업이 침체된다.

④ 산업 공동화 현상이 나타난다.

⑤ 지역 주민들의 소득이 급격하게 감소한다.

7일

11 다음 평가 주제에 대한 답변으로 옳지 <u>않은</u> 것은?

> 〈수행 평가 주제〉
> 관광의 세계화에 따라 외국인 관광객 수가 증가하면 어떤 변화가 나타나게 될까?

① 쇼핑 공간, 각종 편의 시설이 늘어난다.
② 인기 관광지의 환경과 생태계가 보호된다.
③ 관광 통역 안내사 등의 직종이 주목받는다.
④ 지역의 특성을 살린 관광지가 인기를 얻는다.
⑤ 음악, 영화 등을 활용한 체험 관광이 발달한다.

12 다음은 파리 기후 변화 협정에 참석한 당사국의 회의 내용이다. ㉠~㉤ 중 적절하지 <u>않은</u> 것은?

> **의장:** 기후 변화 문제는 ㉠ <u>전 세계 모든 국가가 함께 해결해야 할 문제</u>이다. 기후 변화 문제에 대한 각국의 의견을 발표해 보자.
> **A국(선진국) 대표:** ㉡ <u>우리나라는 오랜 산업화를 거치면서 온실가스 배출의 위험성을 심각하게 인식했다.</u> ㉢ <u>지난 교토 의정서에서 부여된 감축 의무를 성실하게 이행하고 있다.</u>
> **B국(개발 도상국) 대표:** ㉣ <u>우리나라는 최근 산업화가 급속히 진행 중이다. 이런 상황에서 온실가스 배출은 불가피한 일이다.</u> 이번 ㉤ <u>파리 협정 이후에도 개발 도상국들은 온실가스 감축 대상에서 제외된다</u>고 하니 다행이다.

① ㉠   ② ㉡   ③ ㉢   ④ ㉣   ⑤ ㉤

13 로컬 푸드에 대한 설명으로 옳은 것은?
① 방부제를 사용한다.
② 푸드 마일리지가 높다.
③ 신선해서 먹거리의 안전성이 높다.
④ 이동 과정에서 많은 온실가스가 배출된다.
⑤ 우리나라 지역 경제 활성화에 도움이 되지 않는다.

14 다음 글의 미세 먼지 문제를 해결하기 위한 방법으로 적절한 것은?

> 미세 먼지는 주로 화석 연료를 태울 때 생기는 매연, 자동차의 배기 가스 등 인위적 요인에 의해 생성된다. 미세 먼지는 입자가 매우 작아 바람을 타고 이동하기 때문에, 해결 방안을 두고도 이해 당사자 간 입장 차이가 크며 갈등이 발생한다.

① 대체 에너지 개발을 줄여야 한다.
② 환경 단체만의 노력으로 해결한다.
③ 개인은 자동차 대신 자전거를 이용한다.
④ 국제적인 협력은 큰 도움이 되지 않는다.
⑤ 화력 발전을 통한 전기 생산을 장려해야 한다.

15 지도의 빗금 친 영역에 대한 설명으로 옳은 것은?

① 타국의 선박이 자유롭게 통행할 수 있다.
② 우리나라의 주권이 미치지 못하는 범위이다.
③ 황해와 남해는 통상 기선으로부터 3해리까지 적용된다.
④ 대한 해협은 직선 기선으로부터 12해리까지 적용된다.
⑤ 동해안은 썰물 때의 해안선으로부터 12해리까지 적용된다.

16 빈칸에 들어갈 내용으로 적절하지 <u>않은</u> 것은?

[지리 탐구 계획서]

소중한 우리 땅, 독도

• **개요:** 우리나라는 오래전부터 우리 땅이었던 독도에 대해 영토 주권을 확고히 행사했고 이를 알리고자 많은 노력을 기울였다. 이러한 움직임은 정부뿐만 아니라 개인이나 민간단체의 활동으로 활발히 나타나고 있다.

• **조사 내용:** ＿＿＿＿＿＿＿＿＿＿＿＿

① 독도 문화 대축제

② 독도 경비대의 활동

③ 다케시마의 날 지정 활동

④ 사이버 외교 사절단 반크의 활동

⑤ 동북아 역사 재단 독도 연구소의 활동

17 지리적 표시제에 대한 설명으로 옳은 것을 〈보기〉에서 고르면?

┌ 보기 ┐

ㄱ. 해당 지역의 상품이 아닌 경우에도 그 지역명을 사용할 수 있다.

ㄴ. 농산품의 홍보 효과는 높지만 경제적 효과는 거의 기대하기 어렵다.

ㄷ. 농산품에 대한 정보를 제공하여 소비자들의 알 권리를 충족해 준다.

ㄹ. 지리적 표시제를 활용하는 생산자의 안정적인 농업 활동을 보장해 준다.

① ㄱ, ㄴ   ② ㄱ, ㄷ   ③ ㄴ, ㄷ

④ ㄴ, ㄹ   ⑤ ㄷ, ㄹ

18 (가), (나)는 영토와 영해를 둘러싼 갈등의 원인이다. 다음 중 옳은 것은?

(가) 국경선 설정이 모호한 경우
(나) 자원 확보 경쟁을 벌이는 경우

① 카슈미르 분쟁은 (가)의 사례이다.

② 카슈미르 분쟁은 (나)의 사례이다.

③ 난사 군도 분쟁은 (가)의 사례이다.

④ 난사 군도 분쟁은 (나)의 사례이다.

⑤ 에티오피아와 주변국 간의 분쟁은 (나)의 사례이다.

19 다음 지도에 대한 설명으로 옳지 <u>않은</u> 것은?

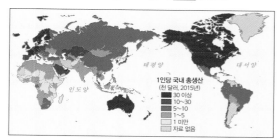

① 주로 북반구에 위치한 국가들의 소득이 높다.

② 저개발국은 아프리카와 남아시아에 집중된다.

③ 경제력 차이는 오직 국가의 위치에서 비롯된다.

④ 선진국과 저개발국 간의 경제적 격차가 나타난다.

⑤ 기대 수명도 1인당 국내 총생산과 비슷한 경향으로 나타날 것이다.

20 다음 중 기구와 그 역할을 바르게 연결한 것은?

① 옥스팜 – 보건 분야의 국제적 협력

② 세계 보건 기구 – 난민 보호 및 문제 해결

③ 세계 식량 기구 – 긴급 구호 및 지역 개발

④ 국경 없는 의사회 – 민간 차원의 의료 구호

⑤ 국제 연합 난민 기구 – 빈곤 지역 아동 구호

7일

정답과 해설

1일 세계의 인구 분포 ~개발 도상국의 인구 문제

기초 확인 문제 | 9, 11쪽

1 (1) 북반구 (2) 중위도 (3) 아시아   **2** (1) ㄴ, ㄹ, ㅂ (2) ㄱ, ㄷ, ㅁ   **3** (1) 밀 (2) 희 (3) 희 (4) 밀   **4** (1) 흡인 (2) 배출 (3) 아프리카 (4) 경제적   **5** 이촌 향도 현상   **6** (1) ㄷ (2) ㄱ (3) ㄴ   **7** ㉠ 산업 혁명 ㉡ 개발 도상국   **8** (1) 노동력 (2) 출산 장려 (3) 평균 수명   **9** ㉠ 저출산 ㉡ 고령화   **10** (1) 출생률 (2) 성비 (3) 이촌 향도

내신 기출 베스트 | 12~13쪽

1 ③   **2** ⑤   **3** ④   **4** ③   **5** ⑤   **6** ③   **7** ⑤   **8** ②

1 세계의 인구 분포

세계 인구는 지구상에 고르게 분포하지 않고 특정 지역에 집중되어 있다. 세계 인구의 대부분은 육지 면적이 넓은 북반구에 분포하며, 기후가 온화한 북위 20°~40° 중위도 지역에 특히 밀집하고 있다. 대륙별로는 아시아 지역에 가장 많은 인구가 분포한다.

선택지 바로 보기

ㄱ. 남반구에 세계 인구의 90% 이상 분포한다. (×)
→ 세계 인구의 대부분은 육지 면적이 넓은 북반구에 분포하고 있다.
ㄴ. 아시아에 세계 인구의 60% 이상이 분포한다. (○)
ㄷ. 기후가 온화한 북위 중위도 지역에 주로 분포한다. (○)
ㄹ. 세계 인구는 대체로 지역별로 균등하게 분포한다. (×)
→ 전 세계의 인구는 특정 지역에 집중하여 분포한다.

2 인구 분포에 영향을 미치는 요인

인구 분포에 영향을 미치는 요인으로는 기후, 지형, 식생, 토양 등의 자연적 요인과 정치, 경제, 문화, 산업, 교육, 교통, 역사 등의 인문·사회적 요인이 있다. 따라서 ①, ②, ③, ④는 인문·사회적 요인에 해당하며, ⑤는 자연적 요인에 해당한다.

3 인구 이동의 요인

인구 이동의 배출 요인은 인구를 다른 지역으로 밀어내는 요인을 의미한다. 풍부한 일자리와 쾌적한 주거 환경은 인구의 흡인 요인이며, 빈곤, 낮은 임금, 분쟁과 전쟁은 인구의 배출 요인에 해당한다.

4 인구 이동의 유형

자료는 일자리를 찾아 미국으로 이동한 화교(중국인)들이 조성한 차이나타운으로, 이와 같은 인구 이동은 자발적 이동이자 경제적 이동에 해당한다.

5 세계의 인구 변화

세계의 인구는 오랜 기간 서서히 증가하다가 산업 혁명 이후 급격히 증가하였다. 특히 제2차 세계 대전 이후 생활 수준이 향상되고 의학 기술이 발달하면서 개발 도상국의 인구가 폭발적으로 증가하고 있다.

선택지 바로 보기

① 현재 세계의 인구는 감소하고 있다. (×)
→ 제2차 세계 대전 이후 의학·과학의 발달과 생활 수준의 향상으로 인구가 증가하고 있다.
② 선진국은 과도하게 높은 출산율로 어려움을 겪고 있다. (×)
→ 선진국은 출생률이 낮아 인구 증가 속도가 완만하거나 정체되어 있다.
③ 제2차 세계 대전 이후 선진국의 인구가 급증하고 있다. (×)
→ 제2차 세계 대전 이후 선진국의 인구는 완만히 증가하는 반면, 개발 도상국의 인구가 급증하고 있다.
④ 개발 도상국에서는 인구의 정체 또는 감소 현상이 나타나고 있다. (×)
→ 개발 도상국은 출생률은 높고 사망률은 낮아 인구가 폭발적으로 증가하고 있다.
⑤ 개발 도상국은 생활 수준이 향상되고 의학 기술이 발달하면서 인구가 급격히 늘어나고 있다. (○)

6 국가별 합계 출산율

합계 출산율은 한 여성이 평생 출산하는 평균 자녀 수를 의미한다. 선진국의 합계 출산율은 세계 평균보다 낮은

편이며, 개발 도상국의 합계 출산율은 세계 평균보다 높은 편이다. 선진국 일본은 합계 출산율이 낮아 유소년층 인구가 전체 인구에서 차지하는 비율이 낮을 것이다.

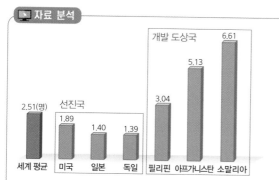

> **📺 자료 분석**

▲ 주요 국가의 합계 출산율(2010~2015년)

개발 도상국의 합계 출산율은 세계 평균보다 높고, 선진국의 합계 출산율보다 낮은 편이다. 따라서 현재 개발 도상국은 선진국보다 인구 증가율이 높다.

7 선진국의 인구 문제

선진국은 저출산·고령화 현상으로 노동력 부족 문제가 심각하고 노인 부양 부담이 증가하고 있다. 선진국은 저출산 현상에 대한 대책으로 출산 장려 정책을 시행하고 있다. 출산 억제 정책은 인구 급증 문제에 대한 개발 도상국의 대책이다.

> **더 알아보기** 선진국의 인구 문제와 대책
>
> | 저출산 | • 문제점: 인구 정체 및 감소, 노동력 부족 → 경제 성장 둔화
• 대책: 출산 장려금 지원, 자녀 양육비 지원, 양성평등 문화 확산 등 |
> | --- | --- |
> | 고령화 | • 문제점: 노인 부양비 증가, 노인 소외 및 세대 간 갈등 발생
• 대책: 노인 복지 정책 시행, 노인 일자리 창출 등 |

8 개발 도상국의 인구 문제

개발 도상국에서는 인구 급증으로 인해 기아, 빈곤, 실업 등의 문제가 발생하고 있다. 이에 대한 대책으로 출산 억제 정책 시행, 경제 성장을 통한 인구 부양력 증대가 필요하다.

2일 도시의 의미와 특징 ~선진국과 개발 도상국의 도시 문제

> **기초 확인 문제** | 17, 19쪽

1 ㉠ 2·3차 산업 ㉡ 농경지 **2** (1) ㄹ (2) ㄷ (3) ㄴ (4) ㄱ
3 ㉠ 도심 ㉡ 개발 제한 구역 ㉢ 위성 도시 **4** (1) 도심
(2) 분담 (3) 공업·주거 **5** 개발 제한 구역 **6** 도시화
7 (1) 증가, 확대 (2) 공업과 서비스업 **8** ㉠ S자 ㉡ 종착
9 (1) ㄷ (2) ㄱ (3) ㄴ **10** ㉠ 선진국 ㉡ 개발 도상국

> **내신 기출 베스트** | 20~21쪽

1 ② **2** ⑤ **3** ③ **4** ② **5** ③ **6** ②
7 ② **8** ①

1 도시의 특징

도시는 인구 밀도가 높기 때문에 좁은 면적을 효율적으로 사용하기 위해 토지 이용이 매우 집약적으로 이루어진다.

> **선택지 바로 보기**
>
> ① 인구 밀도가 낮다. (×)
> → 상대적으로 좁은 지역에 많은 사람이 모여 살기 때문에 인구 밀도가 높다.
> ② 토지를 집약적으로 이용한다. (○)
> ③ 주민들의 직업 구성이 단순하다. (×)
> → 2·3차 산업이 발달했기 때문에 주민들의 직업과 생활 모습이 다양하다.
> ④ 각종 생활 편의 시설과 기능이 부족하다. (×)
> → 병원, 관공서 등 편의 시설 및 각종 기능이 집중되어 있다.
> ⑤ 1차 산업에 종사하는 인구의 비율이 높다. (×)
> → 도시는 1차 산업에 종사하는 인구의 비율은 낮고, 2·3차 산업에 종사하는 인구의 비율이 높다.

2 세계적으로 유명하거나 매력적인 도시

(가)는 그리스 아테네, (나)는 미국 뉴욕에 대한 설명이다. 아테네는 고대 그리스의 중심 도시로, 당시의 유적을 잘 간직하고 있어 오늘날 관광 산업이 발달한 도시이다. 뉴욕은 세계 경제·문화·금융의 중심지로, 국제 연

합(UN)의 본부가 있어 국제 정치의 각축장이기도 하다.

3 도시 내부의 지역 분화
도시 내부에서 다양한 기능들이 기능에 따라 분리되는 이유는 지역에 따라 접근성과 지가(땅값)이 다르기 때문이다.

더 알아보기 도시 내부의 지역 분화

의미	접근성과 지가(땅값)의 차이로 인해 도시 공간이 기능별로 분리되는 현상
분화 특징	• 상업·업무 기능: 높은 지가를 감당할 수 있어서 도심에 형성 • 공업·주거 기능: 지가가 상대적으로 저렴하고, 넓은 땅을 구할 수 있는 주변 지역에 형성

4 도시 내부의 다양한 경관
(가)는 아파트 단지가 밀집해 있는 주변 지역, (나)는 고층 건물이 밀집해 있는 도심이다. 주변 지역의 주민들은 주로 2·3차 산업에 종사한다.

더 알아보기 도시 내부 구조

도심	도시 중심에 위치, 고층 건물 밀집, 비싼 땅값, 중심 업무 지구 형성
부도심	도심의 기능을 분담, 도심과 주변 지역을 연결하는 교통이 편리한 곳에 형성
중간 지역	도심과 주변 지역 사이에 주택, 학교, 공장 등이 혼재
주변 지역	저렴한 땅값, 넓은 부지, 주거 및 공업 지역
개발 제한 구역	도시의 무질서한 팽창을 막기 위해 개발을 제한하는 공간

5 도시화 과정
도시화는 도시화율에 따라 초기 단계, 가속화 단계, 종착 단계로 진행된다. 도시화가 진행될수록 도시에 거주하는 인구 비율이 높아지고, 도시적 생활 양식이 확대된다. 또한, 도시 면적이 확대되고, 2·3차 산업 종사자 비율이 증가한다.

6 선진국과 개발 도상국의 도시화
선진국은 산업 혁명 이후 점진적으로 도시화가 진행되어 현재 종착 단계에 있다. 개발 도상국은 제2차 세계 대전 이후 이촌 향도 현상과 도시 인구의 자연 증가로 도시화가 빠르게 진행되고 있다.

선택지 바로 보기

① 현재 선진국의 도시화는 가속화 단계이다. (×)
→ 현재 선진국은 도시화 종착 단계에 있다.
② 개발 도상국은 단기간에 도시화가 이루어졌다. (○)
③ 앞으로 선진국의 도시화율은 급격히 높아질 것이다. (×)
→ 도시화율 증가 속도가 정체되거나 매우 완만할 것이다.
④ 현재 개발 도상국은 선진국에 비해 도시화 진행 속도가 느리다. (×)
→ 현재 개발 도상국은 도시화 가속화 단계이기 때문에 선진국보다 도시화 진행 속도가 빠르다.
⑤ 현재 개발 도상국은 선진국보다 도시에 거주하는 인구 비율이 높다. (×)
→ 전체적인 도시화율은 선진국이 높기 때문에 선진국의 도시 인구 비율이 개발 도상국보다 높다.

7 도시 문제를 해결하기 위한 노력
대기 오염 문제는 대중교통 이용 장려, 친환경 에너지 사용 등을 통해 해결할 수 있다. 도시 재개발 산업은 낙후된 도시 환경을 개선하기 위한 대책이다.

8 선진국과 개발 도상국의 도시 문제
선진국은 오랜 시간에 걸친 도시 발달로 각종 도시 시설 노후화, 대도시의 인구 감소 등 도시 기능이 약화되는 문제를 겪고 있다. 또한, 제조업 쇠퇴로 인해 실업률이 상승하고 있다.

선택지 바로 보기

ㄱ. 제조업의 쇠퇴로 인해 도시의 실업률이 상승하고 있다. (○)
ㄴ. 대도시의 인구 감소, 시설 노후화로 인해 도시 기능이 약화되고 있다. (○)
ㄷ. 도시 인구에 비해 주택이 부족하여 무허가 주택, 빈민촌 문제가 일어난다. (×)
→ 각종 시설 부족으로 인한 무허가 주택, 빈민촌 문제는 개발 도상국의 도시 문제이다.
ㄹ. 도시 기반 시설이 갖추어지지 않은 상태에서 도시화가 급격히 진행되어 도시 문제가 심각하다. (×)
→ 과도시화로 인한 도시 문제는 개발 도상국에서 특히 심각하다.

3일 농업의 세계화와 기업화~기후 변화 문제를 해결하기 위한 노력

기초 확인 문제 | 25, 27쪽

1 (1) 세계화 (2) 기업화 **2** 상업적 **3** (1) ㄱ, ㄷ (2) ㄴ
4 ㄴ, ㄷ, ㄹ **5** ㉠ 본사 ㉡ 개발 도상국 **6** (1) ㉠, ㉡ (2) ㉢,
㉣ **7** (1) 축소 (2) 감소 **8** 탈공업화 **9** 해외 콜센터
10 ㄴ, ㄹ **11** (1) ㉡ (2) ㉠ **12** 탄소 배출권 거래제

내신 기출 베스트 | 28~29쪽

1 ⑤   **2** ⑤   **3** ⑤   **4** ③   **5** ③   **6** ③
7 ①   **8** ①

1 농업 생산의 세계화

경제 성장으로 생활 수준이 향상됨에 따라 다양한 농산물에 대한 소비자의 수요가 증가하여, 전 세계를 대상으로 농업 생산이 이루어지는 농업의 세계화가 나타났다.

2 농업 생산의 기업화

사진은 미국에서 대규모로 밀을 생산하는 모습이다. 이를 기업적 곡물 재배라고 하는데, 주로 밀, 옥수수와 같은 곡물을 대규모로 재배한다. 세계적인 농업 기업이 개발 도상국에 진출하여 플랜테이션 농장을 운영하는 것도 농업 생산의 기업화 현상이다.

더 알아보기 농업 생산 기업화의 특징

대량화	대규모 재배, 대형 농기계 및 화학 비료 사용, 농산물의 품종 개량 → 생산량 증대, 가격 경쟁력 확보
체계화	농작물의 생산, 가공, 상품화의 전 과정을 기업 차원에서 체계적으로 진행 → 농작물의 생산·소비 구조에도 영향

3 다국적 기업

사례를 통해 □□ 콜라 회사는 다국적 기업이라는 것을 알 수 있다. 다국적 기업은 전 세계를 대상으로 제품의 생산과 판매 등의 활동을 하는 기업이다. 다국적 기업의 생산 활동은 한 나라 안에서만 이루어지지 않고 세계 각지에서 이루어진다.

선택지 바로 보기

① 한 나라 안에서만 생산 활동이 이루어진다. (×)
→ 여러 나라에서 생산 활동이 일어난다.
② 국제적 차원에서 경제적 상호 의존도가 낮아졌다. (×)
→ 국가 간 상호 의존도는 예전보다 더욱 높아졌다.
③ 자유 무역의 확대로 국가 간 무역 장벽이 높아졌다. (×)
→ 자유 무역의 확대로 국가 간 무역 장벽은 낮아졌다.
④ 교통 및 통신의 발달로 국가 간 교류가 감소하였다. (×)
→ 국가 간 교류가 증가하였다.
⑤ 상품, 노동 등이 국경을 초월하여 자유롭게 이동하게 되었다. (○)

4 생산 지역의 변화

다국적 기업은 생산비가 저렴하거나 기업 활동에 유리한 곳을 찾아 생산 공장을 이전한다. A 지역의 공장이 B 지역으로 이동하면서 A 지역의 생산 공장에서 일하던 노동자들은 직장을 잃고, 해당 산업이 텅 비는 산업 공동화 현상이 발생하게 된다.

오답 피하기 ㄱ. 공장이 다른 지역으로 이동하면 자본 유입이 중단되고 실업자가 증가하며 지역 경제가 침체된다. ㄹ. 새로 공장이 들어선 개발 도상국에서 일어나는 일이다.

5 서비스업의 의미

금융, 법률, 광고 등은 기업 활동에 도움을 주는 생산자 서비스업의 대표적인 예이다.

더 알아보기 서비스업

의미	상품을 유통·판매하거나 인간 활동에 필요한 서비스를 제공하는 산업
유형	• 소비자 서비스업 • 생산자 서비스업
특성	• 소비자에 따라 원하는 서비스의 형태가 달라 표준화하기 어려움 • 기계가 대신할 수 없는 일이 많아서 고용 창출 효과가 큼 • 서비스업이 국가의 경계를 넘어 세계적으로 확대되고 있음 • 경제 성장과 소득 수준의 향상으로 서비스업에 대한 수요도 증가

6 서비스업의 세계화

해외 직접 구매는 해외 온라인 쇼핑몰에서 소비자들이 직접 물건을 구매하는 것이다. ㄴ. 온라인으로 해외 상품을 주문하면 상품이 해외에서 배송되기 때문에 해외 배송 업체의 수가 증가하게 되고 물건을 이동시키는 택배업과 같은 물류 산업이 성장하게 된다. ㄷ. 소비자는 가격 비교를 통해 보다 저렴하게 해외 상품을 구매할 수 있게 된다.

오답 피하기 ㄱ. 국제 물류 시장은 더욱 확대된다. ㄹ. 기존에 해외 상품을 수입해서 소비자들에게 팔던 수입 업체의 매출은 상대적으로 감소한다.

7 기후 변화의 영향

기후 변화로 인해 지구의 평균 기온이 상승하면 극지방과 고산 지대의 빙하가 감소한다. 이에 따라 해수면이 상승하여 해안 저지대에는 침수 피해를 입히기도 한다. ① 기온이 높아지면 알래스카의 겨울은 짧아진다.

8 기후 변화 문제를 해결하기 위한 노력

2015년 프랑스 파리에서 열린 제21차 국제 연합 기후 변화 협약 당사국 총회에서는 2020년 이후의 기후 변화 대응을 담은 파리 협정을 채택하였다.

오답 피하기 ② 오슬로 협정은 1993년 이스라엘과 팔레스타인이 평화적으로 공존하는 방법을 모색한 합의로, 기후 변화 협약과는 관련이 없다. ④ 기후 변화 문제를 해결하기 위한 국제 협약을 기후 변화 협약이라고 한다.

더 알아보기 기후 변화와 관련된 국제 협약	
기후 변화 협약 (1992년)	브라질 리우 환경 개발 회의에서 온실가스를 줄이기 위한 기후 변화 협약을 최초로 채택
교토 의정서 (1997년)	기후 변화 협약의 구체적 이행 방안으로 교토 의정서 채택 → 37개 선진국의 온실가스 배출량 감축 목표 규정, 탄소 배출권 거래제를 최초로 도입
파리 협정 (2015년)	2020년 이후 적용될 새로운 기후 협약으로 파리 협정 체결 → 기후 변화 당사국인 197개국(개발 도상국 포함) 모두 온실가스 감축 이행 방안을 자발적으로 제출

4일 환경 문제 유발 산업의 국가 간 이전 ~소중한 우리 땅, 독도

기초 확인 문제　　　　　　　　　　| 33, 35쪽

1 환경 문제 유발 산업　**2** (1) 불평등 (2) 유입 지역　**3** ㉠ 선진국 ㉡ 개발 도상국　**4** ㄱ, ㄹ　**5** 유전자 재조합 식품(GMO)　**6** (1) 영역 (2) 영토　**7** (1) ㄹ, ㅁ (2) ㄱ, ㄴ, ㄷ, ㅂ　**8** 배타적 경제 수역(EEZ)　**9** ㄴ, ㄹ　**10** (1) ㉠ (2) ㉢ (3) ㉡　**11** 메탄 하이드레이트

내신 기출 베스트　　　　　　　　　　| 36~37쪽

1 ④　**2** ⑤　**3** ②　**4** ④　**5** ①　**6** ②
7 ④　**8** ④

1 환경 문제 유발 산업의 이전

개발 도상국은 선진국에 비해 환경 규제가 덜 엄격할 뿐만 아니라 환경 문제에 대한 주민의 저항이 약하다. 또한 임금도 저렴하며, 환경보다는 경제 발전에 역점을 두는 정부 정책 때문에 공해 산업을 쉽게 받아들이는 경향이 있다.

오답 피하기 ④ 기술 개발이 이루어지는 곳은 선진국이다.

2 석면 공장의 이전

석면은 발암 물질이기 때문에 석면 공장의 이전으로 중국, 인도네시아, 말레이시아의 주민들이 암에 걸릴 확률이 높아졌다.

선택지 바로 보기
① 최신 제조 설비를 갖췄다. (×)
→ 선진국에서 사용하던 오래된 제조 설비가 이전되었다.
② 주민들의 일자리가 줄어들었다. (×)
→ 주민들의 일자리는 증가하였다.
③ 석면에 대한 규제가 강화되었다. (×)
→ 석면에 대한 규제가 없기 때문에 공장이 설립될 수 있었다.
④ 석면 사용을 전면 금지하고 있다. (×)
→ 석면 사용을 허용하고 있다.
⑤ 주민들이 암에 걸릴 확률이 높아졌다. (○)

석면 공장은 관련 규제가 강화되면 다른 국가로 이전된다. 일본과 독일로부터 제조 설비를 물려받은 한국 기업들은 다시 인도네시아, 말레이시아, 중국 등으로 설비를 수출했다.

3 환경 문제를 해결하기 위한 노력

환경 문제를 해결하기 위해서 개인은 자원 및 에너지를 절약하고 자전거와 대중교통을 이용하는 것이 좋다. 또한 음식물을 남기지 않고, 일회용품 사용을 자제해야 한다.

4 환경 이슈의 사례

유전자 재조합 식품(GMO)을 찬성하는 입장의 학생은 채연이와 유진이다. 반대하는 입장의 학생은 민주와 나희이다.

더 알아보기 유전자 재조합 식품(GMO)에 대한 입장 차이	
찬성 입장	• 영양소 증가 • 이산화 탄소 배출량과 농약 사용량 감소 • 추위나 병충해 등에 강하고 수확량이 많음 → 농가 소득이 증대되고, 세계 식량 부족 문제 해결에 기여
반대 입장	• 인체에 미치는 영향을 확신할 수 없음 • 고유종을 파괴하고 생물 다양성을 훼손함 • 유전자 재조합 기술을 가진 특정 기업에게만 수익이 집중됨

5 영역의 개념

A는 영공, B는 영토, C는 영해, D는 배타적 경제 수역, E는 공해에 해당한다. ① 영공(A)은 영토와 영해의 수직 상공으로, 통상적으로 대기권 내로 한정한다. 최근 항공 교통과 우주 산업의 발달 및 국가 방위 측면에서 중요성이 커지고 있다.

① A는 영토와 영해의 수직 상공에 해당한다. (○)

② B는 한 국가에 속한 바다의 범위이다. (×)

→ 영토(B)는 한 국가에 속한 육지의 범위이다.

③ C는 B 주변의 바다로 대부분 기선으로부터 200해리까지이다. (×)

→ 영해(C)는 영토(B) 주변의 바다로 대부분 기선으로부터 12해리까지이다.

④ D는 한 국가의 영역 안에 포함된다. (×)

→ 배타적 경제 수역(D)은 영역에서는 제외된다.

⑤ E는 배타적 경제 수역이다. (×)

→ 공해(E)는 모든 국가가 이용할 수 있는 바다이다.

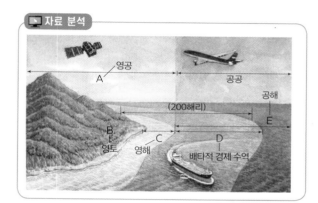

6 우리나라의 영토

우리나라는 삼면이 바다로 둘러싸인 반도국이며, 한반도와 그 부속 도서로 이루어져 있다.

오답 피하기 ㄴ. 동쪽 끝은 독도, 남쪽 끝은 마라도이다. ㄹ. 형태가 남북으로 길어 다양한 기후가 나타난다.

7 독도 주변 영해의 가치

독도 주변의 12해리는 우리나라의 영해로 영역적, 경제적, 환경·생태적 가치가 뛰어나다. ④ 메탄 하이드레이트는 천연가스가 얼음 형태로 매장된 것이다.

8 우리 땅 독도

『신증동국여지승람』에 실린 「팔도총도」는 독도를 지도상에 뚜렷하게 수록한 현존하는 최초의 지도이다. 「팔도총도」에는 동해에 울릉도와 우산도가 기록되어 있는데, 독도에 해당하는 우산도가 울릉도의 서쪽에 그려져 있다.

5일 세계화 시대의 지역화 전략 ~지역 간 불평등 완화를 위한 노력

기초 확인 문제 | 41, 43쪽

1 (1) 지역 브랜드 (2) 장소 마케팅 (3) 지리적 표시제 (4) 국가
2 (1) ⓒ (2) ⓒ (3) ⓒ (4) ⓒ **3** 평창 **4** ㄱ, ㄴ, ㄷ, ㄹ
5 (1) 아프리카 (2) 자원, 종교 (3) 영해 **6** (1) ㉠, ㉢, ㉤, ㉺
(2) ⓒ, ⓒ, ㉣ **7** (1) ㄱ, ㅁ, ㅂ (2) ㄴ, ㄷ, ㄹ **8** (1) 평화
유지군 (2) 그린피스 **9** 공정 무역(fair trade) **10** (가) ㄹ
(나) ㄴ

5 지구상의 영역 분쟁

아프리카는 유럽 열강들이 식민 지배 후 부족의 경계를
고려하지 않고 국경선을 규정하여 영역 분쟁이 발생하
였다. 육상 자원의 고갈로 해양 자원에 대한 관심이 커
졌으며 이에 따라 난사 군도 분쟁 등이 발생하였다.

6 지역별 발전 수준의 차이

지역별로 발전 수준이 다르므로 각 지역에서 높게 나타
나는 발전 지표가 각각 다르다.
오답 피하기 ⓜ 인간 개발 지수는 경제 지표, 비경제 지표
를 모두 고려한 지표로 선진국에서 높게 나타난다.

더 알아보기 경제적 · 비경제적 발전 지표

발전 지표	특징	참고
1인당 국내 총생산	• 경제적 지표 • 선진국에서 높음	국내 총생산(GDP): 한 나라 안에서 일정 기간 생산된 최종 생산물의 가치를 시장 가격으로 계산하여 합한 값
1인당 국민 총소득	• 경제적 지표 • 선진국에서 높음	국민 총소득(GNI): 한 나라의 국민이 국내외 생산 활동에 참여한 대가로 받은 소득의 합계
1,000명당 의사 수	• 비경제적 지표 • 선진국에서 높음	인구 1,000명당 활동 의사 수 ⓔ OECD 평균 3.4명(2017년)
교사 1인당 학생 수	• 비경제적 지표 • 저개발국에서 높음	교사 1인당 수업받는 학생 수 ⓔ OECD 평균 15명(2016년)
영아 사망률	• 비경제적 지표 • 저개발국에서 높음	출생 후 1년 내 사망한 영아 수의 비율 ⓔ 우리나라 출생아 1,000명당 2.7명(2019년)

7 발전 지표

1인당 국내 총생산이 높은 A 국가군은 선진국에 속하
고, 반대로 B 국가군은 저개발국에 속한다.
오답 피하기 ㄷ. 인구 증가율은 저개발국에서 상대적으로
높게 나타난다.

10 국제기구

(가)의 아동을 구호하고 아동의 복지를 향상하는 국제기
구는 국제 연합 아동 기금(ㄹ)이며, (나)의 기아와 빈곤
으로 곤란한 지역에 식량을 지원하는 기구는 국제 연합
산하의 세계 식량 계획(ㄴ)이다.
오답 피하기 ㄷ. 국제 사면 위원회는 인권 침해 행위를 고발
하고 정치범 석방 운동 등을 하는 국제 비정부 기구이다.

내신 기출 베스트 | 44~45쪽

1 ④ **2** ③ **3** ㉠ 경제적 ⓒ 영유권 **4** ③
5 인간 개발 지수(HDI) **6** ① **7** ④ **8** ③

1 지역화 전략

'지역 브랜드'는 지역성이 잘 드러나는 로고, 슬로건, 캐
릭터 등을 일컫는데 뉴욕의 'I♥NY'이 대표적이다.

2 지리적 표시제

'보성 녹차'는 우리나라의 지리적 표시 제1호이다.

3 영역 분쟁

난사 군도는 남중국해 남부의 인도양과 태평양을 잇는
요충지로 많은 자원이 매장되어 있어 중국, 말레이시아,
필리핀 등 여러 나라가 이를 둘러싼 갈등을 하고 있다.

4 지리적 문제

인류의 삶은 풍요로워졌지만, 세계 곳곳에서 크고 작은
지리적 문제가 끊임없이 발생하고 있다.

5 인간 개발 지수(HDI)

인간 개발 지수(HDI)는 경제 지표(국내 총생산, 국민 총
소득 등)뿐 아니라 비경제 지표(기대 수명, 교육 수준
등)까지 고려한 발전 지표이다.

더 알아보기 인간 개발 지수(HDI)

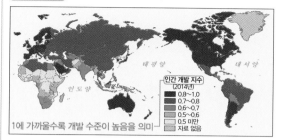

1에 가까울수록 개발 수준이 높음을 의미

인간 개발 지수(HDI)는 각국의 발전 수준과 선진화 정도를 평가하는 지표이다. 이는 선진국과 저개발국 간의 발전 격차를 줄이고 저개발국의 빈곤 문제를 해결하는 데 활용된다.

6 지역별 발전 수준의 차이

지역별 기대 수명, 평균 교육 기간, 1인당 국내 총생산 등의 지표를 통해 지역별 발전 수준을 비교할 수 있다.

7 지역 간 불평등 완화를 위한 노력

오늘날 세계화에 따른 국가 간의 무한 경쟁으로 지역별 발전 수준은 그 격차가 더욱 커지고 있다.

더 알아보기 공적 개발 원조(ODA)

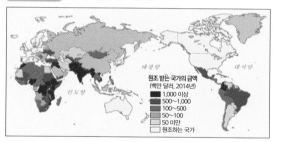

원조 받는 국가의 금액
(백만 달러, 2014년)
1,000 이상
500~1,000
100~500
50~100
50 미만
원조하는 국가

▲ 공적 개발 원조의 참여국과 수혜국

원조를 주는 나라는 주로 미국, 독일 등의 선진국이고, 아프리카와 남아시아 국가들이 원조를 많이 받고 있다. 우리나라는 2009년에 개발 원조 위원회에 가입한 후 원조 금액을 점점 늘리고 있으며, 원조를 받던 수혜국에서 원조를 하는 참여국으로 바뀐 최초의 국가이다.

8 공정 무역

공정 무역 제품이 일반 무역 제품에 비해 저렴하다고 볼 수는 없다.

오답 피하기 ② 저개발국 생산자의 수익이 늘어 노동하던 아이들도 학교에 갈 수 있다.

누구나 100점 테스트 1회 | 46~47쪽

01 ① 02 ② 03 ① 04 ② 05 ③ 06 ③
07 ① 08 ③ 09 ⑤ 10 ③

01 세계의 인구 분포

세계 인구는 지구상에 고르게 분포하지 않고 특정 지역에 집중되어 있다. 세계 인구의 대부분은 육지 면적이 넓은 북반구에 분포하며, 기후가 온화한 북위 20°~40° 중위도 지역에 특히 밀집하고 있다. 지형적으로는 산지 지역보다 하천 주변의 평야나 해안 지역의 인구 밀도가 높다. 대륙별로는 아시아 지역에 가장 많은 인구가 분포한다.

02 세계의 인구 분포

지도의 A는 서부 유럽, B는 사하라 사막, C는 방글라데시, D는 캐나다, E는 아마존 분지이다. (가)는 서부 유럽, (나)는 아마존 분지에 대한 설명이다.

자료 분석

· 1점당 10만 명

서부 유럽(A)	기후가 온화하고 일찍부터 산업이 발달하여 인구가 밀집하고 있다.
사하라 사막(B)	강수량이 매우 희박하여 물을 구하기 어려우므로 인구가 희박하다.
방글라데시(C)	강수량이 풍부하고, 하천 주변에 평야가 발달하여 인구가 밀집하고 있다.
캐나다 (D)	기온이 매우 낮아 농업에 불리하므로 인구가 희박하다.
아마존 분지(E)	고온 다습하고 열대 밀림이 우거져 있어 농업에 불리하므로 인구가 희박하다.

03 인구 분포에 영향을 미치는 요인

인구 분포에 영향을 미치는 요인 중 기후, 지형, 식생, 토양은 자연적 요인에 해당하고, 정치, 경제, 문화, 산업, 교육, 교통은 인문·사회적 요인에 해당한다.

04 세계의 기온 분포

과거 중국인(화교)들의 인구 이동과 오늘날 일자리를 찾아 개발 도상국에서 선진국으로의 이동은 경제적 인구 이동에 해당한다.

05 선진국의 인구 문제

일본은 심각한 고령화 현상을 겪고 있는 선진국으로, 거동이 불편한 노인을 대상으로 생활용품을 판매하는 이동식 슈퍼마켓이 활성화되었다.

06 도시의 특징

도시에는 2·3차 산업에 종사하는 인구 비율이 높아 사람들의 직업과 생활 모습이 다양하다. 또 정치·경제·문화의 중심지로 병원, 관공서 등 편의 시설과 중심 기능이 집중되어 있다.

07 세계적으로 유명하거나 매력적인 도시

제시된 설명은 세계 정치·경제 활동의 중심지 역할을 하는 세계 도시에 관한 내용이다. 대표적인 세계 도시로는 뉴욕, 도쿄, 서울, 런던 등이 있다.

08 도시 내부의 다양한 경관

밑줄 친 '이 지역'은 상주인구가 감소하고 있는 도심이다. 낮에는 비고 밤에는 꽉 찬 아파트 주차장은 상주인구가 많은 주변 지역에서 볼 수 있는 모습이다.

09 농업 생산의 세계화

열대 기후 지역인 베트남은 대표적인 쌀 생산국이었으나, 쌀의 생산 변동성이 커지고 세계적으로 기호 작물의 수요가 증가하면서 커피 생산에 집중하고 있다.

10 다국적 기업의 입지 특징

지도에 나타난 청바지 회사는 전 세계를 대상으로 청바지를 생산 및 판매하는 다국적 기업이다. 청바지의 바느질을 담당하는 튀니지는 임금이 저렴한 노동력이 풍부한 곳이다.

누구나 100점 테스트 2회 | 48~49쪽

| 01 ⑤ | 02 ② | 03 ② | 04 ① | 05 ⑤ | 06 ④ |
| 07 ③ | 08 ④ | 09 ② | 10 ③ | | |

01 서비스업의 세계화

오늘날 교통·통신의 발달과 다국적 기업의 활동 확대로 인해 유통·관광·교육 등 다양한 분야의 서비스업이 국경을 넘어 세계적으로 확대되는 서비스업의 세계화가 일어나고 있다.

오답 피하기 ㄱ. 교통·통신의 발달과 다국적 기업의 활동으로 규모가 확대되고 있다. ㄴ. 서비스업은 제조업과 마찬가지로 비용 절감과 업무 효율성 증진을 위해 공간적으로 업무를 분산할 수 있다.

02 기후 변화 문제를 해결하기 위한 노력

온실가스 배출권 거래제는 온실가스 감축을 유도하기 위해 온실가스 배출 권리를 사고팔 수 있도록 한 제도로, 대부분 기업 사이에서 이루어진다.

03 환경 문제 유발 산업의 이전

환경 문제 유발 산업이 유입된 지역에서는 새로운 일자리가 생기고, 지역 경제가 활성화되는 등 긍정적 변화가 나타난다. 그러나 환경이 오염되고 주민들이 각종 질병에 노출되는 등의 부정적 변화도 나타난다.

더 알아보기 환경 문제 유발 산업의 이전

구분	긍정적 영향	부정적 영향
유출 지역	환경 문제 해결	산업 시설 이전으로 일자리 감소
유입 지역	• 일자리 증가 • 주민 소득 증가, 지역 경제 활성화	• 환경 오염 발생 • 각종 질병과 산업 재해 위험성에 노출

04 미세 먼지의 발생 원인과 특징

미세 먼지는 주로 화석 연료의 사용, 일상생활 속 오염 물질 배출 등 인위적 요인에 의해 생성되고 있다.

05 독도의 특징과 가치

지도의 A 지역은 독도이다. 독도는 일본의 오키섬보다

우리나라의 울릉도와 가까워, 맑은 날에는 울릉도에서 육안으로 관찰할 수 있다.

06 우리나라의 영해 설정 기준

우리나라는 각 해안의 영해 설정 기준이 다르다. 대한 해협의 경우에는 일본과의 거리가 가까워 직선 기선으로부터 3해리까지를 영해로 설정하고 있다.

07 지역 브랜드의 의미와 효과

제시된 설명은 독일 베를린에 대한 내용이다. 종전 이후 여전히 부정적인 이미지를 가지고 있었던 베를린은 'be Berlin' 캠페인을 통해 도시를 홍보하고, 도시의 긍정적 이미지를 강화하였다.

08 기아 문제의 의미와 특징

기아 문제의 발생 원인에는 인위적 요인(곡물 수요 증대, 곡물 가격 상승, 식량 분배 불균형 등)과 자연적 요인 (가뭄, 홍수, 병충해 등)이 있다.

선택지 바로 보기

① 인위적 요인에 의해서만 발생한다. (×)
→ 기아 문제는 인위적 요인뿐만 아니라 자연적 요인에 의해서도 발생한다.
② 기술의 발달로 기아 문제는 거의 해결되었다. (×)
→ 기아 문제는 일부 지역에서 여전히 심각하게 발생하고 있다.
③ 유럽, 북아메리카 대륙의 국가에서 발생률이 높다. (×)
→ 아프리카와 일부 아시아 국가에서 특히 심각하다.
④ 개발 도상국의 인구 급증으로 곡물 수요가 증대되어 발생한다. (○)
⑤ 식량 분배는 공평하게 이루어지지만, 식량 생산량이 부족하기 때문에 발생한다. (×)
→ 식량 분배의 불균형으로 인해 기아 문제가 발생하기도 한다.

09 지역별 발전 수준과 발전 지표

발전 지표는 개인, 지역, 국가 등의 발전 지표가 어떤 상태인지 알려 주는 지표로, 경제적 지표(1인당 국내 총생산, 1인당 국민 총소득 등)와 비경제적 지표(기대 수명, 영아 사망률, 성 불평등 지수 등)로 구분된다.
오답 피하기 ㄴ. 행복 지수는 일부 저개발 국가에서도 높게 나타난다. ㄹ. 기대 수명, 영아 사망률, 성 불평등 지수는 비경제적 지표이다.

10 공적 개발 원조(ODA)의 특징

공적 개발 원조는 선진국에서 저개발국의 경제 발전과 복지 증진을 목적으로 저개발국 또는 국제기구에 도움을 주는 것으로, 경제 협력 개발 기구(OECD) 산하의 개발 원조 위원회(DAC)에서 주도하고 있다. 하지만 적절하지 못한 공적 개발 원조는 저개발국의 경제적 자립 토대를 무너뜨릴 수 있다는 점에서 한계를 가지고 있다.
오답 피하기 ③ 우리나라는 1991년에 대외 무상 원조를 전담하는 한국 국제 협력단을 설립하여 저개발국을 원조하고 있다.

서술형·사고력 테스트 / 창의·융합·코딩 테스트 | 50~53쪽

01 세계의 인구 분포

예시 답안 | A 지역은 강수량이 풍부하고, 하천 주변에 평야가 발달하여 농업에 유리하기 때문에 인구가 밀집했다. B 지역은 고온 다습하고 열대 밀림이 우거져 있어 인구가 희박하다.
핵심 단어 | 강수량, 평야, 농업, 고온 다습, 열대 밀림

채점 기준	구분
A, B 지역의 인구 분포 특징을 자연환경과 관련지어 바르게 서술한 경우	상
A, B 지역의 인구 분포 특징을 자연환경과 관련지어 서술하였으나 미흡한 경우	중
A, B 지역의 인구 분포 특징 중 한 가지만 서술한 경우	하

02 우리나라의 인구 문제와 해결 방안

(1) 저출산, 고령화
(2) **예시 답안** | 저출산 문제 해결 방안으로는 출산 및 양육 지원금 지급, 육아 휴직 제도 개선, 양성평등 문화 확산 등이 있다. 고령화 문제 해결 방안으로는 노인 일자리 창출, 정년 연장, 임금 피크제 도입, 실버산업 확대 등이 있다.
핵심 단어 | 저출산, 고령화, 양육 비용 지원, 양성평등 문화 확산, 노인 일자리 창출, 복지 제도

채점 기준	구분
저출산과 고령화를 쓰고, 두 인구 문제의 대책을 바르게 서술한 경우	상
저출산과 고령화를 쓰고, 두 인구 문제의 대책 중 한 가지만 서술한 경우	중
저출산, 고령화만 쓴 경우	하

03 생활 공간으로서의 도시

답 | ㄹ

04 농업 생산의 세계화

(1) ㄹ

(2) 예시 답안 | 농업 생산의 세계화가 나타난 배경으로는 교통·통신의 발달, 세계 무역 기구(WTO)의 출범, 자유 무역 확대, 다국적 농업 기업의 등장, 농업 기술의 발달, 다양한 농산물에 대한 수요 증가 등이 있다.

핵심 단어 | 교통·통신, 세계 무역 기구, 자유 무역, 다국적 농업 기업, 농업 기술, 수요 증가

채점 기준	구분
최종 도착 지점의 기호를 쓰고, 농업 생산의 세계화가 나타난 배경을 바르게 서술한 경우	상
최종 도착 지점의 기호를 쓰고, 농업 생산의 세계화가 나타난 배경을 서술하였으나 미흡한 경우	중
최종 도착 지점의 기호만 쓴 경우	하

05 도시화 과정의 특징

(1) A: 초기 단계, B: 가속화 단계, C: 종착 단계

(2) 예시 답안 | B 단계(가속화 단계)에서 도시화율이 급격히 증가한 이유는 본격적으로 산업화가 진행되면서 도시에 제조업과 서비스업이 발달해 이촌 향도 현상이 활발하게 나타났기 때문이다.

핵심 단어 | 도시화, 산업화, 이촌 향도 현상

채점 기준	구분
A, B, C 단계의 명칭을 쓰고, 가속화 단계에서 도시화율이 급격히 증가한 이유를 바르게 서술한 경우	상
A, B, C 단계의 명칭을 쓰고, 가속화 단계에서 도시화율이 급격히 증가한 이유를 서술하였으나 미흡한 경우	중
A, B, C 단계의 명칭만 쓴 경우	하

06 다국적 기업의 공간적 분업

예시 답안 | 다국적 기업은 생산비가 저렴한 지역을 찾아 생산 공장을 이동하는데, 특히 저임금의 노동력을 확보할 수 있고, 지가가 저렴하여 넓은 공장 부지를 확보할 수 있는 지역을 찾아 이전한다.

핵심 단어 | 다국적 기업, 생산비

채점 기준	구분
다국적 기업이 생산 공장을 이전한 목적을 바르게 서술한 경우	상
다국적 기업이 생산 공장을 이전한 목적을 서술하였으나 미흡한 경우	하

07 환경 문제 유발 산업의 이전

(1) 예시 답안 | 새로운 일자리가 생기고, 지역 경제가 활성화되는 효과가 나타난다.

(2) 예시 답안 | 환경이 오염되고 주민들은 건강과 생활에 위협을 받기도 한다. 또한 산업 재해 등 각종 사고가 발생할 수 있다.

핵심 단어 | 일자리, 지역 경제 활성화, 환경 오염, 산업 재해, 주민 건강

채점 기준	구분
환경 문제 유발 산업의 이전이 유입 지역에 미치는 긍정적 영향과 부정적 영향을 모두 바르게 서술한 경우	상
환경 문제 유발 산업의 이전이 유입 지역에 미치는 긍정적 영향과 부정적 영향 중 한 가지만 서술한 경우	하

08 푸드 로컬 푸드 운동의 의미와 배경

(1) 푸드 마일리지

(2) 예시 답안 | 로컬 푸드 운동은 가까운 지역에서 생산된 음식을 소비하자는 운동이다. 로컬 푸드를 소비하면 먹거리의 안전성을 확보하고, 온실가스 배출량을 줄일 수 있다. 또한 지역 농민의 안정적 소득을 보장하고, 지역 경제 활성화에 도움이 된다.

핵심 단어 | 푸드 마일리지, 로컬 푸드 운동, 먹거리 안전성, 온실가스 배출량, 지역 경제 활성화, 지역 농민의 소득 보장

채점 기준	구분
푸드 마일리지를 쓰고, 로컬 푸드 운동의 의미와 영향을 바르게 서술한 경우	상
푸드 마일리지를 쓰고, 로컬 푸드 운동의 의미와 영향을 서술하였으나 미흡한 경우	중
푸드 마일리지만 쓴 경우	하

09 유전자 재조합 식품(GMO)을 바라보는 관점

(1) 유전자 재조합 식품(GMO)

(2) 예시 답안 | ⓛ 병충해에 강하고 수확량이 많아 농가 소득이 증대되고, 세계 식량 문제 해결에 기여할 수 있다. ⓒ 인체에 미치는 영향이 검증되지 않았고, 고유종을 파괴하고 생물 다양성을 위협할 수 있다.

핵심 단어 | 병충해, 식량 문제, 인체 유해성, 고유종 파괴

채점 기준	구분
유전자 재조합 식품(GMO)을 쓰고, 찬성하는 입장과 반대하는 입장의 근거를 바르게 서술한 경우	상
유전자 재조합 식품(GMO)을 쓰고, 찬성하는 입장과 반대하는 입장의 근거를 서술하였으나 미흡한 경우	중
유전자 재조합 식품(GMO)만 쓴 경우	하

10 우리나라의 영해 설정 기준

예시 답안 | A 지역은 대한 해협으로, 일반적인 영해 기준인 12해리까지를 영해로 설정할 경우 우리나라와 일본의 영해 일부가 겹쳐 다른 나라 배들의 통행에 지장을 주기 때문에 3해리까지만을 영해로 설정하였다.

핵심 단어 | 대한 해협, 일본, 12해리, 3해리

채점 기준	구분
A 지역의 영해 범위가 다른 지역과 차이 나는 이유를 바르게 서술한 경우	상
A 지역의 영해 범위가 다른 지역과 차이 나는 이유를 서술하였으나 미흡한 경우	하

11 장소 마케팅의 의미와 효과

(1) 장소 마케팅

(2) 예시 답안 | 장소 마케팅은 특정 장소가 지닌 자산이나 특징을 이용하여 장소 자체를 매력적인 상품으로 발전시키는 지역화 전략으로, 지역의 가치를 상승시키고 지역 경제를 활성화할 수 있다.

핵심 단어 | 장소 마케팅, 유·무형 자산, 지역 가치, 지역 경제 활성화

채점 기준	구분
장소 마케팅을 쓰고, 장소 마케팅의 의미와 효과를 바르게 서술한 경우	상
장소 마케팅을 쓰고, 장소 마케팅의 의미와 효과 중 한 가지만 서술한 경우	중
장소 마케팅만 쓴 경우	하

12 카슈미르 분쟁의 원인

예시 답안 | 카슈미르, 카슈미르 지역은 주민 대부분이 이슬람교를 믿기 때문에 파키스탄에 귀속될 예정이었지만, 힌두교를 믿는 인도로 귀속되면서 파키스탄과 인도 간의 갈등이 발생하였다.

핵심 단어 | 카슈미르, 파키스탄, 인도, 이슬람교, 힌두교

채점 기준	구분
카슈미르 지역을 쓰고, 카슈미르 분쟁의 원인을 바르게 서술한 경우	상
카슈미르 지역을 쓰고, 카슈미르 분쟁의 원인을 서술하였으나 미흡한 경우	중
카슈미르 지역만 쓴 경우	하

13 지역별 발전 수준과 지역 간 불평등의 완화

(1) 공정 무역

(2) 예시 답안 | 공정 무역은 저개발국의 가난한 생산자가 만든 상품을 공정한 가격으로 사고파는 방식의 무역이다.

핵심 단어 | 공정 무역, 저개발국, 공정 가격

채점 기준	구분
공정 무역을 쓰고, 공정 무역의 의미를 바르게 서술한 경우	상
공정 무역을 쓰고, 공정 무역의 의미를 서술하였으나 미흡한 경우	중
공정 무역만 쓴 경우	하

7일

학교 시험 기본 테스트 1회 | 54~57쪽

01 ⑤	02 ③	03 ⑤	04 ⑤	05 ①	06 ①
07 ⑤	08 ①	09 ⑤	10 ①	11 ⑤	12 ②
13 ④	14 ③	15 ③	16 ①	17 ⑤	18 ①
19 ③	20 ②				

01 인구 분포에 영향을 미치는 요인

인구 분포에 영향을 미치는 요인은 크게 자연적 요인과
인문·사회적 요인으로 나눌 수 있다. 산업 혁명 이후 과
학 기술의 발달로 자연환경의 제약을 극복할 수 있게 되
면서 인문·사회적 요인이 인구 분포에 미치는 영향이
커졌다. 미국 북동부, 일본 태평양 연안은 일찍부터 산
업이 발달하여 거주에 유리했던 지역이다.

02 세계의 인구 이동

A는 유럽인의 아메리카로의 이동, B는 아프리카 노예의
강제적 이동, C는 중국 화교의 동남아시아로의 경제적
이동, D와 E는 경제적 이동이다. 중국 화교들의 이동은
난민 문제와 관련이 없다.

03 선진국의 인구 문제

고령화 현상 때문에 노동력이 부족한 나라들은 외국인
근로자를 받아들여 노동력 부족 문제를 해결하고자 한다.

선택지 바로 보기

① 노인 복지 비용이 감소한다. (×)
→ 노인 복지 비용이 증가한다.
② 심각한 기아 문제가 발생한다. (×)
→ 심각한 기아 문제는 개발 도상국에서 발생하는 문제이다.
③ 일자리 부족으로 실업률이 매우 높다. (×)
→ 주로 인구가 빠르게 증가하는 개발 도상국에서 실업 문제가
발생한다.
④ 경제 활동 인구가 늘어나 국가 경쟁력이 강화된다. (×)
→ 경제 활동 인구가 감소하여 국가 경쟁력이 약화된다.
⑤ 노동력이 부족하여 외국인 근로자를 받아들이려 한다. (○)

04 개발 도상국의 인구 문제

개발 도상국은 출생률이 여전히 높지만, 의학 기술의 발
달로 사망률이 낮아지면서 인구 증가 속도가 매우 빠르
다. 이로 인해 식량 및 자원 부족 문제가 발생한다.

05 세계의 다양한 도시

(가)는 런던, (나)는 나이로비, (다)는 도쿄, (라)는 뉴욕
으로, 모두 세계적으로 유명하거나 매력적인 도시이다.

선택지 바로 보기

① (가)는 런던, (나)는 나이로비, (다)는 도쿄, (라)는 뉴욕
이다. (○)
② (가)는 자연과 인간이 공존하는 생태 도시이다. (×)
→ 자연과 인간이 공존하는 생태 도시로는 쿠리치바, 프라이부르
크 등이 있다.
③ (나)는 세계 경제 활동의 중심지이다. (×)
→ (가), (다), (라)는 세계 경제 활동의 중심지이다.
④ (다)는 적도 부근의 고원에 위치해 무덥다. (×)
→ (나)는 적도 부근의 고원에 위치해 연중 날씨가 온화하다.
⑤ (라)는 중세 시대의 역사 유적을 간직한 도시이다. (×)
→ 로마는 중세, 근대, 르네상스 시대의 유적을 간직하고 있다.

06 도시의 내부 구조

A 지역은 도심으로, 고층 빌딩이 밀집해 있는 경관(①)
을 볼 수 있다. ②는 촌락, ③과 ④는 주변 지역, ⑤는 개
발 제한 구역이다.

07 도시 내부의 지가 분포

도심은 토지를 이용해 얻을 수 있는 이익이 많기 때문에
지가가 높고, 좁은 공간을 효율적으로 활용하도록 고층
건물을 많이 짓는다. 주변 지역으로 갈수록 지가가 낮아
진다. 부도심은 도심 주변의 교통이 편리한 지역에 형성
되며 상업 기능이 발달하여 주변 지역보다 지가가 높다.

08 선진국과 개발 도상국의 도시화

선진국은 산업 혁명 이후 점진적으로 도시화를 이루었
고, 현재는 종착 단계로 대도시에서는 역도시화 현상이
나타난다. 개발 도상국은 제2차 세계 대전 이후 경제 발
전이나 기술 혁신이 뒷받침되지 못한 채, 단기간에 매우
급속하게 도시화가 진행되었다.

09 농업 생산의 세계화와 기업화

㉠, ㉡은 상업적 농업 방식 중 기업적 곡물 농업과 플랜테이션에 관한 내용이다. ㉠과 같은 생산 방식을 이용하면 곡물의 생산 비용이 낮아져, 저렴한 가격에 전 세계로 곡물을 수출할 수 있다.

10 다국적 기업의 생산 지역 변화

구로 공업 단지에 입지했던 기업들이 생산비 절감을 위해 공장을 해외로 이전하면서, 일자리가 감소하고 관련 산업이 쇠퇴하는 등 공업 단지 곳곳이 텅 비기 시작하는 산업 공동화 현상이 일어나 지역 경제가 침체되었다.

11 유통의 세계화

인터넷과 스마트폰의 발달로 해외 직접 구매가 급성장하면서 소비자는 해외 상품을 저렴하게 구매할 수 있게 되었고, 배송 대행 사이트가 활성화됨에 따라 국제 물류 시장이 확대되고 있다.

오답 피하기 ⑤ 해외 상품과 유사한 상품을 판매하는 국내 기업의 경쟁력이 약화하고 생산이 줄어들게 된다.

12 기후 변화 문제를 해결하기 위한 노력

녹색 성장 정책은 국가 차원의 지원이 필요한 제도로 국가적 노력에 해당한다.

13 로컬 푸드 운동

로컬 푸드 운동으로 지역에서 생산된 먹거리를 소비하면 먹거리의 안전성을 확보할 수 있고, 지역 농민의 안정적 소득을 보장하여 지역 경제가 활성화될 수 있다.

오답 피하기 지호: 로컬 푸드는 푸드 마일리지가 낮으므로 온실가스의 배출량이 줄어들 거예요.

14 우리나라의 영역

국민의 삶의 터전이 되는 땅은 영토이다. 국가 간 영토의 경계선이 국경선이며, 간척 사업이나 해수면 상승 등으로 면적이 변할 수 있다. 예를 들면 우리나라는 서·남해안의 간척 사업으로, 몰디브는 해수면 상승으로 영토의 면적이 변하고 있다.

15 독도의 특징과 가치

제시된 사진은 독도로, 우리나라 동쪽 끝에 있는 섬이다. 독도는 경사가 급해 비가 내리면 섬의 비탈을 따라 빗물이 흘러내리기 때문에 토양이 건조하다. 그럼에도 불구하고 독도는 다양한 동식물의 서식지 및 휴식처가 되어 천연기념물 제336호로 지정되어 있다.

16 세계화 시대의 지역화 전략

함평 나비 축제는 전라남도 함평군의 성공한 장소 마케팅 사례이다. 나비 축제를 개최함으로써 함평군은 친환경적인 지역 이미지를 구축하고 지역 경제를 활성화할 수 있었다. 또한 함평군의 지역 경쟁력이 강화되어 지역에서 생산되는 농산물의 판매량도 증가하게 되었다.

17 세계의 기아 문제

식량 분배가 불균등하게 이루어져 기아 문제가 생긴다.

18 세계의 영역 분쟁

팔레스타인 분쟁은 종교를 둘러싼 분쟁이고, 에티오피아 분쟁은 국경선과 부족(민족) 경계가 달라 발생하는 분쟁이다.

더 알아보기 에티오피아 분쟁의 원인

아프리카 대륙의 에티오피아와 주변 국가들은 과거 유럽 강대국들의 이해관계에 따라 국경선이 정해졌고, 식민지 독립 이후 국경과 부족 경계가 달라 분쟁과 내전이 지속되고 있다.

19 저개발 지역의 빈곤을 해결하기 위한 노력

선진국의 지원에만 의존하면, 선진국이 지원을 중단할 경우 저개발국은 다시 경제적 어려움에 처할 수 있다.

오답 피하기 ① 저개발국은 자국의 경쟁력이 약하므로 경제 협력 체제를 만들어 공동으로 자원을 개발하는 것이 좋다.

20 국제기구의 노력

제시된 글은 지구의 환경 보존 및 세계 평화를 위해 활동하는 국제 비정부 기구인 그린피스(Greenpeace)에 관한 내용이다.

더 알아보기	불평등을 완화하는 국제기구
정부 간 국제기구	• 국제 연합(UN) 산하 기구: 국제 연합 난민 기구(난민 보호), 국제 연합 아동 기금(아동 구호 및 복지 향상), 평화 유지군(분쟁 지역에 파견되어 질서 유지), 세계 식량 계획(기아로 고통받는 지역에 식량 지원), 세계 보건 기구(보건, 위생 분야의 국제적 협력) • 경제 협력 개발 기구(OECD): 저개발국에 공적 개발 원조
국제 비정부 기구	• 옥스팜: 기근 구제를 위한 국제 구호 활동 • 그린피스: 지구의 환경 보존, 세계 평화를 위한 활동 • 월드 비전: 긴급 구호 및 지역 개발 사업 • 국경 없는 의사회: 소외된 지역의 의료 지원

학교 시험 기본 테스트 2회					58~61쪽
01 ④	02 ④	03 ⑤	04 ②	05 ②	06 ②
07 ②	08 ④	09 ③	10 ①	11 ②	12 ⑤
13 ③	14 ③	15 ⑤	16 ③	17 ⑤	18 ④
19 ③	20 ④				

01 세계의 인구 분포

A는 오세아니아 대륙, B는 아시아 대륙이다. 아시아는 인구 대국인 중국과 인도를 포함하고 있어 가장 많은 인구가 분포한다. 계절풍 지역에 속해 벼농사에 유리한 곳에 많은 인구가 집중되어 있다. 오세아니아는 육지가 적은 남반구에 위치하고, 건조한 기후가 나타나는 곳이 많아 인구가 적게 분포한다. 따라서 세계의 인구는 대륙별로 불균등하게 분포하고 있음을 알 수 있다.

02 우리나라의 인구 이동

1990년대 이후 대도시의 생활 환경이 악화하면서 서울과 같은 대도시의 인구가 주변 지역으로 분산되었지만, 여전히 우리나라 인구의 대부분이 도시에 거주한다.

오답 피하기 ⑤ 1990년대 이후에는 도시 문제가 발생하여 대도시의 인구가 주변 지역으로 분산되는 역도시화 현상이 일어났다.

자료 분석

▲ 1960년대 이동   ▲ 1990년대 이후 이동

• 1960년대 이동: 산업화와 도시화가 진행되면서 농촌에서 대도시나 공업 도시로 인구가 이동하는 이촌 향도 현상이 나타났다.
• 1990년대 이후 이동: 도시에 여러 문제가 발생하면서 도시의 인구가 대도시 주변으로 나가거나 농촌으로 되돌아가는 현상(역도시화)이 나타났다.

03 세계의 인구 성장

산업 혁명 이후 경제 발달과 생활 수준의 향상, 의학 기술의 발달 등으로 사망률이 낮아져 세계의 인구는 급격히 증가하였다.

선택지 바로 보기

① 선진국은 인구가 급격하게 성장했다. (×)
→ 개발 도상국의 인구가 급격히 증가하였다.
② 경제가 발전할수록 인구 부양력은 낮아진다. (×)
→ 경제가 발전할수록 인구 부양력은 점점 높아진다.
③ 사망률이 낮아지면서 전체 인구가 감소했다. (×)
→ 사망률이 낮아지면서 평균 수명이 길어져 인구가 증가하였다.
④ 개발 도상국은 완만한 인구 성장이 나타난다. (×)
→ 선진국은 완만한 인구 성장이 나타난다.
⑤ 세계 인구는 산업 혁명 이후 빠르게 증가했다. (○)

04 저출산 문제의 대책

저출산 문제를 해결하기 위해 직장 내 시설 등 보육 시설을 확충하고, 자녀 양육비 지원을 확대하며, 적극적인 출산 장려 정책을 실시해야 한다.

05 도시의 특징

(가)는 도시, (나)는 촌락의 모습이다. 도시는 2·3차 산업에 종사하는 인구의 비율이 높아 사람들의 직업과 생활 모습이 다양하다. 한정된 공간을 효율적으로 활용하기 위해 고층 건물이 많은 것도 도시의 특징이다.

06 도시화의 의미와 특징

도시화란 도시의 수가 증가하거나 도시에 거주하는 인구 비율이 높아지면서 도시적 생활 양식이 확대되는 과정이다. 도시화가 진행되는 지역은 유입되는 인구가 많고, 주민의 경제 활동이 공업·제조업·서비스업 위주로 변화한다. 도시화가 진행되면 촌락의 인구가 도시로 이동하는 이촌 향도 현상이 나타난다.

오답 피하기 ④ 도시화가 진행되는 지역은 1차 산업(농업, 어업, 임업 등)의 비율이 낮아지게 된다.

07 선진국과 개발 도상국의 도시화

일반적으로 도시화율은 개발 도상국보다 선진국에서 높게 나타난다. 최근에는 개발 도상국의 도시화가 급속히 진행되어 아시아, 아프리카 등의 도시화율이 현재보다 더욱 증가할 것이다.

선택지 바로 보기

ㄱ. 선진국은 도시화율이 높은 편이다. (○)
ㄴ. 대부분의 개발 도상국은 도시화율이 높다. (×)
→ 개발 도상국은 도시화율이 낮은 편이다.
ㄷ. 유럽, 오세아니아 대륙의 도시화율은 높은 편이다. (○)
ㄹ. 도시화율이 가장 높은 대륙은 유럽이고, 가장 낮은 대륙은 아시아이다. (×)
→ 도시화율이 가장 높은 대륙은 북아메리카이고, 가장 낮은 대륙은 아프리카이다.

08 국가별 도시화율

영국은 선진국으로 일찍부터 도시화가 되었으며, 중국은 개발 도상국으로 급속한 도시화가 진행되고 있다. 아프리카의 니제르는 저개발국으로 도시화 정도가 낮다.

오답 피하기 ③ 현재 세계의 도시화율이 50% 이상이므로, 세계 인구의 절반 이상이 도시에 거주한다.

09 농업 생산의 세계화

농업 생산의 세계화가 나타난 배경으로는 교통·통신의 발달, 세계 무역 기구(WTO)의 출범, 자유 무역 확대, 다국적 농업 기업의 등장, 농업 기술의 발달, 다양한 농산물에 대한 수요 증가 등이 있다.

오답 피하기
② 세계 무역 기구(WTO)의 출범 이후 농산물 등의 세계 무역이 더욱 활발해졌다.
⑤ 농산물을 전 세계에서 생산·유통하는 다국적 기업이 등장하여 농업의 세계화가 촉진되었다.

10 다국적 기업의 입지

다국적 기업의 생산 공장이 들어서는 지역에서는 자본이 유입되고 일자리가 증가하며 관련 산업이 발달해 지역 경제가 활성화된다.

오답 피하기
④ 산업 공동화 현상은 다국적 기업의 생산 공장이 철수한 지역에서 나타나는 현상이다.
⑤ 다국적 기업의 생산 공장이 들어서면 일자리가 늘어나므로 실업자가 감소하게 된다.

더 알아보기 다국적 기업의 공간적 분업

기능	입지 지역	입지 원인
본사	본국, 선진국의 대도시	다양한 정보 수집과 자본 확보에 유리
연구소	선진국의 대도시, 대도시 주변	전문(고급) 인력 풍부, 교육·문화적 편의 시설이 가까움
생산 공장	개발 도상국	저렴한 임금(노동력), 저렴한 지가, 현지 정부의 적극적 지원
	선진국	시장 확보, 무역 장벽 극복
영업 지점	대도시	수요가 많아 구매력이 높음

11 관광의 세계화

관광의 세계화로 관광객의 수가 증가하면, 무리한 개발과 관광객들이 버리는 쓰레기 등으로 관광지의 환경이 오염되고 생태계가 파괴될 수 있다.

오답 피하기 ③ 관광 산업이 발달하는 지역은 지역 주민이 관광 통역 안내사 등의 직장을 얻을 수 있어 지역 경제를 활성화할 수 있다.

12 기후 변화에 대응하는 국제적 노력

파리 협정은 2020년 이후 적용될 새로운 기후 변화 협약으로, 선진국과 개발 도상국 모두 온실가스 배출량을 감축하기로 합의한 첫 번째 국제 협약이라는 점에서 그 의의가 있다.

오답 피하기 ㄹ. 산업화 과정에서 화석 연료를 다량으로 사용하게 되고 그에 따라 온실가스가 증가하여 기후 문제의 원인이 된다.

더 알아보기 기후 변화 문제 관련 국제 협약

기후 변화 협약 (1992년)	브라질 리우 환경 회의에서 온실가스를 줄이기 위해 최초로 채택
교토 의정서 (1997년)	기후 변화 협약의 구체적 이행 방안으로 채택 → 37개 선진국의 온실가스 배출량 감축 목표 규정, 탄소 배출 거래제 도입
파리 협정 (2015년)	2020년 이후 적용될 새로운 기후 협약 → 기후 변화 당사국인 197개국 모두(개발 도상국 포함) 자발적으로 감축 이행 방안 제출

13 로컬 푸드 운동

농산물의 이동 거리가 길면 오랜 기간 저장해야 하므로 다량의 방부제를 사용하는 경우가 많고, 이동하는 동안 농산물이 오염될 가능성이 높으며, 수송 과정에서 많은 양의 온실가스가 배출된다.

선택지 바로 보기

① 방부제를 사용한다. (×)
→ 주로 글로벌 푸드가 다량의 방부제를 사용한다.
② 푸드 마일리지가 높다. (×)
→ 글로벌 푸드가 로컬 푸드보다 푸드 마일리지가 높다.
③ 신선해서 먹거리의 안전성이 높다. (○)
④ 이동 과정에서 많은 온실가스가 배출된다. (×)
→ 로컬 푸드는 생산 지역에서 소비하므로 이동 거리가 상대적으로 짧아 온실가스가 적게 배출된다.
⑤ 우리나라 지역 경제 활성화에 도움이 되지 않는다. (×)
→ 로컬 푸드는 지역 농민의 안정적 소득을 보장한다.

14 미세 먼지 문제의 해결 방법

미세 먼지는 화석 연료를 태울 때 주로 발생하므로 자전거나 대중교통을 이용하는 것이 바람직하다.

선택지 바로 보기

① 대체 에너지 개발을 줄여야 한다. (×)
→ 대체 에너지 개발을 장려해야 한다.
② 환경 단체만의 노력으로 해결한다. (×)
→ 국가 간 협력을 바탕으로 해결해야 한다.
③ 개인은 자동차 대신 자전거를 이용한다. (○)
④ 국제적인 협력은 큰 도움이 되지 않는다. (×)
→ 미세 먼지는 바람을 타고 이동하여 국가 간 협력이 필요하다.
⑤ 화력 발전을 통한 전기 생산을 장려해야 한다. (×)
→ 화력 발전은 미세 먼지가 발생하므로 지양해야 한다.

15 우리나라의 영해

빗금 영역은 우리나라의 영해이다. 우리나라의 주권이 미치는 범위로 타국의 선박이 자유롭게 통행할 수 없다. 동해안은 썰물 때의 해안선인 통상 기선으로부터 12해리까지가 영해이고, 황해와 남해는 해안선이 복잡해 최외곽 도서를 연결한 직선 기선으로부터 12해리까지, 대한 해협은 직선 기선으로부터 3해리까지가 영해이다.

16 독도의 주권 의식을 높이는 활동

다케시마의 날 지정은 일본이 독도를 자기의 땅이라고 주장할 수 있는 근거가 된다.

17 지리적 표시제의 특징

지리적 표시제의 경우, 해당 지역의 상품이 아닌 경우에는 지역명을 사용할 수 없다.

18 세계의 영역 분쟁

카슈미르 분쟁은 종교적 갈등이 분쟁으로 확대된 경우이고, 난사 군도 분쟁은 자원 확보를 위한 경쟁이며, 에티오피아 분쟁은 국경선 설정이 모호하여 발생했다.

19 국가 간 경제 수준의 차이

국가 간 경제 수준이 다른 것은 자연환경, 기술·교육 수준, 자원 보유량, 사회·경제적 제도 등이 다르기 때문이다.

20 국제기구의 노력

국경 없는 의사회는 국제 민간 인도주의 의료 구호 단체로 소외된 지역의 의료를 지원한다.

7일 끝

핵심 용어 풀이

과목별 개념어와 핵심 어휘로
어휘력을 길러 보세요!

핵심 용어 풀이

❶ 인구 이동(사람 人, 입 口, 옮길 移, 움직일 動)

인구가 한 지역에서 다른 지역으로 이동하는 현상 → 이동
❶[_____]에 따라 경제적 이동, 정치적 이동, 종교적 이동,
❷[_____] 이동 등으로 구분

경제적 요인: 일자리도 없고, 생활 환경도 불편해.
정치적 요인: 전쟁이 끝났으면 좋겠어.
종교적 요인: 신교 믿으려면 떠나라!
환경적 요인: 집이 물에 잠기고 있어!

답 ❶ 원인 ❷ 환경적

예1 1960년대 이후 산업화와 함께 도시로의 인구 이동이 활발히 일어났다.

예2 오늘날에는 일자리를 찾기 위한 경제적 인구 이동이 많다.

❷ 저출산(낮을 低, 날 出, 낳을 産) 현상

한 사회에서 일정 기간 동안 ❶[_____]을/를 낳는 비율이 낮은
현상 ← 산업 구조의 변화, 결혼과 자녀에 대한 ❷[_____] 변화,
양육에 대한 경제적 부담 증가 등이 원인임

하나는 외롭습니다
자녀에게 가장 좋은 선물은 동생입니다

▲ 출산 장려 포스터

답 ❶ 아이 ❷ 가치관

예1 오늘날 일부 선진국에서 저출산 현상이 심각하게 나타나고 있다.

예2 저출산 현상을 해결하기 위해서는 출산 장려 정책을 적극적으로 시행해야 한다.

❸ 고령화(높을 高, 나이 齡, 될 化) 현상

한 사회에서 ❶[_____] 인구의 비율이 높아지는 현상 ← 생활
수준의 향상, ❷[_____] 기술의 발달로 인한 평균 수명 연장이
원인임

세계 평균: 9.3
미국: 14.8
독일: 21.2
일본: 26.3

▲ 주요 선진국의 65세 이상 인구 비율(2015년)

답 ❶ 노년 ❷ 의학

예1 고령화 현상을 해결하기 위해서는 노인 복지 정책을 적극적으로 시행해야 한다.

예2 오늘날 일부 선진국에서 고령화 현상이 심각하게 나타나고 있다.

❹ 남아 선호(사내 男, 아이 兒, 가릴 選, 좋을 好) 사상

아이를 낳을 때 여자아이보다 남자아이를 더 원하는 사상 →
❶[_____] 불균형 문제를 초래함

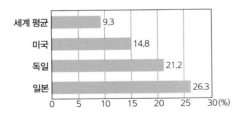

(명)
100 / 107.2 / 111.3 / 116.8 / 119.9 / 120.5 / 118.1 / 113.5
1985 1990 1995 2000 2005 2010 2015(년)

▲ 중국의 성비 변화

답 ❶ 성비

예1 중국은 남아 선호 사상과 '한 자녀 정책'으로 심각한 성비 불균형이 발생했다.

예2 중국, 인도 등의 일부 아시아 국가에서는 여전히 남아 선호 사상이 남아 있다.

❺ 세계 도시(global city)

❶ [　　　]의 본사, 국제기구가 많고 자본과 정보가 집중하여 세계 정치 · 경제 활동의 ❷ [　　　] 역할을 하는 도시 예 미국 뉴욕, 영국 런던, 일본 도쿄, 우리나라 서울 등

▲ 미국 뉴욕

답 ❶ 다국적 기업 ❷ 중심지

예1 세계 도시는 세계 경제 · 정치 · 문화의 중심지이다.
예2 미국 뉴욕은 국제 연합(UN)의 본부가 있는 세계 도시이다.

❻ 중심 업무 지구(Central Business District)

대도시에서 ❶ [　　　] 관리 기능을 비롯하여 상업 기능 및 고급 서비스 기능이 밀집된 지역 ← 접근성이 높은 ❷ [　　　]에 형성됨

▲ 도심의 중심 업무 지구

답 ❶ 중추 ❷ 도심

예1 도시 중심부인 도심에 중심 업무 지구가 형성되어 있다.
예2 중심 업무 지구는 도시의 중추 관리 기능을 담당하고 있다.

❼ 인구 공동화(빌 空, 빌 洞, 될 化) 현상

주간(낮)에 ❶ [　　　]에서 활동하던 사람들이 야간(밤)에 주변 지역에 있는 집으로 돌아가면서 도심의 사람들이 급격히 줄어드는 현상 → 출퇴근 시간에 교통 ❷ [　　　] 문제 발생

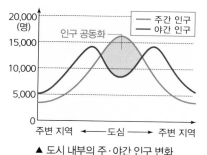
▲ 도시 내부의 주·야간 인구 변화

답 ❶ 도심 ❷ 혼잡

예1 도심은 상주인구의 감소로 인구 공동화 현상이 나타난다.
예2 인구 공동화 현상은 출퇴근 시간 교통 혼잡의 원인이다.

❽ 도시화(도읍 道, 저자 市, 될 化)

도시의 수가 ❶ [　　　]하거나 도시에 거주하는 인구 비율이 높아지면서 도시적 생활 양식이 확대되는 과정 → 도시화율에 따라 ❷ [　　　] 단계, 가속화 단계, 종착 단계로 구분

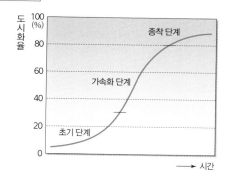
▲ 도시화 과정

답 ❶ 증가 ❷ 초기

예1 도시화는 일반적으로 산업화와 함께 진행된다.
예2 도시화 가속화 단계에서 도시화율이 급격하게 상승한다.

❾ 이촌 향도(떠날 離, 시골 村, 향할 向, 도읍 都) 현상

❶ ☐ 의 인구가 일자리를 찾아 도시로 이동하는 현상 →
도시의 과도한 인구 집중, 촌락의 인구 ❷ ☐ 의 원인이 됨

1960년대

동해

황해

일자리를 찾아
도시로 갑니다.

남해

0   100 km

답 ❶촌락 ❷부족

예1 우리나라는 1960년대 이후 이촌 향도 현상에 따라
도시화가 급속히 진행되었다.

예2 이촌 향도 현상으로 인해 촌락의 청장년층 인구 부족
문제가 발생하였다.

❿ 상업적(장사 商, 일 業, 과녁 的) 농업

상품 ❶ ☐ 을/를 목적으로 작물을 재배하는 농업으로, 원
예 작물이나 기호 작물 등 상품성이 높은 작물을 대규모로 재배
함 ↔ ❷ ☐ 농업

▲ 대규모 곡물 농업

▲ 상업적 목축

답 ❶판매 ❷자급적

예1 상업적 농업 방식은 상품성이 높은 한두 가지 농작물
을 대규모로 재배한다.

예2 오늘날 농업 생산의 세계화로 상업적 농업 방식이 확
대되고 있다.

⓫ 식량 자급률(스스로 自, 넉넉할 給, 비율 率)

한 국가의 식량 총소비량 중 국내 ❶ ☐ 이/가 차지하는 비
율 ← 오늘날 농업의 세계화로 외국 농산물에 대한 ❷ ☐
의존도가 지나치게 높아지는 문제가 발생함

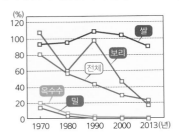

(%)
120
100
80
60
40
20
0
1970 1980 1990 2000 2013(년)

쌀
보리
전체
옥수수
밀

▲ 우리나라의 식량 자급률

답 ❶총생산 ❷수입

예1 우리나라는 쌀의 식량 자급률이 다른 작물에 비해 높
은 편이다.

예2 외국 농산물의 수입 의존도가 높아질수록 식량 자급률
은 감소한다.

⓬ 다국적 기업(multinational corporation)

전 세계를 무대로 제품의 생산과 ❶ ☐ 등의 활동을 하는
기업으로, 교통·통신의 발달, ❷ ☐ 의 등장, 자유 무역 협
정의 확대 등을 배경으로 성장함

▲ 다국적 기업의 공간적 분업

답 ❶판매 ❷자유 무역 기구(WTO)

예1 다국적 기업은 세계 여러 국가에 연구소, 생산 공장,
지사 등을 운영한다.

예2 다국적 기업의 수는 빠르게 증가하고 있으며, 활동 분
야도 넓어지고 있다.

⑬ 서비스업(service industry)

❶ [   ]을/를 유통·판매하거나 인간 활동에 필요한
❷ [   ]을/를 제공하는 산업

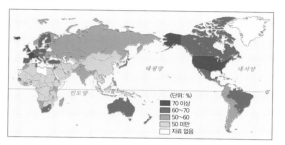

▲ 국내 총생산(GDP)에서 서비스업이 차지하는 비중

답 ❶ 상품 ❷ 서비스

예1 서비스업은 기계가 대신할 수 없는 일이 많아 고용 창출
효과가 크다.

예2 소득 수준의 향상에 따라 서비스업에 대한 수요가
꾸준히 증가하고 있다.

⑭ 탄소 배출권 거래제(emission trading scheme)

❶ [   ] 감축을 유도하기 위해 온실가스 배출 권리를 사고
팔 수 있도록 한 제도 → ❷ [   ] 의정서에서 최초로 도입

▲ 탄소 배출권 거래

답 ❶ 온실가스 ❷ 교토

예1 탄소 배출권 거래는 일반적으로 기업 사이에서 이루어
진다.

예2 우리나라는 2015년부터 탄소 배출권 거래제를 도입하
여 시행하고 있다.

⑮ 파리 협정(Paris Agreement)

기후 변화 문제를 막기 위해 선진국과 ❶ [   ] 구분 없이
모든 국가에 온실가스 감축 의무를 부과하는 ❷ [   ] 기후
변화 대응 체제

▲ 파리 협정

답 ❶ 개발 도상국 ❷ 국제적

예1 파리 협정은 기후 변화에 대해 전 지구적 차원에서 대
응하기 위한 국제 협력이다.

예2 파리 협정에서 기후 변화 당사국 모두 온실가스 감축
이행 방안을 제출하였다.

⑯ 전자 쓰레기(electronic waste)

더는 가치가 없거나 수명이 다 된 ❶ [   ](이)나 부품에서
나오는 쓰레기 → ❷ [   ]에서 발생한 전자 쓰레기가 개발
도상국으로 이동하고 있음

▲ 전자 쓰레기의 이동

답 ❶ 가전제품 ❷ 선진국

예1 개발 도상국 주민들은 전자 쓰레기를 가공·처리하여
수익을 올리고 있다.

예2 전자 쓰레기를 처리하는 과정에서 나온 독성 물질은
인체에 해롭다.

⓱ 유전자 재조합 식품(GMO)

생물체의 유용한 유전자를 다른 생물체의 유전자와 결합하여 특정 목적에 맞도록 일부를 변형시킨 식품(=유전자 ❶ ☐ 식품)으로, 유전자 재조합 식품에 대해 찬성하는 입장과 반대하는 입장 사이에 논쟁이 일어남

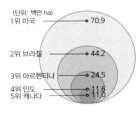

▲ GMO 재배 면적 상위 5개국

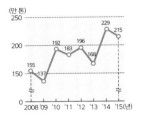

▲ 국내 GMO 수입량

답 ❶ 변형

예1 유전자 재조합 식품은 병충해에 강해 생산량이 많다.

예2 유전자 재조합 식품이 인체에 미치는 영향은 불확실하다.

⓲ 미세 먼지(fine particulate matter)

공기 중에 떠다니는 먼지 중 지름이 10㎛ 이하인 작은 먼지 입자 → ❶ ☐ 및 심혈관 질환 유발, 비행기 및 여객선 운행 차질

▲ 미세 먼지 이동 경로와 발생 원인

답 ❶ 호흡기

예1 미세 먼지는 주로 인위적 요인에 의해 생성된다.

예2 미세 먼지는 배출 지역과 피해 지역이 일치하지 않기 때문에 국제적 협력이 필요하다.

⓳ 푸드 마일리지(food mileage)

❶ ☐ 이/가 생산되어 소비자의 식탁에 오르기까지의 이동 거리(km)에 수송량(t)을 곱한 값 → 푸드 마일리지가 높은 글로벌 푸드에 대한 대안으로 ❷ ☐ 이/가 등장

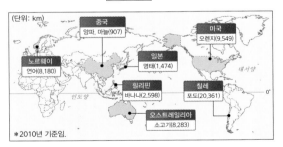

▲ 주요 수입 먹거리의 이동 거리

답 ❶ 먹거리 ❷ 로컬 푸드

예1 먹거리의 이동 거리가 멀수록 푸드 마일리지가 높다.

예2 로컬 푸드는 푸드 마일리지가 낮아 온실가스 배출량이 적다.

⓴ 영역(옷깃 領, 땅 域)

한 국가의 ❶ ☐ 이/가 미치는 공간적 범위 → 영토, ❷ ☐, 영공으로 구성

▲ 영역의 구성

답 ❶ 주권 ❷ 영해

예1 세계 여러 곳에서 영역을 둘러싼 갈등이 발생하고 있다.

예2 국가의 영역은 국민들의 생활 터전으로서 큰 의미를 가지고 있다.

㉑ 배타적 경제 수역(Exclusive Economic Zone)

영해를 설정한 기준선으로부터 ❶ [　　　] 해리까지의 바다 중
영해를 제외한 바다 → 바다에 대한 ❷ [　　　] 주권은 행사할
수 있지만, 정치적 주권을 행사할 수 없음

▲ 우리나라의 배타적 경제 수역

답 ❶ 200 ❷ 경제적

예1 배타적 경제 수역에서는 연안국의 어업 활동과 천연
　　자원 탐사 등의 권리가 인정된다.

예2 오늘날 배타적 경제 수역의 중요성이 커지고 있다.

㉒ 지역 브랜드(local brand)

지역에서 생산되는 상품과 ❶ [　　　] 또는 지역 자체에 부여
한 하나의 고유한 상표 → ❷ [　　　] 이/가 잘 드러나는 로고,
슬로건, 캐릭터 활용

▲ 뉴욕시

▲ 평창군

▲ 인천시

▲ 나주시

답 ❶ 서비스 ❷ 지역성

예1 미국 뉴욕의 지역 브랜드는 세계적으로 유명하다.

예2 지역 브랜드에는 해당 지역의 고유한 특성과 가치가
　　잘 나타난다.

㉓ 장소 마케팅(place marketing)

특정 장소가 지닌 유형·무형의 ❶ [　　　](이)나 고유한 특징
을 이용하여 장소 자체를 매력적인 상품으로 발전시키는 것 →
지역의 가치 ❷ [　　　] 및 지역 상품 판매 증가로 지역 경제가
활성화됨

▲ 함평 나비 축제

▲ 보령 머드 축제

답 ❶ 자산 ❷ 상승

예1 지역의 랜드마크를 활용해 장소 마케팅을 할 수 있다.

예2 부산 국제 영화제는 장소 마케팅을 통해 세계적인 영
　　화제로 자리매김했다.

㉔ 지리적 표시제(geographical indication system)

특정 상품의 품질과 특성이 생산지의 ❶ [　　　] 특성에서 비
롯되고 그 우수성이 인정될 때, 국가가 해당 지역의 이름을 상표
권으로 인정해 주는 제도 예 보성 ❷ [　　　], 횡성 한우, 의성
마늘 등

▲ 지리적 표시 인증 마크

답 ❶ 지리적 ❷ 녹차

예1 보성 녹차는 제1호 지리적 표시제 인증 상품이다.

예2 지리적 표시제에 등록되면 다른 곳에서 임의로 상표권
　　을 사용할 수 없다.

㉕ 기아(굶주릴 飢, 굶주릴 餓)

인간이 생존하는 데 필요한 물과 ❶ [＿＿＿＿]이/가 결핍된 상태
→ 40여 개국 8억 명 이상의 인구가 굶주림으로 고통을 겪고 있음

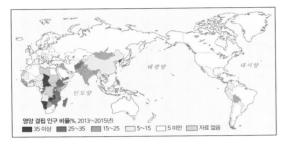

영양 결핍 인구 비율(%, 2013~2015년)
■ 35 이상 ■ 25~35 ■ 15~25 ■ 5~15 □ 5 미만 □ 자료 없음

▲ 세계의 기아 현황

답 ❶ 영양소

예1 기아 문제는 아프리카와 일부 아시아 국가 등지에서
특히 심각하다.

예2 기아는 장기적으로 성장을 방해하며, 노동 생산성을
떨어뜨린다.

㉖ 인간 개발 지수(Human Development Index)

각 국가의 실질 국민 ❶ [＿＿＿＿], 교육 수준, 기대 수명 등 인간
의 삶과 관련된 항목을 조사해 각국의 발전 수준과 선진화 정도
를 평가하는 지표

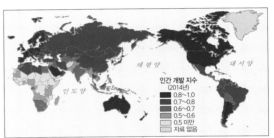

인간 개발 지수
(2014년)
■ 0.8~1.0
■ 0.7~0.8
■ 0.6~0.7
■ 0.5~0.6
□ 0.5 미만
□ 자료 없음

▲ 인간 개발 지수(HDI)

답 ❶ 소득

예1 인간 개발 지수는 선진국과 저개발국 간의 발전 격차
를 줄이는 데 활용된다.

예2 인간 개발 지수는 1에 가까울수록 개발 수준이 높음을
의미한다.

㉗ 공적 개발 원조(Official Development Assistance)

선진국에서 저개발국의 경제 발전과 ❶ [＿＿＿＿] 증진 등을 목
적으로 저개발국 또는 ❷ [＿＿＿＿]에 도움을 주는 것 → 저개발
국의 빈곤 감소와 삶의 질 향상

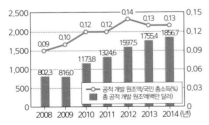

○ 공적 개발 원조액/국민 총소득(%)
■ 총 공적 개발 원조액(백만 달러)

▲ 우리나라의 공적 개발 원조 현황

답 ❶ 복지 ❷ 국제기구

예1 우리나라는 한국 국제 협력단을 설립하여 공적 개발
원조를 하고 있다.

예2 공적 개발 원조는 경제 협력 개발 기구(OECD)에서 주
도하고 있다.

㉘ 공정 무역(fair trade)

❶ [＿＿＿＿] 국가의 가난한 생산자가 만든 상품을 공정한 가격
으로 사고파는 방식의 무역 → 공정 무역 상품을 구매하면 저개
발 국가의 발전을 도와줄 수 있음

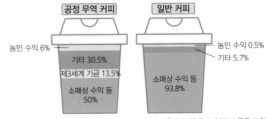

공정 무역 커피
농민 수익 6%
기타 30.5%
제3세계 기금 13.5%
소매상 수익 등 50%

일반 커피
농민 수익 0.5%
기타 5.7%
소매상 수익 등 93.8%

*기타는 운송료, 통관비, 인건비 등을 포함

▲ 공정 무역 커피의 수익 배분 구조

답 ❶ 저개발

예1 공정 무역은 노동에 대한 정당한 대가를 주는 것을 그
목적으로 한다.

예2 공정 무역 상품을 구매하면 저개발국의 어려운 사람들
을 직접 도울 수 있다.

핵심 정리 01 세계의 인구 분포

1. 세계 인구 분포의 특징: 세계 인구는 특정 지역에 집중하여 분포 → **①** ⬚ , 냉대 및 온대 기후 지역의 중위도 지역, 아시아, 하천 주변의 평야 지대나 해안 지역의 인구 밀도가 높음

2. 인구 분포에 영향을 미치는 요인: 산업 혁명 이후 자연적 요인보다 인문·사회적 요인이 사람들의 생활에 중요해짐

② ⬚ 요인	기후, 지형, 식생, 토양 등
인문·사회적 요인	정치, 경제, 문화, 산업, 교육, 교통, 역사 등

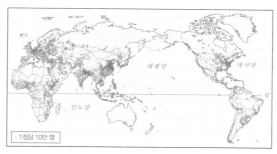

▲ 세계의 인구 분포

답 ❶ 북반구 ❷ 자연적

핵심 정리 02 인구 이동

1. 인구 이동의 요인

① ⬚ 요인	인구를 지역으로 끌어들이는 요인 ㉆ 풍부한 일자리, 높은 임금, 쾌적한 생활 환경, 정치적 안정 등
배출 요인	인구를 다른 지역으로 밀어내는 요인 ㉆ 빈곤, 일자리 부족, 낮은 임금, 열악한 생활 환경, 전쟁과 분쟁 등

2. 세계의 인구 이동: 오늘날에는 일자리를 찾아 이동하는 **②** ⬚ 이동, 전쟁이나 분쟁을 피하기 위한 정치적 이동, 지구 온난화 등으로 인한 환경적 이동, 휴양이나 유학 등을 위한 일시적 이동이 주로 발생

답 ❶ 흡인 ❷ 경제적

핵심 정리 03 선진국과 개발 도상국의 인구 문제

1. 선진국의 인구 문제

저출산 현상	인구 감소, 노동력 부족으로 인한 경제 성장 둔화 등의 문제 발생
① ⬚ 현상	노인 인구 부양 비용 및 사회 복지 재정 부담 증대 등의 문제 발생

2. 개발 도상국의 인구 문제

인구 급증	**②** ⬚ 인구 부양력으로 인한 기아, 빈곤, 실업 등의 문제 발생
성비 불균형	결혼 적령기에 배우자를 찾지 못하는 문제 발생
대도시 인구 과밀	주택 부족, 교통 혼잡, 환경 오염 등의 도시 문제, 농촌의 노동력 부족 문제 발생

답 ❶ 고령화 ❷ 낮은

핵심 정리 04 도시 내부 구조

도심	도시 중심부에 위치, 비싼 땅값, **①** ⬚ 형성
부도심	편리한 교통, 도심의 기능 분담
중간 지역	주택, 학교, 공장이 혼재
주변 지역	저렴한 땅값, 넓은 부지, 주거 및 공업 지역
개발 제한 구역	도시의 무질서한 팽창 방지를 위해 설정
② ⬚	대도시의 기능 분담

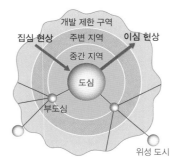

▲ 도시 내부 구조

답 ❶ 중심 업무 지구(CBD) ❷ 위성 도시

[예제] 다음 (가), (나) 인구 이동의 요인을 바르게 연결한 것은?

(가)

(나)

	(가)	(나)
①	정치적 요인	종교적 요인
②	정치적 요인	경제적 요인
③	환경적 요인	정치적 요인
④	경제적 요인	정치적 요인
⑤	경제적 요인	환경적 요인

답 ②

기억해요!

인구 [　　　] 지역은 풍부한 일자리, 쾌적한 환경 등의 흡인 요인이 있고, 인구 유출 지역은 낮은 임금과 전쟁 등의 [　　　] 요인이 있다.

답 유입, 배출

[예제] 인구 분포에 영향을 미치는 요인 중에서 성격이 <u>다른</u> 하나는?

① 종교적 탄압
② 편리한 교통
③ 풍부한 일자리
④ 정치적 불안정
⑤ 하천 주변 평야

답 ⑤

기억해요!

인구 분포에 영향을 주는 요인에는 기후, 지형, 식생 등의 [　　　] 요인과 산업, 교통, 문화, 정치 등의 [　　　] 요인이 있다.

답 자연적, 인문·사회적

[예제] (가), (나) 지역에 대한 설명으로 옳지 <u>않은</u> 것은?

(가)

(나)

① (가) 지역은 고층 건물이 밀집되어 있다.
② (가) 지역은 대도시의 중심 기능을 담당한다.
③ (나) 지역의 주민들은 대부분 1차 산업에 종사한다.
④ (가)는 (나)에 비해 업무 및 전문 상업 기능이 발달했다.
⑤ (나)는 (가)에 비해 지가가 저렴하다.

답 ③

기억해요!

[　　　] 은/는 도심, 부도심, 중간 지역, 주변 지역, 개발 제한 구역, 위성 도시로 이루어져 있다.

답 도시 내부 구조

[예제] 개발 도상국의 인구 문제에 대한 설명으로 옳지 <u>않은</u> 것은?

① 인구에 비해 일자리가 부족하다.
② 심각한 기아 및 빈곤 문제가 발생한다.
③ 남아 선호 사상으로 성비 불균형이 나타난다.
④ 인구 부양력이 인구 증가 속도에 미치지 못한다.
⑤ 노년층의 증가로 노인 인구 부양 부담이 증가한다.

답 ⑤

기억해요!

[　　　] 의 인구 문제로는 저출산과 고령화 현상 등이 있고, [　　　] 의 인구 문제로는 인구 급증, 성비 불균형, 대도시 인구 과밀 등이 있다.

답 선진국, 개발 도상국

핵심 정리 05 도시화의 의미와 특징

1. **의미**: 도시의 수가 증가하거나 도시에 거주하는 인구 비율이 높아지면서 도시적 생활 양식이 ❶[　　　]되는 과정

2. **특징**

　① 일반적으로 산업화와 함께 진행됨

　② 인구가 증가하고 도시의 면적이 넓어짐

　③ 주민의 경제 활동은 공업과 서비스업 위주로 변화함

3. **과정**: 도시화율에 따라 초기 단계, ❷[　　　] 단계, 종착 단계로 나뉨 → 한 국가의 산업 및 경제 수준을 파악할 수 있음

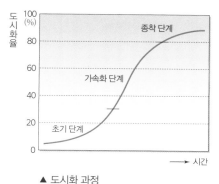

▲ 도시화 과정

답 ❶ 확대 ❷ 가속화

핵심 정리 06 선진국과 개발 도상국의 도시 문제

선진국	• 대도시의 인구 ❶[　　　], 시설 노후화 등으로 인한 성장 정체 • 도심의 노후 주택 문제와 교통 체증 문제 • 경제 환경의 변화로 인한 제조업 쇠퇴로 실업률 상승 • 범죄 문제, 노숙자 문제, 이주민과의 갈등 등
개발 도상국	• ❷[　　　]: 산업 및 도시 기반 시설이 갖추어지지 않은 상태에서 많은 사람들이 촌락에서 도시로 이동함 • 무허가 주택과 슬럼 형성 • 환경 문제, 도시 내 빈부 격차 문제, 일자리 부족 등

▲ 영국 런던　　　▲ 인도 뭄바이

답 ❶ 감소 ❷ 과도시화

핵심 정리 07 농업의 세계화와 기업화

1. **농업 생산의 세계화**: 교통·통신의 발달, 다양한 농산물에 대한 수요 ❶[　　　], 자유 무역 확대 등으로 전 세계를 대상으로 농산물의 생산 및 판매가 이루어지는 현상

2. **농업 생산의 기업화**: 기업이 막대한 자본과 뛰어난 기술을 바탕으로 농장을 운영하는 방식

특징	• ❷[　　　]: 농작물의 대규모 재배, 대형 농기계 및 화학 비료 사용 등 → 생산력 증대, 가격 경쟁력 확보 • 체계화: 농작물의 생산, 가공, 상품화의 전 과정이 기업에 의해 체계적으로 이루어짐
대상 지역	• 기업적 농목업: 미국, 캐나다 등 • 플랜테이션: 아프리카, 아시아의 개발 도상국 등

답 ❶ 증가 ❷ 대량화

핵심 정리 08 다국적 기업의 공간적 분업

1. **의미**: 관리, 연구·개발, 생산 등 각각의 기능들이 서로 다른 지역에 입지하여 업무를 분담하는 현상

2. **입지 특성**

본사	정보 수집과 자본 확보에 유리한 ❶[　　　]
연구소	전문(고급) 인력이 풍부하고, 교육·환경·문화적 편의 시설에 대한 접근성이 높은 선진국
생산 공장	저임금 노동력이 풍부한 개발 도상국, 무역 장벽의 극복과 시장 개척에 유리한 선진국
판매 지점	수요가 많아 구매력이 높은 ❷[　　　] 지역

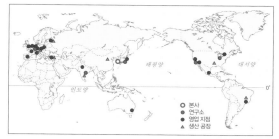

▲ H 자동차 회사의 공간적 분업

답 ❶ 선진국 ❷ 대도시

[예제] 선진국과 개발 도상국의 도시 문제에 대한 설명으로 옳지 <u>않은</u> 것은?

① 선진국은 도심의 노후 주택 문제가 심각하다.

② 도시 문제의 심각성은 선진국보다 개발 도상국에서 더 두드러진다.

③ 개발 도상국은 오랜 도시화 과정 동안 많은 도시 문제를 해결하였다.

④ 선진국 대도시에서는 인구 감소, 시설 노후화 등으로 도시의 활력이 줄어들기도 한다.

⑤ 개발 도상국은 도시 기반 시설이 제대로 갖추어지지 않은 상태로 도시화가 진행되어 문제가 발생했다.

답 ③

기억해요!

[   ]의 도시 문제로는 도심 노후 주택 문제, 범죄 문제 등이 있고, [   ]의 도시 문제로는 과도시화, 도시 기반 시설 부족 문제 등이 있다.

답 선진국, 개발 도상국

[예제] 도시화에 대한 설명으로 옳지 <u>않은</u> 것은?

① 도시의 면적이 넓어진다.

② 도시적 생활 양식이 확대된다.

③ 일반적으로 산업화와 함께 진행된다.

④ 도시의 수는 줄어들고, 도시 인구는 증가한다.

⑤ 제조업, 서비스업 등에 종사하는 인구가 증가한다.

답 ④

기억해요!

[   ]은/는 도시의 수가 증가하거나 도시에 거주하는 인구 비율이 높아지면서 도시적 생활 양식이 확대되는 과정을 의미한다.

답 도시화

[예제] 다국적 기업의 각 기능이 주로 입지하는 지역을 바르게 연결한 것은?

	의사 결정	연구·개발	생산
①	본국	개발 도상국	선진국
②	본국	선진국	개발 도상국
③	선진국	개발 도상국	본국
④	개발 도상국	본국	선진국
⑤	개발 도상국	선진국	본국

답 ②

기억해요!

다국적 기업의 [   ]은/는 관리, 연구·개발, 생산 등 각각의 기능들이 서로 다른 지역에 입지하여 업무를 분담하는 현상을 의미한다.

답 공간적 분업

[예제] 다음 자료를 통해 알 수 있는 사실로 옳지 <u>않은</u> 것은?

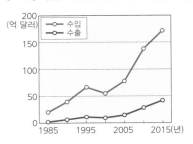

① 자급적 농업이 활성화되었다.

② 서구식 식생활이 널리 보급되었다.

③ 외국산 농산물에 대한 의존도가 높다.

④ 먹거리의 안전성 문제가 제기되고 있다.

⑤ 세계화로 다양한 외국 농산물을 쉽게 구매할 수 있는 환경이 조성되었다.

답 ①

기억해요!

오늘날 세계 여러 지역에서 농산물을 생산 및 판매하는 농업 생산의 [   ] 현상과 기업이 대규모 농장을 운영하는 농업 생산의 [   ] 현상이 확대되고 있다.

답 세계화, 기업화

핵심 정리 09 — 서비스업의 세계화

1. **의미**: 서비스업이 국가의 경계를 넘어 세계적으로 확대되는 현상

2. **배경**: 교통·통신의 발달로 국가 간 교류 증가 및 경제 활동의 시·공간적 제약 **①**[　　　], 다국적 기업의 활동 확대

3. **특성**
   ① 자본과 노동력의 이동이 자유로워지면서 국가 간 교역에서 **②**[　　　]이 차지하는 비중이 높아지고, 서비스업의 규모 확대
   ② 유통·관광·교육·의료 등 다양한 분야의 서비스업이 국경을 넘어 확대
   ③ 서비스업의 공간적 분산 가능

답 ❶ 감소 ❷ 서비스업

핵심 정리 10 — 기후 변화 문제를 해결하기 위한 노력

개인적 노력	에너지 절약, 자원 재활용, 쓰레기 분리 배출, 친환경 제품 사용 등
지역적 노력	비정부 기구(NGO)는 사람들의 환경 의식을 높이고, 정부의 환경 정책에도 영향
국가적 노력	• **①**[　　　] 개발 • 온실가스 배출량 감축 정책
국제적 노력	• 기후 변화 협약(1992년): 브라질 리우 환경 회의에서 온실가스를 줄이기 위해 최초로 채택 • 교토 의정서(1997년): 기후 변화 협약의 구체적 이행 방안 → 일부 선진국의 온실가스 감축 목표 규정 • **②**[　　　](2015년): 2020년 이후 적용될 새로운 기후 협약 → 개발 도상국을 포함한 모든 당사국의 자발적 참여

답 ❶ 대체 에너지 ❷ 파리 협정

핵심 정리 11 — 일상생활 속 환경 이슈

1. **의미**: **①**[　　　] 중 원인, 영향, 해결 방안 등을 서로 다르게 생각하여 논쟁이 벌어지는 환경 문제

2. **사례**: 유전자 재조합 식품(GMO), 로컬 푸드 운동, 미세 먼지, 쓰레기 처리 문제, 혐오 시설 건립을 둘러싼 입장 차이, 화학제품 안전성 문제, 소음 공해, 간척 사업 등

3. **환경 이슈를 해결하기 위한 노력**

②[　　　] 노력	견해 정립, 환경 보전 활동
이해 당사자 간 노력	개인, 시민 단체, 기업, 정부, 국제 사회가 환경 이슈에 관심을 가지고 합리적인 해결책 모색

답 ❶ 환경 문제 ❷ 개인적

핵심 정리 12 — 우리나라의 영역

1. **영역의 의미**: 한 국가의 주권이 미치는 공간적 범위이며 영토, 영해, 영공으로 구성

2. **우리나라의 영역**

영토	한반도와 주변 섬들로 구성, 서·남해안의 간척 사업으로 면적 확대 중
영해	• 동해안, 제주도, 울릉도, 독도: 최저 조위선을 기준으로 **①**[　　　] 기선으로부터 12해리 • 서해안, 남해안: **②**[　　　] 기선으로부터 12해리 • 대한 해협: 직선 기선으로부터 3해리
영공	영토와 영해의 수직 상공

▲ 영역의 구성

답 ❶ 통상 ❷ 직선

[예제] 기후 변화 문제를 해결하기 위한 노력으로 적절하지 <u>않</u>은 것은?

① 국가 간 협약을 맺는다.

② 지속 가능한 개발을 한다.

③ 화석 에너지 개발에 힘쓴다.

④ 탄소 배출권 거래제를 시행한다.

⑤ 환경 문제에 관심을 갖고 환경 의식을 높인다.

답 ③

기억해요!

☐ 문제를 해결하기 위한 개인적 노력에는 에너지 절약, 자원 재활용, 쓰레기 분리 배출, ☐ 제품 사용 등이 있다.

답 기후 변화, 친환경

[예제] 서비스업의 세계화에 대한 설명으로 옳은 것을 〈보기〉에서 고르면?

> **보기**
> ㄱ. 서비스업의 규모가 축소되고 있다.
> ㄴ. 제조업과 달리 공간적 분산이 불가능하다.
> ㄷ. 유통, 교육 등 다양한 분야에서 진행되고 있다.
> ㄹ. 통신 기술 발달, 다국적 기업의 활동이 그 배경이다.

① ㄱ, ㄴ   ② ㄱ, ㄷ   ③ ㄴ, ㄷ

④ ㄴ, ㄹ   ⑤ ㄷ, ㄹ

답 ⑤

기억해요!

서비스업의 ☐ 은/는 서비스업이 국가의 경계를 넘어 세계적으로 확대되는 현상이다.

답 세계화

[예제] 다음 글에서 설명하는 범위를 아래 모식도에서 고르면?

> 국가의 주권이 미치는 해역으로, 원래는 3해리까지 그 권리가 인정되었으나 과학 기술의 발달과 더불어 국제 해양법상 12해리까지 확대되었다.

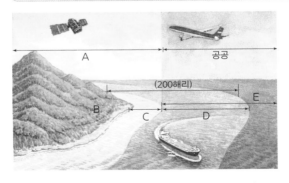

① A   ② B   ③ C   ④ D   ⑤ E

답 ③

기억해요!

☐ 은/는 한 국가의 주권이 미치는 공간적 범위로 영토, ☐, 영공으로 구성되어 있다.

답 영역, 영해

[예제] 다음 지영이의 필기 내용이 잘못된 부분은?

> **〈환경 이슈〉**
> 1. 의미: 환경 문제 중에서 ㉠ 원인, 영향, 해결 방안 등을 서로 다르게 생각하여 논쟁이 벌어지는 환경 문제
> 2. 특징
>   (1) ㉡ 환경 쟁점이라고도 불림.
>   (2) ㉢ 개인, 기업, 국가, 시민 단체 등이 이해 당사자가 될 수 있음.
>   (3) 환경 이슈는 ㉣ 비교적 좁은 지역에서만 발생함.
> 3. 사례: ㉤ 원자력 발전소 건립을 둘러싼 갈등, 간척 사업을 둘러싼 찬반 논란

① ㉠   ② ㉡   ③ ㉢   ④ ㉣   ⑤ ㉤

답 ④

기억해요!

환경 이슈는 ☐ (이)라고도 불리며, 지역적인 것부터 세계적인 것까지 다양한 규모에서 나타난다.

답 환경 쟁점

핵심 정리 13　소중한 우리 땅, 독도

1. **독도의 특징**: 우리나라에서 가장 ❶□□□에 위치한 섬, 화산 활동으로 형성된 동도와 서도, 89개의 부속 도서, 해양성 기후, 맑은 날 울릉도에서 육안으로 관찰 가능

2. **독도의 가치**

영역적	우리 영해의 동쪽 끝 확정, 해상 및 항공 교통과 방어 기지로서 군사적 요충지
경제적	조경 수역, ❷□□□□ 매장, 해양 심층수
환경·생태적	화산 지형의 보고, 섬 전체가 독도 천연 보호 구역(천연기념물 제336호)으로 선정

3. **역사 속의 독도**: 『세종실록』, 「지리지」, 「팔도총도」, 「삼국접양지도」 등을 통해 선조들이 예부터 독도를 우리의 영토로 인식해 왔음을 확인할 수 있음

답 ❶동쪽 ❷메탄 하이드레이트

핵심 정리 14　세계화 시대의 지역화 전략

1. **지역화**: 세계화로 지역 간 교류가 증가하면서 특정 지역이 세계의 정치·경제·사회·문화의 주체로 등장하는 현상

2. **지역화 전략**: 지역의 경쟁력을 높이기 위해 경제적·문화적 측면에서 다른 지역과 ❶□□□할 수 있는 계획을 마련하는 것

3. **세계화 시대의 지역화 전략**

지역 브랜드	지역에서 생산되는 상품과 서비스 또는 지역 자체에 부여한 고유한 상표
장소 마케팅	특정 장소가 지닌 자산이나 고유한 특징을 이용하여 장소 자체를 상품으로 발전시키는 것
❷□□□	특정 상품의 품질과 특성이 생산지의 지리적 특성에서 비롯되고 그 우수성이 인정될 때, 국가가 해당 지역의 이름을 상표권으로 인정해주는 제도

답 ❶차별화 ❷지리적 표시제

핵심 정리 15　다양한 지리적 문제

1. **발생 원인**: 국가 및 지역 간 경제 격차와 사회적 ❶□□□ 심화, 종교·민족 차이에 따른 대립, 영역 및 한정된 ❷□□□을 둘러싼 국가 간 이해관계 대립, 대규모 자연재해, 환경 오염 물질의 장거리 이동 등

2. **특징**: 지역 특성을 반영하며, 여러 요인이 복합되어 나타남 → 해결을 위해 지구촌이 함께 노력해야 함

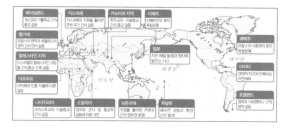

▲ 세계의 주요 지리적 문제

답 ❶불평등 ❷자원

핵심 정리 16　지역 간 불평등 완화를 위한 노력

1. **국제기구의 노력**: 국제 연합(UN) 산하 기구(국제 연합 난민 기구, 국제 연합 아동 기금, 세계 식량 계획, 세계 보건 기구 등)의 구호 활동

2. **경제 협력 개발 기구(OECD)의 공적 개발 원조(ODA)**: ❶□□□에서 저개발국의 경제 발전과 복지 증진 등을 목적으로 저개발국이나 국제기구에 도움을 주는 것

3. **국제 비정부 기구(NGO)의 노력**: 그린피스, 국경 없는 의사회, 월드 비전, 옥스팜 등의 구호 활동

4. ❷□□□□: 저개발국의 가난한 생산자가 만든 상품을 공정한 가격으로 사고파는 방식의 무역으로 노동에 대한 정당한 대가를 주는 것을 목적으로 함

답 ❶선진국 ❷공정 무역

핵심 정리 14

[예제] 세계화 시대의 지역화 전략에 대한 설명으로 옳지 않은 것은?

① 지역화 전략은 지역의 경쟁력을 강화하는 방식이다.

② 지방 자치 단체와 주민의 효율적인 협력이 이루어져야 한다.

③ 지역 브랜드, 장소 마케팅, 지리적 표시제가 대표적 사례이다.

④ 지역의 자연환경과 인문 환경을 활용하여 지역의 긍정적 이미지를 강화한다.

⑤ 다른 지역과의 차별성이 중요하므로 세계의 보편적 가치를 따르지 않아도 된다.

답 ⑤

기억해요!

[   ]은/는 [   ]의 진행으로 지역 간 교류가 증가하면서 특정 지역이 세계의 정치·경제·사회·문화의 주체로 등장하는 현상이다.

답 지역화, 세계화

핵심 정리 13

[예제] 독도에 대한 설명으로 옳지 않은 것은?

① 행정구역상 경상북도 울릉군에 속한다.

② 우리나라의 가장 서쪽에 위치하는 섬이다.

③ 해저에서 솟은 용암이 굳어 형성된 화산섬이다.

④ 바다의 영향으로 연교차가 작은 해양성 기후가 나타난다.

⑤ 동도·서도 및 여러 개의 작은 바위섬으로 이루어져 있다.

답 ②

기억해요!

독도는 [   ]의 해저에서 형성된 [   ](으)로 동도와 서도 두 개의 큰 섬과 89개의 바위섬으로 이루어져 있다.

답 동해, 화산섬

핵심 정리 16

[예제] 다음 (가), (나)의 지리적 문제를 해결하는 기구를 바르게 연결한 것은?

○○ 신문

(가) 소말리아, 계속되는 가뭄과 내전으로 식량 사정 최악: 약 33만 6천 명의 어린이가 심각한 영양실조 상태

(나) 수단 정부, 수백만 명의 에리트레아 난민들 강제 송환: 일부 단체, 정부와 국제기구의 협력 및 난민 보호 촉구

	(가)	(나)
①	세계 식량 계획	국제 연합 난민 기구
②	세계 보건 기구	국제 연합 아동 기금
③	국경 없는 의사회	국제 연합 평화 유지군
④	국제 연합 아동 기금	세계 식량 계획
⑤	경제 협력 개발 기구	그린피스

답 ①

기억해요!

지역 간 불평등 완화를 위해 [   ](UN), 경제 협력 개발 기구 (OECD), [   ](NGO)의 노력이 행해지고 있다.

답 국제 연합, 국제 비정부 기구

핵심 정리 15

[예제] 지리적 문제의 발생 원인이 아닌 것은?

① 환경 오염 물질의 장거리 이동

② 국가 및 지역 간 경제 격차의 심화

③ 서로 다른 종교 또는 민족 간의 대립

④ 저개발 지역의 빈곤 해결을 위한 국제기구의 노력

⑤ 영토·영해 및 한정된 자원을 둘러싼 국가 간의 대립

답 ④

기억해요!

지리적 문제는 [   ]의 특성을 반영하며, 최근 세계화로 지역 간 상호 작용이 활발해지면서 특정 지역만의 문제가 아니라 다른 지역과 연관되어 있고 여러 요인이 [   ]되어 나타난다.

답 지역, 복합